IT'S NOT ALWAYS DEPRESSION

Working the Change Triangle to Listen to the Body,
Discover Core Emotions, and Connect to Your Authentic Self

「うつ」と決めつけないで

ほんとうの自分とつながる「変容の三角形」ワーク

ヒラリー・ジェイコブス・ヘンデル［著］
ダイアナ・フォーシャ［序文］
井出広幸［監訳］　山内志保［訳］

福村出版

It's not always depression:
working the change triangle to listen to the body, discover core emotions,
and connect to your authentic self / by Hilary Jacobs Hendel

ジョンへ　あなたの愛と知恵、そして本書の執筆に対するサポートに

母へ　私を私のままでいさせてくれる、あなたの無条件の愛と優しさに

序文

ダイアナ・フォーシャ

セラピーの癒やし指向の変容モデル、ＡＥＤＰ（accelerated experiential dynamic psychotherapy）[※]の創始者として、私は、興奮と不安が入り混じる気持ちで、ヒラリー・ジェイコブス・ヘンデルによる本書の原稿に目を通しました。

興奮を覚えたのは、私の仕事における人々の変容を助ける力が、飛躍的な進歩を遂げる可能性があったからです。これまでのように、セラピストのトレーニングに影響を与え、結果、彼らが診るクライエントに効果が出る、というだけではないのです。今や、ここで、本書と共に人々に直接届き、多少の「企業秘密」を共有するのです。ＡＥＤＰの考え方をもっと身近なものにすれば、本書は、もっと多くの人の――（さまざまな流派のセラピストとの）セラピー中の人にも、一度もセラピーを受けたことがない人にも――役に立つことでしょう。そんなビジョンにワクワクしたのです。

同時に、私は**不安**もありました。ここに、私のこれまでのライフワークがセルフ・ヘルプの本としてまとまったけれど、ＡＥＤＰをきちんと扱っているかしら？　ＡＥＤＰのエッセンスがなんだか水で薄めたみたいになってないかしら？　ＡＥＤＰの複雑な考えを、フォーチュン・クッキーのおまけ程度の表面的な知恵に変えてしまって、厳密な癒やし指向の変容セラピーの開発に費やした年月を矮小化してないかしら？　**不安**の原因は、それだけではなく、ヒラリーはつながりを感じる私の仲間です。彼女が執筆した内容がしっくりこなくて気まずくなってしまったらどうしよう？　それとも、ＡＥＤＰへの人々の理解は今や私の手から離れ、間違っている・ずれていると感じる解説とも共存しなくてはならないのかしら？

　私は前々からかなり**安心**していました。ヒラリー・ジェイコブス・ヘンデルは実力のある人というだけではなく素晴らしい臨床家だとわかっていましたし、おまけに、彼女がニューヨークタイムズ紙に寄稿したＡＥＤＰのセラピーに関する2本の記事に、本当に心を奪われていたのです。それらのシンプルで短い記事は、端的でわかりやすく書きつつ本質を伝えるという羨ましいほどの彼女の才能を披露していました。

　本書の原稿を読み進めるにつれ、**呼吸が落ち着いていきました**。**身体がリラックスし**、そして**原稿に没頭していきました**。ここに書かれている内容は、適切で正確。**安堵の溜め息が出ました！**　きっと大丈夫、そう思いました。

　章から章へと読み進め、事例の物語に触れるたび、**私は心を動かされました**。ＡＥＤＰは、私の手を離れて、独り歩きしたのです。この手応えは、すでにほかの仲間たち、つまりＡＥＤＰ研究所の講師陣の功績からも感じていました。彼らは自分たちの仕事を通して、ＡＥＤＰの適用可能性を広げてくれています。しかし、本書は、この講師陣のトレーニングを受けた次世代のメンバーの手によるもので、しかも、彼女はＡＥＤＰを自分のものにしてクライエントに伝えただけでなく、本書を通して一般の人たちにまで広めようとしているのです。**私は、**

※　訳注。ＡＥＤＰ™心理療法は過去20年にわたって開発されてきた結果、当初の accelerated experiential dynamic psychotherapy（加速化体験力動療法）の枠を大きく超えて進化したため、２０２３年現在ＡＥＤＰ研究所ではＡＥＤＰを「accelerated（加速的）」「experiential（体験的）」「dynamic（力動的）」「psychotherapy（心裡療法）」を意味するという説明は使用しておりませんが、本書については原書刊行当時の表記のままとしました。

喉にぐっとこみ上げてくるものを感じ、喜びで胸がいっぱいになりました。ＡＥＤＰが世代を超えて広がり始めたのです。

ここまでに、いくつか太字の表記があったことにお気づきでしょうか。これらはすべて、感情と結びついた身体感覚や情緒的な気持ちを表す言葉です。感情と身体感覚によって、私たちは自分自身を知るのです。感情と身体感覚には生物学的な知恵が備わっていて、私たちや周りの人たちに大切なことを教えてくれます。ページをめくり、ヒラリー・ジェイコブス・ヘンデルの本に親しんでいく中で、皆さんも感情の豊かさを大切にすることや、感情がいかに力強く、私たちを導いてくれるかを知るでしょう。過去の傷を癒やすために必要なことや、自分の人生に幸せと効力感を感じるために必要なことを私たちに指し示してくれるのが、感情なのです。ヒラリーは感情について、そして感情を隠す防衛についての知識を、とてもわかりやすく書いています。彼女の事例では、適応的な感情に触れることができずにいることが私たちに与える影響や、感情をしっかりと感じ切ることによるメリットと効能について解説されています。先の太字の表記は、私の体験の新しい側面への入口です。これは本書の内容と深く関連しています。

ＡＥＤＰにはこんな言葉があります。**はっきりしていないものを明らかにし、明らかになったら、それを体験しよう。**この序文の中で、私もはっきりしていないものを明らかにし、ＡＥＤＰの基本原則を皆さんに示すことで、ヒラリーの仕事に花を添えられたらと思います。皆さんが体験しようとしていることの根底にある原則を理解していただけるように、ＡＥＤＰについてお伝えします。それでは、ここからＡＥＤＰのいくつかの基本原則について、はっきりしていないものを明らかにしていきましょう。

癒やしは出会いの瞬間から始まる――癒やしを促進するトランスフォーマンス

ＡＥＤＰの説明をするうえで最初の核となる考え方は、癒やしはセラピーの望ましい結果として起こるものにとどまらないということです。癒やしは、セラピーが始まったときから起こり得ます。私たちは癒やしを志向し、自分を正し、成長し、変容するようにできています。これは単なる比喩や言い回しではありません。神経可塑性とはそういうものなのです。

安心を感じたとき、あるいは、十分な安全を感じられたとき、私たちの中に、良くなりたいという気持ちが芽生えます。精神病理学的な見方をする多くのセラピストたちとは違って、ＡＥＤＰでは何が悪いのかということに焦点を当てません。良いことは何かということに焦点を当てます。ＡＥＤＰセラピストは、常に良くなろうとする力を探しています。私たちはこれに、**トランスフォーマンス**（transformance）という特別な名前をつけました。セラピーの原動力であるトランスフォーマンスについて、私はこんなふうに説明しています。

> もともと人には、変化への欲求がある。私たちは、成長し、癒やされる準備が整っているのだ。そして、私たちは自分の正しさを認め、妨げられていた成長に再び取り組む準備もできている。私たちは、自己を広げて解放し、防衛のバリアをなくし、偽りの自己を解体したいと思っている。凍りついた自分の中の部分に触れようと努力する中で、私たちは、知ってもらいたい、見てもらいたい、気づいてもらいたいという切なる願いによって形作られていくのだ。（Fosha, 2008）

使いやすいばかりでなく、何が素晴らしいかというと、癒やしという現象には必ず**活力**と**エネルギー**が伴い、はっきりとした身体的・感情的な指標があることです。これらの指標によって、私たちはトランスフォーマンスの兆しや、癒やしとウェルビーイングに向かう努力を追跡したり、見出したりすることができます。そして、私たちがクライエントの中にこうした努力を見出すとき、彼らは「見てもらえた」という気持ちになるのです。

トランスフォーマンスや、そのエネルギーと活力のポジティブな身体的・感情的な指標は、治癒効果の中のポジティブな神経可塑性の直接変換であり、それが再配線を起こさせるのです。

ポジティブで、適応的で、「これこそが正しい、本当だ」と感じるものを優先する

恐怖と絶望の真っ只中にあっても、私たちは確かな癒やしを見出そうとして、ポジティブなもの、適応的なもの、正しい・本当だと感じられるものにじっくりと耳を傾けて、それに取り組もうとします。この「ポジティブ」という言葉は、ＡＥＤＰでは特別な意味を持ちます。これにはもちろん、**喜び**や**感謝**、**幸福感**といったいわゆるポジティブ感情が含まれます。ただし、これだけを強調するわけではないのですが、ＡＥＤＰにおける「ポジティブ」の定義には、いわゆるポジティブ感情だけではなく、ある人にとって**正しく真実だと感じられるもの**も含まれます。これを知っておくことが大切なのは、私たちが心の痛みを感じたくなくて、感情を感じるのを怖がることが多いからです。この後のページを読み進めれば、最後には、子どもの頃に作り上げた自分を守るためのバリアを抜け、自分の本当の感情を心から感じ、たとえその感情が悲しみや怒りであったとしても、確かな**安堵感**を得られるでしょう。感じるのは安堵感だけにとどまりません。私たち自身が、私たちの身体が、長いこと真に求めていた何かを感じるのです。それはあたかも傾いた絵の位置を直すと、安堵の溜め息がこぼれるかのように、ようやく自分の状況とぴったり合った感情を感じると、私たちは心から**納得**します。そして、**気持ちが楽**

になるのです。

孤独を和らげる

圧倒的な感情に直面したときに陥る孤独――不本意な孤独感――こそが、感情的な苦しみと人生の困難の中核にある、というのがAEDP心理療法の基本となる解釈です。この解釈が意味することは明確です。「一緒にいること」――つまり、安心させてくれて理解してくれる、信頼できる他者と一緒にいること――が、癒やされ、自分自身の感情を健全な形で感じ切る基盤となります。ひとりではないと感じるとき、寄り添ってもらえていると感じるとき、私たちの神経システムはグレードアップします。助けを得ることで、私たちは前よりもうまく感情を**感じ**、そして、**扱える**ようになります。すなわちAEDPセラピストの最初の目標は、クライエントの孤独を和らげ、癒やしの旅路をクライエントと共に歩むことなのです。

愛着理論の知見（Bowlby, 1988）と、自律神経系の働きに関する知見（Porges, 2011）を取り入れた結果、体験的セラピストのほとんどが、社会的関わりシステムを活性化させ、つながりと安心感の構築に努めるようになりました。さらに踏み込んで、レジリエンスを持つ子どもを育てる親の振る舞い方についての愛着研究の資料を参考に、AEDPセラピストたちは、共感、ケア、関心、肯定、そして、本当の感情の存在をもって指導しています。これがあるからこそ、感情の作業が効果的にできるのです。ふたつの頭脳はひとつの頭脳に勝るということわざがありますが、ふたつの精神、ふたつの心にも同じことが言えます。ひとりではとても対処できないようなことがあっても、心を寄せてくれる他者がいれば、うまく対応できるようになります。孤独を和らげることは、AEDP心理療法の必須条件です。これが、ヒラリーの事例に見られる、とても素晴らしい感情の作業の根底にあるのです。

ポジティブな相互作用の重要性

養育する人と、養育される子どもとの間のポジティブな相互作用が、幼少期の脳がよく発達するために必要ということを、愛着理論は教えてくれます。ポジティブな相互作用には、ケア、情緒的関わり、コンタクト、つながり、助け、ポジティブ感情が見られるという特徴があります。これらが脳内の化学変化を促し、その結果として脳はポジティブな方向に変化します。こうして神経システムが変化する能力を神経可塑性といい、神経可塑性は若年時だけでなく一生涯の間、ずっと保たれることがわかっています（Schore, 2012）。

人が成長する余地が歳と共に減ってゆくと認識される時代は終わりを告げています。ＡＥＤＰセラピストの在り方は、つながりや情緒的関わり、真正性（authenticity）を特徴とします。ＡＥＤＰセラピストは、気遣いや心配り、助けたいという気持ちを隠すことはありません。

感情を受け取る体験をする

ケア、共感、関心、肯定、本当の感情の存在。これらは、安心感とつながりの感覚を育むのに欠かせません。しかしセラピストがポジティブなものを与えようとしても、クライエントにそれを受け取る準備ができていないときは、うまくいかないのです。

ＡＥＤＰでは、人々の感情表出を促すことに焦点を当てるだけではなく、感情の受け入れ方を学ばせて、クライエントが自分にとって良いものを取り入れられるように関わります。要するに、**情緒的な体験を取り入れること**をクライエントと一緒にやるのです。愛情やケアや理解を**受け入れる**とはどんな体験か、クライエントに実際に感じてもらうのです。

私たちは皆、支えやケア、他者からの理解を求めています。私たちの誰もが、見てもらい、察してもらい、聴いてもらい、わかってもらうことを求めてやみません。しかし実際に、こうした体験が予期せぬ形で目の前に現れたとき、私たちの多くは、それに対して遠慮や疑いで反応してしまいます。ＡＥＤＰは、セラピストとの治療関係を通じて取り組むことで、クライエントが他者から良いものを受け取る際に現れるブロックを解消します。セラピストは、クライエントに次のようなことを探索してもらうのです。**ケア**を受け取ると、どんな感じがするんだろう？　わかってもらえたという感じは、身体でどんなふうに感じられるんだろう？　こうして探索するうちに、強く求めているものほどブロックしてしまう理由がわかることもあります。探索する中でクライエントは、**ケア**、**愛情**、**共感**、**承認**、**理解**、**見てもらっているという感覚**を、真に実感することができます。そして、これらのことを実感できたとき、私たちはその豊かな恩恵を受け取るのです。心の中にしっかりとした愛と、納得した理解があれば、私たちはより自信を持って、日々の課題に向き合えるでしょう。

ポジティブ感情を活かすことの重要性

「孤独を和らげ」「感情にとどまり」「誰かと一緒にいる」。これは、苦しみを伴うネガティブ感情に向き合うときや、それを和らげるときにだけ適用するものではありません。ＡＥＤＰセラピストは、セラピストとクライエントとの間に起こるポジティブ感情も、積極的に、かつ、はっきりと、体験的に扱います。つまり、セラピストは自分の感情表現の対象を、ケア、関心、共感、つながりの感覚に限定せず、**うれしさ**や**喜び**まで表現の対象を広げると、それによってクライエントが**心地よさ**を感じるようになります。AEDPセラピストは、実際に共感や肯定をはっきりと言葉にして伝えます。さらに、クライエントのポジティブな資質や強み、才能、達成したことを喜び、祝福し、クライエントがそれを受け取れるようにすることも、AEDP心理療法の効果を高めるうえで役立ちます。

苦しみとつながった感情を完全に感じ切るプロセス
――「ネガティブな感情を感じたところからが、始まりである」

見出しの格言は、優れた体験過程療法セラピストのひとり、ユージン・ジェンドリンのものです。彼は、フォーカシングと呼ばれる技法の創始者でもあります（Gendlin, 1981）。この格言は、人々が強い感情を感じ切るための方法についてまとめた、私の論文のタイトルでもあるのです（Fosha, 2004）。

人類が進化する過程で、感情は、常に私たちと共にありました。感情は、私たちを脅かそうとしているわけでもなければ、圧倒しようとしているわけでもなく、自制心を失う恐れを与えようとしてもいません。感情は、私たちの脳や身体、そして神経システムと結びつき、自らを取り巻く環境に私たちが順応できるようにしてくれます。こうして、私たちは適応し、繁栄していくのです。時に、感情がどんなに恐ろしく感じられたとしても、私たちがそれを感じ切ろうとし、乗りこなそうとすれば、感情は必ず私たちを良い状態へ導いてくれます。たとえば、コア感情の**悲しみ**は、最後にはその悲しい状況を受け入れる状態に、私たちを導きます。コア感情の**怒り**は、正義や正しさを求める私たちの代表として、強さや明晰さ、自分に対する励ましなどを体験すべく、私たちを導いてくれます。**恐怖**は安全を希求させ、**喜び**は、活力やエネルギー、他者とつながりたいという欲求や、真実を探求する熱意へと、私たちを導きます。さらに、感情を体験的に感じるための基本原則には、こんなものもあります。ひとつひとつのコア感情を完全に感じ切るごとに、私たちは素晴らしい対価を手に入れます。その対価とは、困難を乗り越える力であり、明晰さであり、自らが進むべき道を知る知恵のことを言うのです。

ヒラリーも書いているように、彼女が本書で紹介したツールを使えば、あなたもこうしたことを正確にやり遂げることができます。セラピーを受けていない方でも、本書を読むことで孤独感が和らぎ、心の中のブロックや抑制を解消する方法を学べるでしょう。そうすれば、あなたは自分の本当の感情を知ることができるはずです。心の底にある感情を知ることで、その感情自体が、あなたを明晰さという対価に導いてくれます。

感情を完全に感じ切る、つまり、感情のプロセスを完了させるという概念は、体験的なアプローチを取るセラピストなら誰もが知っています。体験的アプローチの例として、ＥＭＤＲ（眼球運動による脱感作と再処理法）、内的家族システム療法（ＩＦＳ）、ゲシュタルト療法、フォーカシング、ソマティック・エクスペリエンシング、感覚運動心理療法、感情焦点化療法などが挙げられます。

そして実際に、感情のプロセスが完了すると、適応的な行動傾向やレジリエンスが花開き、自分の望みがはっきりして、何をする必要があるのかがわかります。最後まで感情を感じ切ると、自分の意思が明確になり、あなた全体にエネルギーが満ちます。感情プロセスを完了すると、ポジティブな効果があります。嫌な気分が、良い気分に変わるのです。ここで良い気分をプロセスすることも、嫌な気分をプロセスするのと同じように大切なことです。

変容体験をメタプロセスするとは

セラピーの第1ラウンドは、防衛や不安を乗り越えることでした。第2ラウンドは心の苦しみを癒やし、自己効力感やレジリエンスを高めることです。そしてＡＥＤＰには、第3ラウンドがあります！

ＡＥＤＰの第3ラウンドは、**メタセラピューティック・プロセシング**（略して**メタプロセシング**）です。ネガティブな感情体験を扱うのと同じくらい、体系的かつ徹底的に、ポジティブな感情体験をしっかりと扱い、体験することもここに含まれます（Fosha, 2009a; 2009b）。心の苦しみといったネガティブ感情に向き合えば、それは自分のためになる適応的な行動へと変化します。同様に、ポジティブな感情に向き合うと、より良い変化を得られます。より良い変化とは、たとえば、癒やしや変容のことです。ポジティブな感情を扱うことでも、変容が深まるのです。メタプロセシングをすることによって、トラウマと関わる感情を感じ切って起きた変容を、さらに広げて、強化することができます（Fredrickson, 2001; Fosha, 2017）。そしてこれは、脳の回路を再びつなぎ合わせて、レジリエンスやウェルビーイングを深め、促進することにもつながります。

ＡＥＤＰでは、「気持ちが楽になる」という**体験**と「より良い状態になる」という**体験**に働きかけることに、体系的に焦点を当てているため、ウェルビーイングを広げて、深め、強固なものにしていくことができます。

変容感情

私たちがメタプロセシングを行っていく中で、より良い変化と結びついたポジティブな感情を探索すると、それによってさらなる変容体験が生じることが明らかになりました。そして、新しい変容体験はそれぞれ、特定の感情と紐づいていることもわかってきたのです。私たちはこれらの感情を変容感情と名づけました。これらはすべてポジティブな感情です。AEDPでは、この変容感情について詳しく説明し、これらの感情を体系的に扱います。コア感情が、私たちに対処すべきことは何かを教え、異なる種類の試練と紐づいているように（たとえば、恐怖は危険と紐づいた感情であり、悲しみは喪失と紐づいた感情です）、変容感情も、自分の内側でポジティブかつ重要な変化が起こっていることを、私たちに教えてくれます。ポジティブな変化に注意を向けることで、私たちはそれを確固たるものにして、より多くの変化を起こし、自分の人生をますます豊かにすることができるのです（Fosha, 2013; Russell, 2015）。

変容感情には、喜び、自信、プライドといった**達成感情**、これまでに経験したことのない、新しい体験をしたことによるポジティブな無防備さと結びついた**揺動感情**すなわち心が動かされる感覚や、力になってくれた人たちへの感謝や愛情といった**ヒーリング感情**、そして、変化が起こったことに対する驚きや畏怖の念といった**認識感情**などがありますが、これですべてというわけではありません。

変容のスパイラルに終わりはない

ポジティブな変容感情を体験的に探索していくと、ポジティブな変容感情がどんどん現れます。次から次へというふうに、一旦火のついた変容のプロセスに終わりはありません。この終わりなき変容のプロセスは、エネルギーや活力を伴った上向きのスパイラルを描き、心の苦しみに対する癒やしを超えて、**繁栄する力**や**ウェルビーイング**へと形を変えていきます。

コアステイト

変容のプロセスがピークに達すると、コアステイトに至ります。コアステイトとは、自己の統合と解放が同時にある状態です。本書で、ヒラリーはこれを、**心を開いた状態**と呼んでいます。この心を開いた状態とは、ＡＥＤＰで言う**コアステイト**であり、内的家族システム療法（ＩＦＳ）で言う**コア・セルフ**です。変化のプロセスが深く根づくのはここであり、ＡＥＤＰやＩＦＳおよび本書で紹介されたワークと、西洋にも東洋にも見られる瞑想の伝統との接点もここにあります。瞑想とは、心の基本的な性質にアクセスする道を示したもので、心の活性化を目的として行われます。こうした特徴を持つプロセスでは、**寛容さ**、**智慧**、**自他への思いやり**、**穏やかさ**、**受容**、**一貫性**、**ウェルビーイング**、**フロー**、**心地よさ**、そして、「**これが自分なのだ**」という自己の本質と結びついた深い**理解**などが起こります。そして、このプロセスは、こうした感覚の中でピークを迎えることもあるのです（Fosha, 2017）。

最後に、ＡＥＤＰも本書も、私たちの葛藤やフラストレーションから始まり、私たちの深いところにあるギフトに到達することで締めくくられます。科学的な裏付けと臨床経験に基づいて、このように根本的な希望を持てていることは重要です。なぜなら、現在のメンタルヘルスを巡る最大の課題のひとつは、ニヒリズムに打ち勝ち、心の問題との効果的な向き合い方を一般の人々に教えていくことだからです。うつ病や不安症、依存症、その他の精神疾患に苦しむ人々への偏見をなくすうえで、感情に関する教育は大きな力を持つでしょう。感情に関する教育は、自分自身や他者に対する私たちの見方も大きく変えてくれるはずです。本書は、人々が自分の苦しみをよりよく理解する助けとなり、「自分の苦しさには理由があったんだ」と知ることによる安堵の溜め息をもたらすでしょう。

本書では、感情に焦点を当てるセラピーがなぜうまくいくのか、どのように機能しているのかということも解説されています。あなたがＡＥＤＰを学び、実践しているセラピストなら、本書はＡＥＤＰのエッセンスを摑むのに役に立つでしょう。本書の中のＡＥＤＰに関する解説はシンプルで耳触りがいいですし、実際の事例を見ていくこともできます。あなたがセラピーを受けているクライエントであれば、とりわけＡＥＤＰやＩＦＳ、その他の体験的なセラピーを受けているなら、本書はあなたのセラピーがうまく進んでいるかどうかを知る手掛かりとなるはずです。

ぜひ本書を読んでみてください（読み終えたら、もう一度）。また、本書をシェアすることも考えてみてください。本書はもちろん、あなたが自分自身と向き合うためのセルフ・ヘルプの本なのですが、この本をほかの誰かと一緒に読むのもいいでしょうし、仲間と読書会を開くことを検討してみるのもいいでしょう。そうすれば、支えを得ながら、あなたの心の痛みと喜びの両方に寄り添ってもらえるはずです。

私は、すべての人類に、この本を読むことを勧めます。

［参考文献］

・Fosha, D.（2008）. Transformance, Recognition of Self by Self, and Effective Action. In K. J. Schneider（ed.）, *Existential-Integrative Psychotherapy: Guideposts to the Core of Practice*. New York: Routledge, pp. 290-320

・Bowlby, J.（1988）. *A secure Base: Parent-Child Attachment and Healthy Human Development*. New York: Basic Books

・Porges, S. W.（2011）. *The Polyvagal Theory: Neurophysiological Foundations of Emotions, Attachment, Communication, and Self-regulation*. New York: Norton

・Cater, C. S. and Porges, S. W.（2012）. Mechanisms, Mediator, and Adaptive Consequences of Caregiving. In D. Narvaez, J. Panksepp, A. L. Schore, and T. R. Gleason（eds.）, *Human Nature, Early Experience and the Environment of Evolutionary Adaptedness*. New York: Oxford University Press, pp.132-51

- Geller, S. M., and Porges, S. W. (2014). Therapeutic Presence: Neurophysiological Mechanisms Mediating Feeling Safe in Clinical Interactions. *Journal of Psychotherapy Integration* 24: 178-92
- Schore, A. (2012). *The Science of the Art of Psychotherapy*. New York: Norton.
- Gendlin, E. T. (1981). *Focusing*. New York: Bantam New Age Paperbacks.
- Fosha, D. (2004). "Nothing That Feels Bad Is Ever The Last Step": The Role of Positive Emotions in Experiential Work with Difficult Emotional Experiences. In special issue on emotion, L. Greenberg (ed.), *Clinical Psychology and Psychotherapy* 11: 30-43.
- Fosha, D. (2009a). Healing Attachment Trauma with Attachment (... and Then Some !) . In M. Kerman (ed.), *Clinical Pearls of Wisdom: 21 Leading Therapists Offer Their Key Insight*. New York: Norton, pp. 43-56
- Fosha, D. (2009b). Positive Affects and the Transformation of Suffering into Flourishing. In, W. C. Bushell, E. L. Olive, and N. D. Theise (eds.), *Longevity, Regeneration, and Optimal Health: Integrating Eastern and Western Perspectives*. New York: Annals of the New York Academy of Sciences, pp. 252-61
- Fredrickson, B. L. (2001). The Role of Positive Emotions in Positive Psychology: The Broaden-and-Build Therapy of Positive Emotions. *American Psychologist* 56: 211-26
- Fredrickson, B. L. (2009). *Positivity: Groundbreaking Research Revels How to Embrace the Hidden Strength of Positive Emotions, Overcome Negativity, and Thrive*. New York: Random House.
- Fosha, D. (2013). Turbocharging in Affects of Healing and Redressing the Evolutionary Tilt. In D. J. Siegel and Marion F. Solomon (eds.), *Healing Moments in Psychotherapy*. New York: Norton, pp. 129-68
- Russell, E. M. (2015). *Restoring Resilience: Discovering Your Clients' Capacity for Healing*. New York: Norton.
- Fosha, D. (2017). How to Be a Transformational Therapist: AEDP Harnesses Innate Healing Affects to Re-wire Experience and Accelerated Transformation. In J. Loizzo, M. Neale, and E. Wolf (eds.), *Advances in Contemplative Psychotherapy: Accelerating Transformation*. New York: Norton, chapter 14.

目次

Chapter 6

防衛

Chapter 7

心を開いた状態とは？

おわりに

1

「変容の三角形」とは

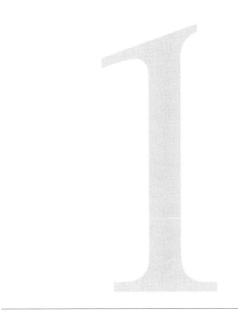

本書を通して伝えたいこと

2004年に、ニューヨークで開かれた感情と愛着に関する学術学会で、私は「変容の三角形（the Change Triangle）」[1]（Malan, 1979; Fosha, 2000）を初めて知りました。学会会場のスクリーンに映し出された巨大な逆三角形を、私はじっと見つめました。それは感情がどう機能するかを示していて、その感情の扱い方を誤ると、うつなどの精神症状の発症につながる仕組みを伝える三角形でした。その三角形は防衛、不安、そして**コア感情**と呼ぶ最も重要な3つの要素のつながりを表しています。それを見た私は、それまでとりとめなく無秩序に感じてしまう感情体験が、まるでルービックキューブの最後の一回転のように正しく収まってしっくりと感じられたのです。なるほど、そういうことか。私はワクワクしました。自然科学と心理学を長年学んできたのに（私は、ブロンクス・スクール・オブ・サイエンスを卒業後、ウェズリアン大学で生化学の学位を取得し、コロンビア大学で口腔外科医となり、社会福祉士の修士号を修め、今では、精神分析家の資格も持っています）、どうして、このシンプルな図を見たことがなかったのかしら？　私は思いました。**この三角形は義務教育で教えるべきだわ。感情がどう働き、感情をどう扱うと気持ちが楽になるのかわかったら、きっとみんなの役に立つはず。**

感情に働きかける心理療法のビデオを見ると、たった1回のセッションで、どんどん変化するクライエントがいます。従来の心理療法では数年もかかるような成果に、わずか1時間で到達するのです。「うまくいきすぎじゃないの？」と、疑わずにはいられません。感情に働きかける心理療法は、誰でも学ぶことができ、再現性のある、科学的に支持された技法なのでしょうか？　私の過去10年間の実践から、答えはイエスだと断言します。

私は、１００年の歴史を持つ心理学を学び、自然科学、そして脳の解剖学に関する研究を行い、さらに、心理療法の実践を10年以上続けてきました。その結果、私は「変容の三角形」はセラピーを受ける人だけではなく、すべての人の役に立つと確信します。「変容の三角形」の裏付けとなる理論を、トレーニング中のセラピストだけではなく一般の人も活用できるツールに落とし込むことが私の使命だと気づきました。私がこれまで、心理療法の文献や知識をわかりやすい言葉で説明してきたのも、「変容の三角形」をさっと頭に入れて、いつでもどこでも使ってもらえるようにするためであったとすら思えます。皆さんの気持ちが楽になるように、これからこの大切なツールの使い方を説明します。

人生は厳しいです。誰もが苦しみを抱えています。現代人は、かつてないほどのストレスと負担を抱え、空虚感や不安、自己否定、うつに悩まされています。ほとんどの人は、自分の感情をどう扱えばいいのかわかりません。ですから感情を感じることを避けて、なんとか気持ちをコントロールしようとするのです。ところが実は、感情を感じることを避けることこそが、うつや不安といった精神的な苦痛を引き起こすのです。感情は避けただけでは、どうにもなりません。「変容の三角形」は、苦しみから抜け出すための地図です。この三角形を活用すれば、今までよりも元気で落ち着いた状態に安定できるようになります。「変容の三角形」は、感情と脳に関する最新の学術研究に基づいています。その科学的根拠は複雑ですが、「変容の三角形」の妥当さは直感で感じら

1　この三角形は、学会では体験の三角形と呼ばれていました。私は学術論文にあった「変容の三角形」という呼び方を採用しました。デビット・マランの１９７９年の論文の中では、この三角形はもともと葛藤の三角形と呼ばれていました。２０００年にＡＥＤＰの創始者であるダイアナ・フォーシャ博士が、これを体験の三角形と名づけ直しました。「変容の三角形」は、今回この概念を一般向けに紹介するにあたり、私が採用した呼び方です。Malan, D. (1979). Individual Psychotherapy and the Science of Psychodynamics. London: Butterworth-Heinemann; Fosha, D. (2000). The Transforming Power of Affect. New York: Basic Books.

れるはずです。この三角形は、感情とうまく付き合うために誰もが持つべきツールです。

感情の力は強力で、一瞬で私たちに襲いかかり、物事を感じさせ、振る舞わせ、そしてたいていは自分や他者を傷つけるような反応を引き起こします。それに対して私たちは、自分に影響はないと信じて、心の別の部分で感情を葬り去ろうとします。しかし、感情とは物理学に則って動く、生物学的な力です。後先考えずに、感情を無視すれば、感情のエネルギーはほかの何かに変容するしかありません。世界中で、不安症とうつ病が増えているのはこのメカニズムによるのです。私たちの文化や教育システムには、感情とうまく付き合っていくための技術や資源、専門的な教育が決定的に足りません。感情の生物学的な機能に関する基礎知識も、社会に十分伝えられていません。むしろ社会の中で、私たちは感情を感じることを軽視し、感じることを回避するように叩き込まれます。「変容の三角形」は、こうした社会のルールに挑戦するものです。

感情を避けることで払う犠牲は多大です。感情は、私たちに必要なものは何かを教え、私たちのためにならないものは何かを示します。感情の力を借りずに生きるのは、ソナー（音波探査機）や羅針盤を持たずに、ボートで大海原を渡ろうとするようなものです。感情のおかげで、私たちはありのままの自己とつながることができ、感情の働きによって私たちは他者との親密なつながりを感じます。感情とのつながりを失うと、途端に私たちは孤独感に苛まれます。自分自身とのつながりも、大切な人たちとのつながりも、共感という感情による接続によって成り立ちます。どんな人も生まれつき7つのコア感情を持っていて、これを体験することによってのみ、本当の自分と深くつながることができます。7つのコア感情とは、悲しみ、喜び、怒り、恐怖、嫌悪、ワクワク、そして性的興奮のことです[2]。これらのコア感情が、生まれた日から人生最期の日まで、私たちが一生をうまく渡っていく助けになります。

感情は、脳の深い部分にある生存のためのプログラムであり、意識ではコントロールできません。命の危険にさらされたら、恐怖が発動します。もし、野良犬に追いかけられそうになったら？　あなたをすぐに動かしてくれるのは、恐怖です。怒りは、自分と自分の大切なものを守るために戦うべく私たちを駆動することで、私たちを守るのです。悲しみは、何かをなくしてつらいときに感じるコア感情です。髪が少なくなったり、大事なものをなくしたり、大切な人を失ったときに感じるのが悲しみです。何かがうまくいったときや、周りの人たちとしっかりつながっているときは、興奮や喜びという感情が、もっとその成果やつながりを保てるよう、私たちを駆り立てます。こうして感情の力によってヒトは成長し、発展し、進化してきたのです。**感情は、今の状況に、間髪を入れず反応します。**感情は、理性とは正反対です。状況にどう反応しようか時間をかけて考えるのが理性脳であり、それに対して感情脳は、今ここにおけるダイレクトな反応が身上です。

効率良く生きるために、感情は欠かせない存在でありながら、同時に感情は私たちの悩みの種でもあります。なんと根源的な矛盾でしょうか。私たちが生存するためには感情が欠かせないのに、その感情によって私たちは傷つくのです。ヒトの心は、生きるために感情を無視するという驚くべき能力を進化させました。実際、この感情無視力のおかげで、私たちは物事をこなしていけます。私たちは、仕事をし、家族を養い、安全な場所に住み、その他の基本的な欲求を満たすにあたり、感情に対する防衛を駆使して日常を送っているのです。しかし、感情をブロックすると、心身の健康が損なわれることが、数多くの研究により明らかになりました。ブロックされた感情は、うつや不安、その他の慢性的なストレスからくる、さまざまな精神症状の原因になります。慢性的な精神的ストレスは、コルチゾールというストレスホルモンを増加させ、身体の健康状態を悪化させます。精神的な

2　感情と神経科学に関する文献を見てみると、どの感情をコア感情に含め、その感情にどのような名前をつけているかは、研究者によって異なります。「変容の三角形」の説明をするうえで、私は7つの感情を取り上げました。これらの感情は、臨床場面でも個人の生活でも、重要で役に立つものだからです。たとえば、驚きもコア感情と呼ばれることがありますが、驚きの体感はほんの一瞬です。私はセラピーの中で、驚きがブロックされたことによって、「変容の三角形」のコア感情に見られるようなトラウマが起きているのを、個人的には見たことがありません。

ストレスは、心疾患や胃の痛み、頭痛、不眠、自己免疫疾患（Stojanovich and Marisavljevich, 2008）などと関連があるのです。

さらに、さまざまな困難が重なるのが現代社会です。たとえば、成功することへのプレッシャー、「遅れを取りたくない」という願望、「取り残されることへの恐れ（fear of missing out: FOMO）」、良好な人間関係も仕事の満足感も得たいという欲求などは、一見すると矛盾した感情を生じさせます。たとえば、どうしても欲しかった車を買えなかった、フランクの気持ちを考えてみましょう。欲しい車を諦めるというありふれたことでも、悲しみや怒り、屈辱、不安などが、ごちゃごちゃになって生じます。このごちゃごちゃした感情にうまく対処したり、我慢したりするのが、防衛というメカニズムの機能です。人生の課題や葛藤が、感情のカクテルを複雑な味わいにするのです。

遺伝的な要素や生まれ持った性格、そして幼少期の経験に基づき、私たちは自分なりのやり方で感情に向き合います。若い頃にどのような困難をどう経験したのかは、今現在において私たちが感情をどう感じるかに大きく影響しています。すなわち親（や養育者）が、赤ん坊や子どもだった頃の私たちの感情表現にどう反応したかによって、今の私たちが、自分自身の感情や他者の感情をどう感じ、どう扱うかが、変わってくるのです。

困難に直面したとき、感情を切り離す人もいます。感情を切り離すことによる副作用は次のようなものになります。何も感じなくなる。心を閉ざす。心が麻痺していく。最後には、思考と知性だけを頼りに、頭で生きていくことになります。感情という人生のコンパスを失ってしまうのです。反対に、感情を切り離せないのではなく、感情に飲まれ圧倒されやすい人もいます。感情に飲まれることにも副作用があります。感情に飲み込まれやすい人は、感情をコントロールすることに膨大なエネルギーを費やして疲弊します。そんなあなたは、自分のことを怒りっぽいとか、ちょっとしたことで泣く弱虫だと思っているかもしれません。または、頭では何も怖いことはないとわかっているのに、怖がってしまうと気づいているかもしれません。傷つきやすく、すぐに他者から恥を

【変容の三角形】

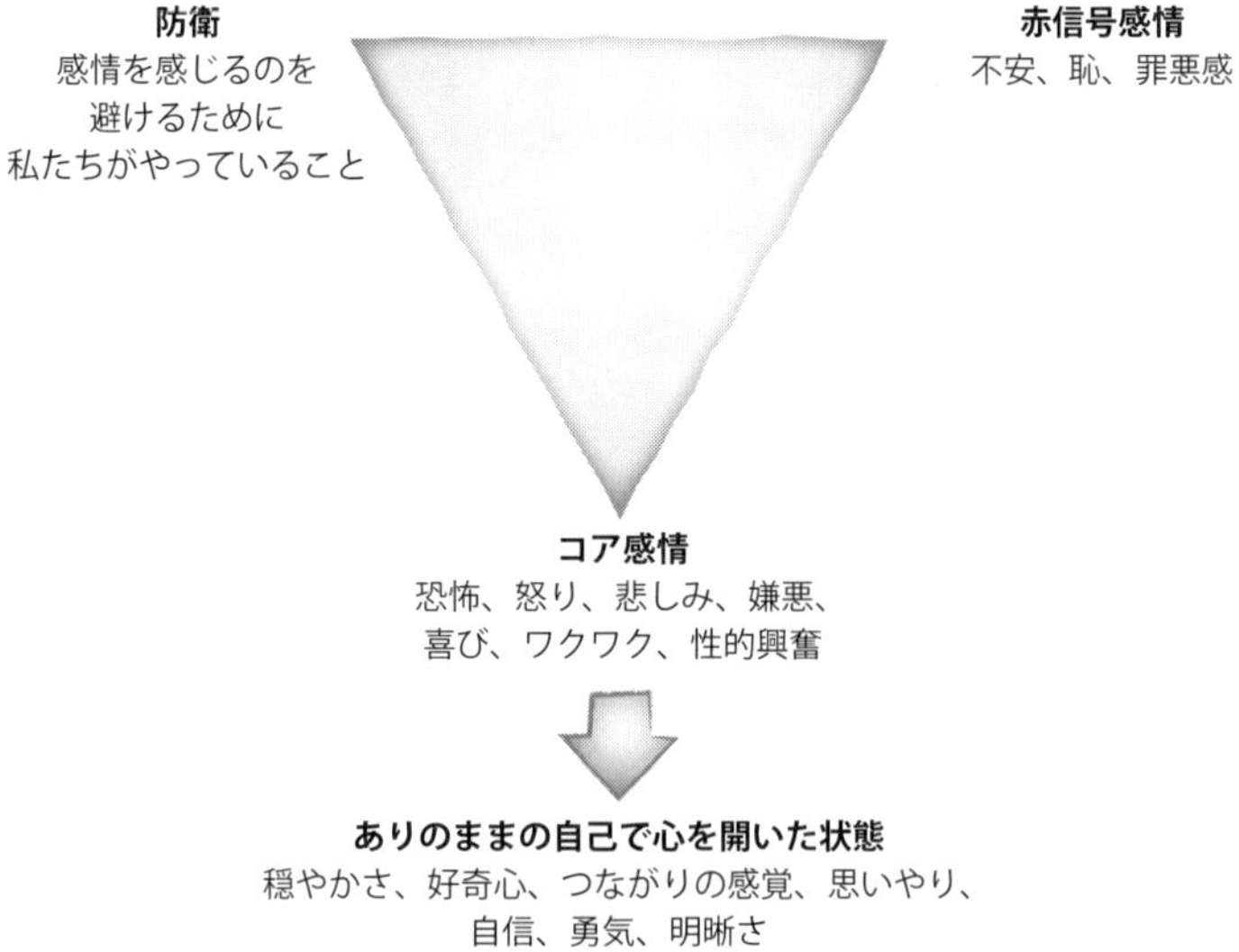

どんなときでも、私たちの心の状態は、「変容の三角形」の3点のどこか、
あるいは、その下の心を開いた状態に当てはめることができる。

かかされたと感じてしまう人もいます。ちょっとしたことを悪意に捉えてしまうため、誰かと一緒にいるだけで神経をすり減らすのです。強い感情にとらわれて振る舞うと、そのときの反応を後になって後悔するかもしれません。衝動的に行動した結果、人生はますます厳しくなることもあります。

　感情と思考のバランスを取ることが理想です。感情を感じるのは大切ですが、感情に飲まれて、生産的な対処行動ができなくては、よろしくありません。その一方で、考えることは大切ですが、思考に偏り深く豊かな感情を感じて生きることから目を背けて、生きる活力を犠牲にするのも良くないでしょう。

「変容の三角形」は、私たちが防衛から脱出し、コア感情とのつながりを取り戻すための地図です。コア感情に触れて、それを感じ切り、三角形の下に抜けると、私たちはほっと安心した状態に達します。不安やうつが和らぎます。コア感情を感じ切ると、元気が出て、自信が湧き、心が穏やかになります。生物学的にも、神経システムが良い状態にリセットされるのです。「変容の三角形」を使うことによって、脳が柔軟になります。その柔軟性をもって、私たちは、自分の感じ方や考え方、行動の仕方を、今までよりうまく操縦でき、コントロールしやすくなります。「変容の三角形」を学び、感情との向き合い方を知った人は、大きく変化します。

専門家が集まる学会で、初めて私は「変容の三角形」を知りました。これは誰もが簡単に学べて、すぐに使える地図です。本書を読み終える頃には、あなたは、自分自身や大切な人、友人、同僚のことをより深く理解し、理解したことを実際に活用することができるはずです。感情のメカニズムは、どんな人でも同じであり、「変容の三角形」は誰でも理解できます。これをマスターすれば、自分自身、そして他者と、より良い関係を結ぶ方法が見えてきます。気持ちが楽になり、ずっと生きやすくなるはずです。

私の物語

両親ともフロイト派で合言葉は「すべては気の持ちよう」という一家に、私は生まれました。母は学校のガイダンス・カウンセラーで、父は精神科医でした。両親は、娘である私も、知的な洞察によって自分の気持ちをコントロールできるし、そうすべきだと信じていました。感情について家族で話し合うことは滅多になく、あったとしても、それは感情をうまく使うか、あるいは感情を「修正」したりするためのものでした。

私の記憶がはっきりしてくるのは、小学校4年生の頃、ちょうど自意識が芽生える時期です。母はいつも、綺麗で賢いと私を褒めてくれましたが、自分ではそうは思えませんでした。自分のことを、ブスで馬鹿だと思っていました。鏡を見るたびに、自分には何かが足りないと感じました。いじめられた覚えはなく、クラスのイケてる子たちとも仲良しでしたが、いつも自分が浮いている感じがして、まったく安心できませんでした。大人になった今、当時感じていた気持ちは、恥と不安だったのだとわかります。

中学時代の私は、学業に秀でていました。毎年いい成績を取り、優秀生徒協会から表彰されたことは、自信になりました。一生懸命やれば、成功するし、認めてもらえる。そう信じていました。成功し、認められることで、不安を安心に変えていたのです。

ちょうどこの頃、中学1年生の国語の授業でフロイトを読み、私は精神分析に夢中になりました。振り返ってみると、精神分析は、間違いなく私の支えでした。自分をコントロールしながら、自分を理解することができたのです。精神分析への情熱は、高校生になっても衰えず、友人から、みんなのことを分析しないでと頼まれるほどでした。そこで私はタダで——それを望んでいない人のことまで——分析するという趣味をやめ、代わりに精神分析の本を読み漁りました。

その頃にはもう、父のような医者になろうと決めていました。科学は得意で好きだったし、医者の道に進もうとした私は、次々と学業的な達成を果たしました。大学1、2年生の頃まで、自分が歩もうとしている道に、何の疑問も抱きませんでした。しかし、医師が日々どんな生活をしているかを考えたことは、一度もありませんでした。

大学では、現代精神分析のコースを専攻しました。蓋を開けてみると、残念なことに、それはフェミニズムの反フロイト派のコースでした。前期の間、その小人数のゼミで、私は正々堂々、10人の革新的なフェミニストたちと対峙しました。自分の考えには自信があったので、私はフロイトがなぜ優秀なのか、そして、彼の理論がなぜ有効なのかを熱く語りました。しかし、5回目くらいの授業の後、私は、自分の意見に誰も耳を傾けていないと気づきました。実際、クラスメイトたちが持ち出してくる反論には、付け入る隙がなく、提示する先行研究にもとても説得力がありました。こんなに言い争いばかりしていなければ、もっと何かを学べるのに、と私の頭には、そんな考えが浮かび始めていました。

私がその精神分析コースを修了する頃には、両親の価値観や信念だけでなく、自分が生きてきた文化や社会に対してすら何もかもが疑問に思えていました。私は、なぜ自分は医者になろうと思ったんだろうと考え始めました。認めるのも恥ずかしいのですが、医者になると言っていた当時の私の真の動機は、安定した生活を夢見ていただけだったのです。私は身体の病気を治療したいなんて、思ってもいませんでした。重い病気の人たちを診察し、残酷な診断名を告げる自分の姿を想像しても到底できそうになく、それは私をひどく不安にしました。責任の重さにゾッとしたのです。毎日のように、死や喪失といった重い問題を扱いたくないと思いました。なぜなら

【ヒラリーの三角形】

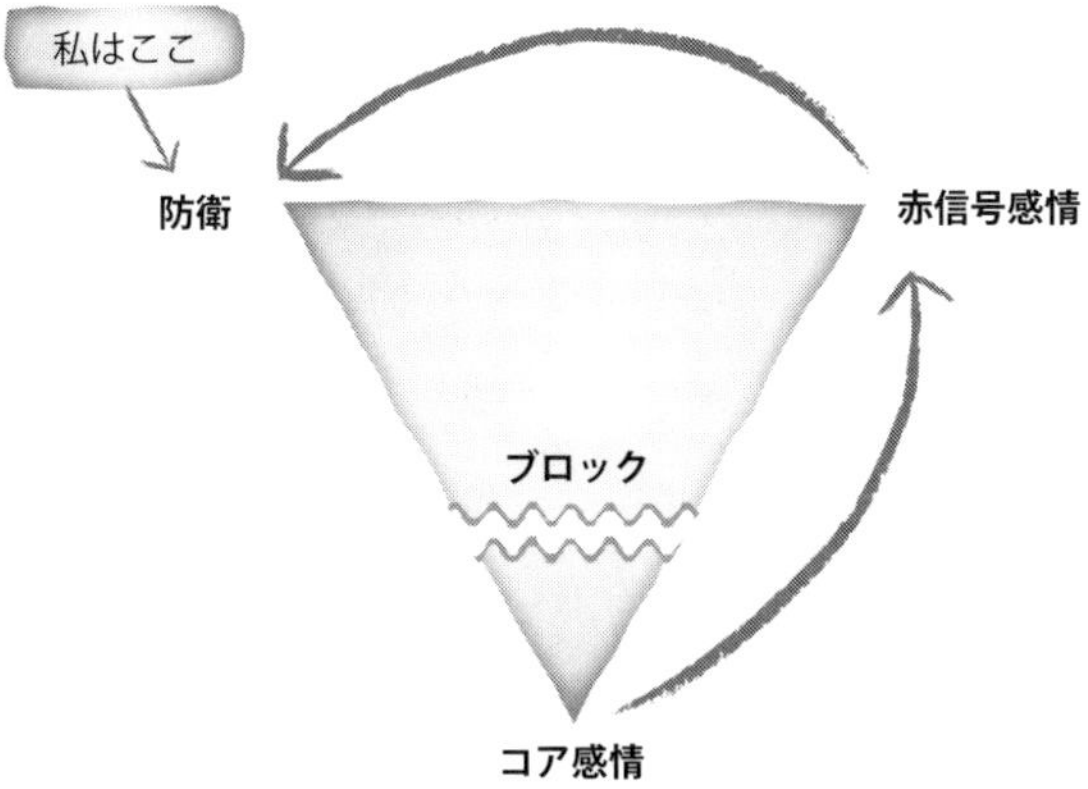

この時点では、防衛がしっかり働いていたため、不安やうつの症状も出ていない。
しかし、私は、防衛の下にある感情を認識したり、
それに触れたりすることができなくなっていた。

死や喪失は、私の家族がいつも触れないようにしていたテーマだったのです。

医療系に進むことを諦めることは怖くてできなかったので、取り急ぎ医師を志望する代わりに何か目標を見つけないと、私はおかしくなりそうでした。子どもの頃から今に至るまで、私はとにかく不安を最小にすることを基準として行動を選択してきました。大きな決断も小さな意思決定も、長期的な将来設計に沿って目標を立てることが、幸せにつながると思っていたのです。心の中は恐怖でいっぱいでしたが、私は信じていました。順風満帆なキャリアを手に入れ、素敵な夫を見つけるためにも、医学の道にとどまろう。そうすれば、この恐怖だって感じずに済むはずだと。そして……私は、歯科医になろうと決めたのです。

歯科大で、私は最初の夫に出会い、すべてが完璧に順調だと思っていました。素敵なパートナーがいて、家庭を持てそうだ。仕事は順調で、給料もいい。しかし、すべては少しずつほころび始めたのです。歯科医になったものの、仕事が好きになれず、卒業後1年で歯科医療の世界を離れました。歯科医を辞めると言う

と、夫と義理の両親、さらに父までもが激怒しました。私の決断は、彼らに賛成も尊重もしてもらえませんでした。結婚して6年も経つと、夫も私も、ふたりの間にできてしまった溝を、どうすることもできなくなりました。私はひとりぼっちで、途方に暮れ、怯えていました。カップルセラピーも助けになりませんでした。問題を解決する道はなく、離婚に至りました。

私は再び、独身に戻りました。無職で、小さい子どもをふたり抱えていました。私がこれまで正しいと信じていたことが、ことごとく間違いだったと突きつけられました。私は娘たちを愛していたけれど、進むべき方向が見えず、途方に暮れました。人生で初めて、私は意図した道を外れて何のプランも持たない状態を経験しました。

とりあえず食い扶持を稼ぐために、やりがいのない仕事もいろいろやってみました。メイベリン社では、出世の階段を駆け上がり、管理職になりました。マンハッタンのアパレル企業でも働きました。ビタミン剤の在宅販売もやってみました。新しい医療系ソフトウエアの会社では、トップの営業成績を収めました。それでも何をやってもしっくりきません。どれも自分らしく感じられなかったからです。

当時の私は、ストイックでタフであることに喜びと誇りを感じていました。これが、私の「何事も気の持ちよう」という姿勢だったのです。でもやがて物事がうまくいかなくなり、その姿勢を変えるしかなくなりました。そうなるまでは、感じたい気持ちを、自分でコントロールできると信じていました。恐怖も願望も、その他のさまざまな感情も脇に置ける自分が誇らしかったし、感情は役に立たない、非生産的なものだと決めつけていました。そんなとき、別れた夫から再婚の知らせが届いたのです。彼にとってはいいことだと思う一方で、私の心は、思いもよらぬ反応を見せました。その知らせをきっかけに私はうつ状態に陥ったのです。私は自分の人生に圧し潰されそうに感じました。元夫の再婚に、私がこの世にひとりぼっちという事実をあらためて突きつけられたようでした。怖くてたまらない。怖がっているなんてみっともない。恐怖が恥を生み、不安を生み、私はうつ状態になったのです。

自分を鼓舞しながら、キャリアを積み、子どもを育て、新しいパートナーを探す。それによって、自分が壊れ、燃え尽きてしまうなんて思ってもみませんでした。そうやって突き進んでいけば自分は大丈夫だと思っていたのです――だって、ずっとそうしてきたのですから。しかし、私の感情脳は、突き進むことでは満たされなかったのです。私は打ちのめされ、完全にダウンしました。どんどん無気力になり、ベッドから起き上がることもできなくなりました。私は、世間からも、日々やらなくてはいけないことからも逃れて、シーツの中に隠れ、暗がりに横たわりました。そこが唯一、心休まる場所でした。

姉のアマンダからは、精神科医のところへ行き、うつの治療をするように言われました。この私がうつになるなんて、そんなことあるわけがないと、私は思いたかったのです。でも、姉に受診を勧められたときから、彼女の言うことが正しいとわかっていました。

精神科医からはプロザック（訳注　アメリカ、イーライリリー社の抗うつ剤）を飲むように言われました。医師は、私をひどい不安を伴ううつ病と診断しました。医師からは、ストレスのせいで、身体がセロトニンという神経伝達物質を分泌しにくくなっていると説明されました。セロトニンの量が大幅に減少すると、うつになります。ストレスが落ち着くと、セロトニンの分泌量が元のレベルに戻り、うつが良くなるのです。

私には「プロザックよ、感謝します！」としか言いようがありませんでした。４週間後、私は起き上がり、動けるようになったからです。服薬の結果、以前と同じように過ごせるようになったのです。しかし、この経験をきっかけに、私はすっかり変わりました。私はあらためて、感情が持つ力を思い知りました。私は、自分の気持ちに注目し、自分の気持ちが自分に伝えるメッセージに耳を傾け、気持ちに従って行動することを学びました。それでもまだ、きちんとわかっていないこともありました。どうすれば、自分の気持ちを大切にできるのだろう。自分の気持ちに沿って正しい行動を取るには、どうすればいいのだろう。どうすれば、自分の気持ちを知ることができるのだろう。私は、精神分析的な心理療法を受け始め、自分のことや人生について話す場を得たことで、半年後にはプロザックをやめることができました。[3]

そのとき私は、人生の優先順位を変える決意をしました。給料ではなく、自分の興味関心に一致しているかを基準にして、仕事を探しました。私が興味を惹かれるのは、いつも心理学に関連した仕事でした。私は社会福祉学の修士号を取り、それから、4年間の大学院プログラムで、精神分析のトレーニングを受けることにしました。

幸運な出会い

精神分析のトレーニングを始める直前に、友人から、ある学会への参加を勧められました。感情に注目する心理学者の講演を聞いてみてはどうかと言われたのです。ダイアナ・フォーシャ博士は、加速化体験力動療法[4]（ＡＥＤＰ）という新しい技法の創始者でした。ＡＥＤＰは、洞察を目指すアプローチではなく、癒やしを目指すアプローチです。洞察を目指すセラピーは、精神分析や認知行動療法（ＣＢＴ）のように、人々の思考に働きかけます。気づきを得ることによって、次第に症状が改善すると考えるのです。ＡＥＤＰの癒やしを目指すアプローチとは、脳を変え、感情や身体レベルで起こる症状に狙いを定めるセラピーです。つまり、症状に対処するのではなく、症状をなくすことを目指します。私が学んだＡＥＤＰは、精神分析よりずっと指示的でした。その方法論は独特で、その効果は、見事なものでした。

心理療法と「癒やし」という言葉が結びつくなんて、と私は困惑しました。どことなくニューエイジ的な考え方で、両親が聞いたら、きっと鼻で笑うだろうと思いました。それでも私は、このセラピーに飛び込んでみることにしました。できるだけ早く、人々の生活に変化をもたらしたかったのです。苦しんでいる人たちがいる、その事実を軽んじることはできませんでした。私は、ＡＥＤＰに魅了されました。ＡＥＤＰは、人がどのように変化し、うつや不安、トラウマなどから、どのように回復するかについての最新の神経科学と、臨床的な理論に裏打ちされていたからです。

精神分析のトレーニングを続けながら、私は、感情や神経の可塑性、トラウマ、愛着、変容に関する理論と原則を徹底的に学びました。これこそが変化への道だ。このやり方なら、私は、感情を切り離したり、感じるのをやめたりしなくて済む――それができないと、優れた分析家にはなれないと思っていたけれど。AEDPを知ったことで、私の中で苦しみを和らげる方法の幅が広がりました。

AEDPを知って、私は、あるがままでいていいんだ、優しさを表に出していいんだと思えるようになりました。さらに、クライエントの過ち（あるいは彼らの悩み）だけではなく、彼らの正しさにも目を向けられるようになったのです。今までとはまったく違う世界が見えてきました。確かなつながりと、癒やしと変容に満ちた世界です。感情は、問題とつながっているだけではなく、癒やしともつながっています。感情こそが中心的なものであり重要なものとするのがAEDPです。AEDPを知れば知るほど、私は感情に働きかけるセラピーが、

3 私は、うつ病やその他の精神疾患に薬を使うことに反対しているというわけではありません。これははっきりさせておきたいと思います。実際、うつや不安が強いために、日常生活に支障が出ていたり、仕事ができなくなっていたり、セラピーをうまく活用できていない場合、私はクライエントを精神科医に紹介します。抗うつ薬は、どん底の気分を味わっているときに足場として機能してくれるからです。しかし、特にトラウマが関係している場合、薬物療法だけでは、根本的な原因に触れないまま症状を治療することになってしまいます。私は、必要に応じて薬を使い、同時に根本的な原因を治療するために、質の良いセラピーを併用するよう提唱しています。

4 「加速化体験力動療法」という名前にある言葉をひとつひとつ解説していきます。「加速化」とは、大きな変化が速く起こることを指します。「体験」は、感情の持つ癒やしの力を利用して、感情の波が静まって楽な気持ちを体験できるまで、セラピストが体験的に働きかける――「金を掘り当てる」――ことです。「力動」とは、過去が現在にどのような影響を与えるか、愛着体験がクライエントの中にどのように内在化されているか、安全で愛情深い他者との新しい体験がどのように癒やしにつながっているかに関することです。

今時の変な流行りものではないとわかってきました。ＡＥＤＰは最新の科学に基づいている以上、私は、これは未来の心理療法の到来なのだと思いました。

学会会場を後にする頃には、私は自分自身を新しい視点で理解していました。感情の理論は、私たちがなぜ、不安やうつになるのかを理解する助けになる。そして、「変容の三角形」は、苦痛で悲惨な状態から抜け出す、確かな道を示してくれる。この学びに強い情熱を抱き、急いでそれを実践に落とし込みたくなっている自分がいました。クライエントにも、この人生を大きく変えるシンプルなツールに出会ってほしい、そう思ったのです。

「変容の三角形」に関する基礎知識

「変容の三角形」は、心の地図です。この地図があれば、ストレスでいっぱいの状態から、穏やかで頭の冴えた状態にいけるのです。

さまざまな困り事、抱えているストレス症状、望んでいないのにやってしまう行動。あるいは、変えたいと思っている性格。そのすべてに、「変容の三角形」は、科学に基づいた論理的な道を示します。それは、安心と回復へつながる道です。薬物やアルコール、あるいはその他の防衛のように、心を麻痺させる対処方略を取っていると、私たちは自分らしさや生き生きとした感覚をなくしてしまいます。代わりに、「変容の三角形」を使えば、困難に対処する正しい道が見つかります。そして、苦しみを生む原因がわかるようにもなります。

「変容の三角形」の3つのコーナーには、コア感情、赤信号感情、防衛が置かれています。**コア感情**とは、私たちが持って生まれた、生き延びるための感情です。私たちがしたいことは何か、必要なものは何か、何が好きで、何が嫌いかといったことを教えてくれます。不安、恥、罪悪感といった**赤信号感情**とは、コア感情をブロックする感情です。この感情は、私たちの社会性を保ち、自分が所属したい集団に適応させる働きがあります。赤信号感情には、もうひとつ、私たちがコア感情に飲み込まれないようにするための応急措置、または安全装置としての働きもあります。**防衛**は、心理的な痛みや自らを圧倒してしまうような感情から私たちを守るために、心が講じる手段です。

【変容の三角形】

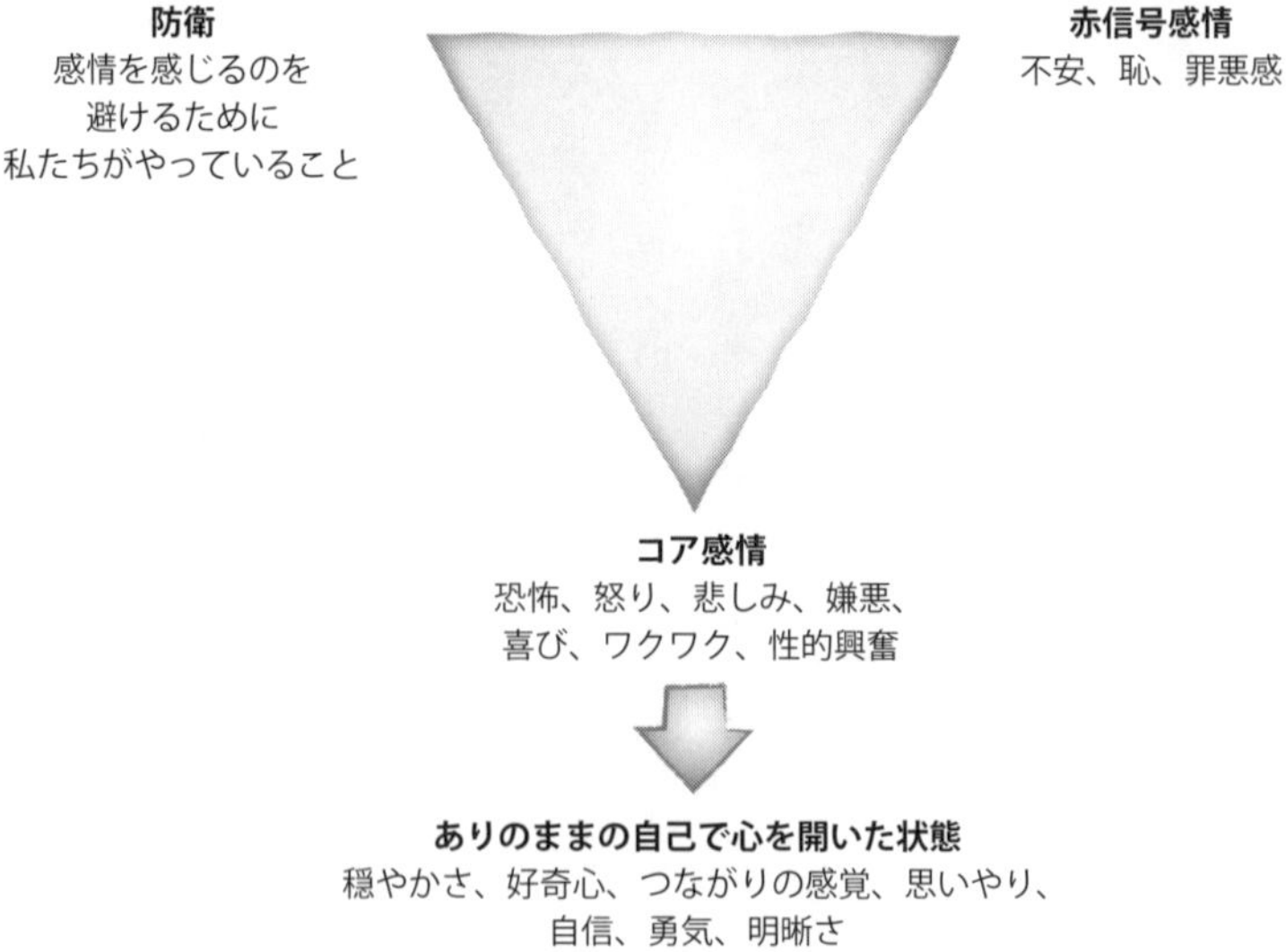

コア感情とは何か

コア感情とは、ヒトが種として存続する原動力となる感情です。コア感情はそれぞれ、私たちの身体に設定された生存のためのプログラムを起動します。このプログラムは、私たちの身体に物理的な変化を引き起こしつつ、生き残るための行動を喚起します。こうして私たちは危機を生き延び、繁栄してきました。コア感情のおかげで、私たちは周囲の環境を把握し、それに適応して生きていけるのです。**自分は安全なのか、危険なのか？　自分が必要としていること、ほしいものは何か？　自分が望んでいないことは何か？　自分は悲しいのか？　傷ついているのか？　自分を喜ばせてくれるものは何か？　嫌いなものは何か？　自分の気持ちが高揚するものは何か？**

コア感情は、生まれつき脳の中心部分に組み込まれているので、意識によりコントロールはされません。私たちはコア感情をコントロールできないのです。コア感情と、起動される一連のプログラムは、自動的に作動して私たちを行動へと駆り立てます。コア感情によって「知らされて」、それから考える。これが私たちの自然な姿です。コア感情が思考よりも先に反応するのは、意識で上書きできない脳の部分にコア感情は由来するからです。さらに、**コア感情を感じている最中に、物事を考えることができない**理由もここにあります。**コア感情を感じ切るには、腹の底から身体でそれを体験しなくてはなりません。**コア感情はとても賢いので、私たちがコア感情の示す道から外れても、環境に適応するには何をすればいいのか、教えてくれます。

コア感情とは、以下の7つを言います。

- **恐怖**
- **怒り**
- **悲しみ**
- **嫌悪**
- **喜び**
- **ワクワク**
- **性的興奮**

コア感情は、さまざまな身体感覚の集合体でもあります。私たちは成長の過程で、養育者の共感に助けられながら、自分が感じている感情を特定し、名前をつけることを学びます。「私は、悲しい、怖い、うれしい」といったように。しかし、悲しみの体験があまりにも大きいと、胸のあたりがぐーっと沈むような感じがするでしょう。あるいは、目に力が入るような感覚と共に、涙がこみ上げてくるかもしれません。

コア感情は、フィジカルな衝動も含みます。この衝動とは、ただちにその場で適切な行動を取るための機能です。たとえば、あなたが冷蔵庫から牛乳を取り出し、賞味期限を確認することなく、グラスに注いだとします。酸っぱい牛乳を一口飲んだら、すぐにある反応が起きるでしょう——牛乳を吐き出す。毒に敏感に反応する味蕾が、嫌悪を引き起こそうとして、私たちの情動脳——大脳辺縁系——へ信号を送ります。嫌悪はコア感情のひとつで、吐き気という身体反応を起動します。

嫌悪が、ある行動の元になる衝動を引き起こすと、その衝動がさまざまな筋肉に作用します。たとえば、舌を収縮させ、口の周りの筋肉を歪めます。嫌悪は、消化管の筋肉に作用して、食べた物を吐き出させようとするでしょう。ヒトが食物を探し歩いていた頃、毒の影響を弱めるために発達したのが嫌悪です。さらに、他者との相互作用が有害、または不快に感じられるときにも、嫌悪が生じます。虐待を受け続けた結果、加害者に嫌悪感を抱くのはこのためです。何が良いもので、何が有害なものかを私たちに教えてくれる、自然の知恵なのです。コア感情は、それぞれ固有の行動と結びついています。そして、その行動を取ることで、私たちは緊急事態を生き延び、繁栄してきたのです。

赤信号感情とは何か

コア感情をブロックする感情をまとめて、赤信号感情と呼びます。私たちは、周りの人たちとうまくやっていくために、コア感情をブロックすることもあれば、コア感情そのものに飲み込まれそうだからという理由で、それをブロックすることもあります。

赤信号感情とは、次のようなものです。

・不安
・罪悪感
・恥

赤信号感情には、他者とのつながりを保つ性質があります。最初は、両親や養育者と。のちには、仲間のグループや学校、パートナー・配偶者、コミュニティ、信仰、同僚、友人、そして世界全体と私たちをつなぎます。人は、つながるようにできています――生き延びるためには、互いをケアすることが大切です。だからこそ、両親や養育者とのつながりを維持することは、子どもの心身の発達に欠かせません。もし、子どもが悲しみで心を痛めているときに、母親がいつも自分を置きざりにして部屋を出ていってしまったら、その子は悲しみを見せなくなるでしょう。そうすれば、見捨てられないからです。もし、自分の怒りによって、父親が激怒し暴力的になったら、子どもは怒りを隠すことを覚えるはずです。赤信号感情は、コア感情の表出を抑えることで、つながりを守ろうとするのです。

生まれてから、私たちは、周りの人に受け入れられるのはどのコア感情なのか、どのコア感情は受け入れられないのかを学んでいきます。「受け入れられない」感情とは、周りの人のネガティブな反応を引き起こす感情です。たとえば、ある男の子は、悲しくて泣きそうになるたびに、父親から「男らしくしろ！」と言われました。すると、彼の脳は、泣くのは良くない反応なのだと考えるようになります。父親が、そのコア感情を受け止めてくれないからです。ある女の子は興奮していると、母親からよく「静かにしなさい！」と注意されました。すると、彼女の脳は興奮を抑えるようになります。この先、興奮は抑えようとされるか、少なくとも葛藤を引き起こすものになるでしょう。ある女の子は、祖母にクモが怖いと言いました。祖母が「バカなことを言うんじゃない」と答えると、その子の耳には、「怖いと伝えるのは良くないことなんだ」と聞こえてしまいます。これから

怒りは侵入禁止！

先、彼女は何かを怖いと感じても、自分でなんとかしようとするでしょう。誰かのところに行って、慰めと安心感を求めようとは考えもしないはずです。

どのコア感情も、親からネガティブに捉えられたり、拒否されたり、禁じられたりします。親たちは子どものコア感情に対して、怒りや悲しみ、あるいは無関心な態度で応じるかもしれません。これらのネガティブな反応は、誰にとっても対処しづらいものです。基本的な欲求として、人は自分が感情を表したときには、ポジティブな反応を返してほしいと思っています。自分の感情に関心やケアを向けてもらえないと、何か不快で危険なことが起こっているという信号が私たちの脳に送られます。声のトーン、顔の表情、姿勢、言葉。これらはすべて、自分の感情が養育者から歓迎されていないというメッセージになります。自分の感情の表出に対してネガティブな反応が返ってくると、私たちはそれ以後、感情を隠したくなります。どうやって隠すのか？　私たちの脳は、赤信号感情を使います。赤信号は止まれのサイン。感情表現にブレーキをかけるのです。

過去に歓迎されないと学んだコア感情を感じると、私たちの脳は、コア感情のエネルギーの流れを止めるために、赤信号感情を喚起します。そして、筋肉を緊張させ、呼吸を抑制します。これによって、車のアクセルとブレーキを同時に踏むような作用が生まれます。コア感情は、外へ出たくて湧き起こってくるのに、赤信号感情がそれを押し戻す。こうして行き場を失ったエネルギーが、身体にストレスを引き起こします。これは時に、外傷性のストレスになります。

たった一度でも、無意識にでも、あるコア感情が受け入れられないことを学ぶと、感情を抑えつけるパターンは成人後も続きます。このダイナミクスを積極的に変えようとしない限り、そのままの状態が続きます。

私たちが社会の中でうまくやっていくためだけではなく、コア感情が強すぎるときにも、赤信号感情がコア感情を締め出します。激しい怒りや深い悲しみ、強い恐れといった感情は、簡単に私たちを飲み込み圧倒します。対処し切れないこともあるでしょう。そんなとき、私たちの脳は、赤信号感情を安全装置として使います。コア感情を締め出して、私たちが感情に飲まれないように守ってくれるのです。

防衛とは何か

防衛は、賢くてクリエイティブな策略家であり、感情が引き起こす痛みやひどい身体感覚から、私たちを救ってくれる心の機能です。コア感情や赤信号感情を避けるために、私たちがしていることはすべて防衛です。要するに、防衛とは感情に対する防御策なのです。

感情をガードする方法は無数にあります。健康的なものから非建設的なものまで、さまざまな防衛があります。適応的で役立つ防衛としては、ストレスフルで気分転換をしたいときに笑える映画を選ぶ、集中したいときに、悲しみや怒りを感じるのをやめて前向きなことを考えるといったものがあります。一方、感情をあまりにも長いこと切り離したせいで、心身に悪影響を及ぼすような防衛は非建設的と言えるでしょう。

感情に対して、あるいは対立や葛藤に対して、自分がどんな防衛を使っているか、気づいていますか？ 定義によると、防衛には、あらゆる思考や行動、そして、居心地の悪さから逃れるための策略がすべて含まれます。よくある防衛は次のようなものです。

・冗談を言う
・嫌味を言う
・微笑む
・笑う
・心配する
・反芻する
・曖昧にする
・話題を変える
・アイコンタクトを避ける
・目が泳ぐ
・心が麻痺する
・ボソボソと話す
・話さない
・話しすぎる
・聞く耳を持たない
・上の空になる
・疲弊する
・批判的になる
・完璧主義
・先延ばしにする
・のめり込む、夢中になる
・怒りっぽくなる
・否定的な考え
・他者を批判する
・自己批判
・偏見を持つ
・人種差別をする
・傲慢さ
・女性嫌い
・八つ当たり（例：本当は上司に怒っているのに、パートナーに怒りをぶつける）
・働きすぎる
・無力感
・過度な運動をする
・過食
・拒食
・秘密を作る
・リストカット
・強迫的になる
・何かに依存する
・自殺願望を持つ

右記のリストに、自分の防衛を加えてみましょう。

✓
✓
✓

ほかの人を見て気づいた防衛があれば、リストに加えてみましょう。

✓
✓
✓

感情が持つエネルギーが防衛のほうへ流れると、私たちの健康や幸せが損なわれます。防衛がエネルギーを食うため、私たちは、対人関係や仕事、外の世界への関心に充てるエネルギーを使い果たし、消耗し切ってしまうのです。防衛によって、本物のあるがままの自己も隠され、弱められます。本当の自分を隠したままでは、結局、気持ちは楽になりません。防衛のせいで、私たちは頑なになり、思考や行動の柔軟性を失ってしまうこともあります。たとえば、ある既婚女性は、再婚相手の息子が家に来ることが耐えられませんでした。彼が来ると、彼女の「ルーティーン」が乱されるからです。柔軟性に欠ける自分が嫌になりました。緊張感が抜けず、人間関係もうまくいかなくなりました。状況をコントロールしたいという願望が、彼女の防衛です。防衛は、再婚相手の息子の存在によって蓋をした感情が喚起されないように、彼女を守っているのです。もし彼女が、再婚相手の息子を迎えるときの感情に向き合えたら、今よりずっと柔軟に、そして、寛容になれるでしょう。ルーティーンを守るために、今までと同じ制限や境界線を保ち続けたとしても、怒りや緊張を感じることは少なくなるはずです。

対人関係は豊かになり、彼女もその恩恵を受けることでしょう。防衛があると、私たちは罠にはまり、抑えつけられ、制限されているような感覚にとらわれて、自分の可能性を広げることができなくなります。防衛があると、私たちは白か黒か、善か悪かだけの世界に生きることを強いられるのです。そこは、細やかなニュアンスを欠いた世界です。防衛がありすぎると、日常の中で、誰かと心と心でつながることが難しくなってしまうのです。

さらに、防衛によって、私たちは自己破壊的で極端な行動に出てしまうこともあります。恐怖は、私たちに慎重になるよう伝えてくれる感情ですが、恐怖のような重要な感情が防衛でブロックされていると、私たちは防衛を信頼するあまり、つい危険な行動に出てしまいます。スリルを追い求めたり、避妊なしのセックスをしたり、社会的リスクの高い行動を取ったりするのです。「どうでもいい」という防衛があると、自分にとって大切な人や物が見えなくなります。自分が何を大切に思い、なぜ大切に思うのかをわかっていないと、生きたいと望む人生を作り出す力がなくなり、どんな環境でもベストを尽くそうとする力も削がれます。たとえば、ある青年は、自分は性的対象となる女性にしか興味を持てないと思っていました。それでもひとりになると、酔い潰れて眠るまでお酒を飲むのです。彼は幸せを感じられず、自分のことなんてどうでもいいとさえ思っていました。人はいつだって、誰かと心のつながりを持っているほうが、より良く生きられます。この青年の「どうでもいい」という防衛は、心の底にある親密さへの欲求や感情を感じることから、彼を守っています。しかし、彼の喜びや満足が、その犠牲になっているのです。

職場のミーティング中に、誰かが私を傷つけたとします。私はおそらく、泣かないようにすることを一番に考えます。ある防衛――笑えることを考える――を使えば、涙をギリギリ我慢できるはずです。防衛はこんなふうに、感情からちょっと距離を取る必要があるときに役立ちます。感情から距離を取ることで、冷静になり、元気を取り戻せます。そうすれば、その感情に伴う痛みや不快感を、一時的に和らげることができるでしょう。しかし、そのときの自分の、身体で感じる感情体験に、もう一度戻ってみることが大切です。どこかで自分の身体の感じに「チェックイン」して、認めてもらいたがっている感情や、何かをしたがっている感情がないかどうか、見てみましょう。必要なときにだけ防衛を使うことが理想です。防衛が日常的な習慣になるのは良くないですし、常に防衛だけで生きている状態はなお良くありません。

「変容の三角形」を実際に使ってみよう

自分が何を感じているかがわかると、気持ちが楽になります。コア感情にしっかりとアクセスする力がある人たちは、とても元気で、生きるエネルギーに満ちています。なぜなら、感情を生じるままにしてあげられると、エネルギー効率や脳の統合といった神経生物学的なプロセスが、スムーズに進むからです。理性脳と情動脳と身体が、自然本来のやり方で一緒に働くとき、脳は統合されます。日々の生活をあるがままに感じ取り、考え、対処するとき、人生や対人関係がうまくいきます。感情に向き合うことで、私たちは生物学的にバランスの取れた状態に戻ることができます。この働きは**ホメオスタシス**とも呼ばれ、心と身体の健康を保つ鍵になると言われています。

「変容の三角形」は、自分の感情を知り、感情を感じ切るのを助けてくれるツールです。しかし、使い方を完璧にマスターするには、時間がかかります。幸運なことに、自分の感情をまだ十分に感じ切ることができなくても、「変容の三角形」を使うことができます。できるだけ早く、「変容の三角形」を使い始めましょう。そうすれば、以下のようなことができるようになります。

・苦しみに対する自分の見方や、苦しみとの距離を知ることができる

・自分の心の動きを自覚することができる
・自分が防衛の中にいるのか、赤信号感情を感じているのか、あるいはコア感情を感じているのかが、明確になる
・コア感情を見つけ、名前をつけることができる
・方向性が見えてきて、気持ちを楽にして頑張るために、次に何をすればいいかがわかる

実際のセラピーの事例を使いながら、私が、この三角形の使い方をクライエントにどうやって教えているかを説明していきます。あなたが、この方法を使ったセラピーを受けていなくてもかまいません。「変容の三角形」は、単独でも使えますし、ほかの心理療法と一緒に使うこともできます。人生の大きな悩みを理解するために、たまに使用するのもいいですし、気持ちを楽にして望み通りに生きるために、日常的に使うのもいいでしょう。「変容の三角形」には、ひとりで取り組んでみてもいいですし、信頼できる友人と一緒に、自助グループの中で、プロのカウンセラーと共に、もしくはパートナーと一緒にやってみるのもいいです。共通の目標を持った相手と共に、自分の感情やありのままの自分について学ぶことで、あなたは、得るものがたくさんあると気づくはずです。

やがて、あなたは、**自分は今、「変容の三角形」のどこにいるんだろう？** と、自分に聞くようになるかもしれません。左上のコーナーにいるなら、あなたは防衛的になって、感情を感じることを避けています。右上のコーナーにいるなら、あなたは不安、恥、または罪悪感を感じています。あるいは、下のコーナーにいるなら、7つのコア感情のうちのどれかを感じているはずです。

定期的に「変容の三角形」を使っていくと、心を開いた状態に長くとどまれるようになります――あるがままの自分でいられるのです。心を開いていると、しっかりとした深い安らぎが感じられ、人生から与えられたこと

にきちんと対処できているという自信が膨らみます。自分の身体に波長が合っているのを感じ、あらゆる感情に対してオープンであると実感できます。その感覚は、まるでホームにいるかのようです。

どうすれば、自分が心を開いた状態にあると気づけるのでしょうか？　内的家族システム療法（IFS: Internal Family System therapy）[5]の創始者リチャード・シュワルツ（2004）によれば、それに気づく鍵は7つのCです。

・穏やかさ calm
・好奇心 curious
・つながりの感覚 connected
・思いやり compassionate
・自信 confident
・勇気 courageous
・明晰さ clear

不安や恥、罪悪感にコア感情をブロックさせたままにせず、コア感情を感じていれば、私たちはいつでも、心を開いた状態にできるのです。「変容の三角形」を繰り返し使うことで、着実に不安を減らし、うつを軽くすることができます。そして、心を開いた状態で、もっと元気で自信に満ちた人生を送れるようになります。

中には、大した努力をしなくても、心を開いた状態に長くとどまれる、幸運な人もいます。彼らは子どもの頃

5　私が内的家族システム療法を学び始めた頃、最初に7つのCを教えてくれたのは、リチャード・シュワルツでした。7つのCを紹介するときはいつも、私は彼の書いたものを引用しています。

に、養育者との間で安定した愛着を育めたのかもしれないし、幼少期の苦難やトラウマが少なかったのかもしれません。もしくは、生まれつき平静さを保つ力を、親から受け継いだのかもしれません。いずれにしろ、彼らは極めて幸運な人たちです。それ以外の人々は、平静な心を手に入れるには、もう少し（あるいはたくさんの）努力を必要とします。「変容の三角形」はその助けになるでしょう。

すべてをまとめる――「変容の三角形」の活用例

夫の再婚をきっかけに、私はうつになりました。うつはコア感情ではありません。うつは防衛です。なぜなら、コア感情を感じるのをブロックしているからです。[6] 私は打ちひしがれ、元気も出ませんでした。穴にもぐり込んでしまいたい気持ちでした。うつになったとき、私は不安も抱えていました。身体の中心で、振動のように感じられる不安。それは、しつこくて、落ち着かなくて、とにかくひどい気分でした。さて、私は「変容の三角形」のどこにいたでしょう？　防衛の角、そして不安の角、この両方にいました。

私の人生にこんな気持ちを引き起こしているのは一体何なのか、自分に聞いてみよう。もしそう思えていたら、夫の再婚が怖かったと認めることができたかもしれません（コア感情――恐怖）。そうなるまで私は、彼はいつでも自分のためにいてくれるものだと思っていたからです。妻と夫という関係は終わったのだと、頭では理解していましたが、彼の再婚にまつわる何かが、私を完全にひとりぼっちにしました。私には常にパートナーがいました――恋人であれ、夫であれ――15歳の頃からずっとです。交際相手がいるというのは、今思えば、私の防衛だったのでしょう。ひとりぼっちになることへの恐怖が、意識に這い上がってこないようにしていたのです。恐怖は、私を飲み込むような感情でした。心と身体にかかるストレスが大きすぎて、対処できない感情だったので

【うつだった30代の私の三角形】

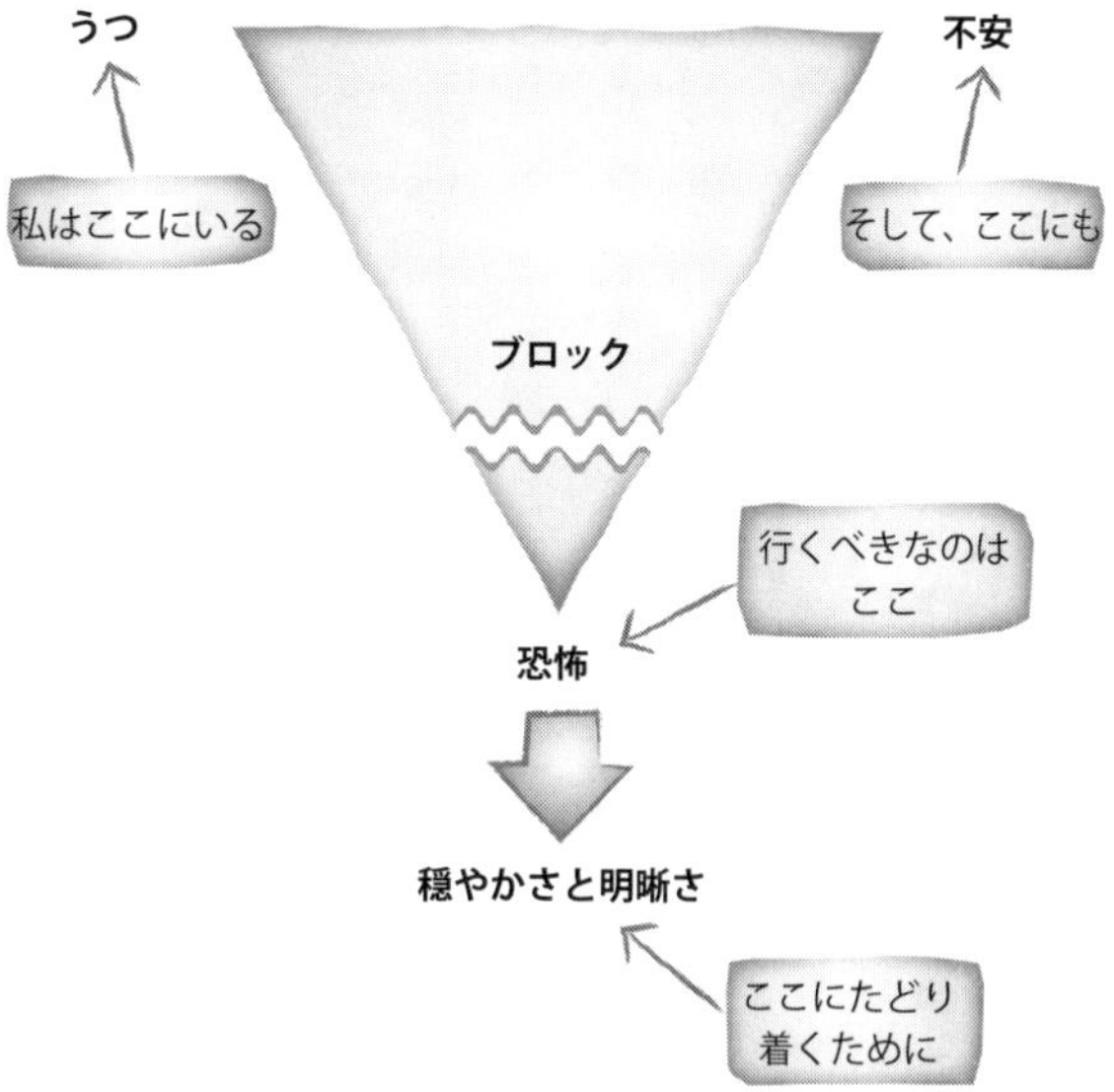

す。こういうわけで、私はうつ症状を呈し始めました。

この場合、うつに対する一番の薬とは、私が逃げていた恐怖と向き合い、恐怖を味わい尽くすことで、無意識の領域から恐怖を引きずり出して意識の光で照らすことだというのは、人の本能に反するように思えます。安全な方法で、恐怖の成り立ちを理解するのです。もっと大切なのは、その体験を誰かと分かち合うことです。その分かち合う相手は、理解があり、心地よさを与えてくれて、物事が少しでも、あるいは大きく改善するようなアイデアを出してくれる人がいいでしょう。

うつは、私の人生の中でも最悪の経験でした――多くのサポートを得て、なんとか回復できましたが

6 うつ病やその他の精神疾患は、実際に生物学的な基盤を持つ疾患であり、防衛ではないと私も理解しています。しかし、生物学的な基盤を持つ精神疾患に悩む人たちも、同じように感情をブロックしており、「変容の三角形」のワークが役に立つだろうと思っています。総合的なウェルビーイングを高められるという希望を持って、心身の健康を損なわない範囲で、「変容の三角形」を使ってできるだけ不安やストレスを和らげてみましょう。「変容の三角形」に取り組む人は皆、なんらかの生きづらさ(dis-ease)を抱えていて、それを解消しようとしています。生きづらさの原因には、トラウマやストレス、貧困のような環境由来のストレス、慢性的な身体の健康問題や遺伝的もしくは生物学的な基盤を持つ精神疾患などがあります。その原因がなんであろうと、「変容の三角形」は病気や生活環境からくる感情を調整する助けになります。

――「変容の三角形」を使っていたら、あれほど苦しい地獄を経験せずに済んだはずです。

私は以前、執筆中の学術論文のことで、よく不安になっていました。この不安という症状をブロックするのに、私はふたつの防衛を使いました。ひとつは、ネガティブ思考。これはよくある防衛です。私は、いつも自分にこう言い聞かせていました。**どうせ最後まで書き上げるなんてできるわけがない**。そして、スマホでソリティアをやらずにはいられませんでした。これはテクノロジーを使った逃避という防衛です。私は、不安から防衛へと、いつの間にか自然に移動していたのです。防衛は、不安という身体的・精神的な落ち着かなさから、私を遠ざけただけでなく、本当に感じている気持ちから逃れられる場所へ送り届けたのです。

このとき、私は「変容の三角形」のどこにいたでしょう？　防衛のコーナーです。

自分のネガティブ思考（**こんなことできるわけない！**）が防衛であるとわかってから、私は、「変容の三角形」を使って、気持ちを楽にしようとしました。自分にこう尋ねたのです。**身体の中で何が起こっているだろう？**　そうすると、不安の身体症状があるのに気づきました。胸や胃のあたりがざわざわする、お馴染みの感覚です。また、自分に聞いてみました。**今、私を不安にさせているのは、どのコア感情だろう？**　先走らず心をスローダウンして7つのコア感情をそれぞれざっと見ていきながら、自分に尋ねました。**悲しい？　ワクワクしている？　怒っている？　怖いのかしら？　そうよ！**　自分が怖がっていることに私は気づきました。漠然とした感覚に恐怖という名前がつくと、それだけで安心できました。

恐怖と不安は似た感じがしますが、あなたにとって有益な情報が得られるのは、恐怖のほうです。不安は、赤信号として働くだけです。つまり、コア感情をブロックすることが、不安の唯一の仕事なのです。不安は、何かを知らせるのではなく、麻痺させます。でも、恐怖は？　実は、私たちが扱いやすいのは恐怖のほうなのです！

私は、イメージの中で、恐怖の身体感覚に話しかけてみました。**何を怖がっているの？**　それから、身体の声に耳を傾けました。恐怖としばらく一緒にいながら、答えてくれるまでじっくり待ちます――心をスローダウン

【防衛からコア感情へ】

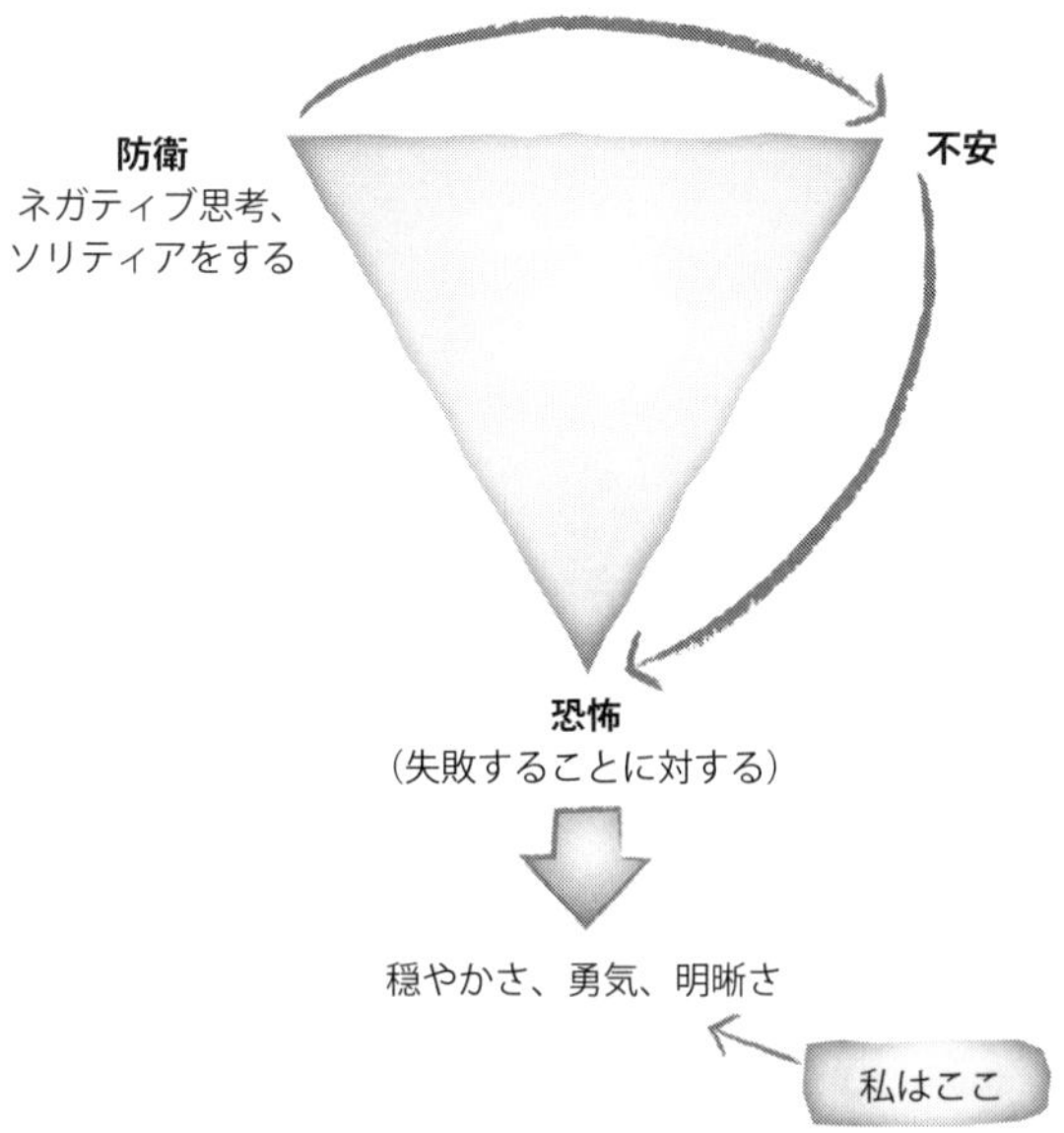

私は、自分の防衛に気づいた。頭から離れて、身体に波長を合わせてみると、不安を感じていることがわかった。不安の引き金になっているコア感情を探してみると、恐怖を感じているのがわかったた。恐怖は、身体で（身体感覚として）どんなふうに感じられているのだろう。身体の感じに集中し、恐怖の声を聞いた。恐怖を身体で感じると、ある衝動が意識に上ってきた。そう、逃げ出したいという衝動だ（逃避）。「変容の三角形」を使った後の最後のステップは、自分にとって一番有意義で（健全で適応的で）、長期的な希望や願望、目標、価値に沿った解決策をじっくり考えることだった。

させることが、このプロセスにおいて大切なポイントとなるのは、こういうわけです。ついに、恐怖が答えてくれました。**恥をかくのが怖い、読者をがっかりさせるのが怖いんだ。**

あぁ……自分の内側で何が起きていたのか、とうとうわかりました。恐怖の本来の機能は、ほかのコア感情と同じく、生存に必要な適応的衝動の起動です。もし、ライオンが飛びかかってくるようなことがあったら、恐怖が、私たちに逃げろと教えてくれます。実に適応的ですよね。そう思いませんか？

この衝動に対処するために、私は自分に聞いてみました。**恐怖の言う通りにして、逃げ出してしまおうか？　それとも、恐怖をこらえ、勇気を出して、この論文を書いてみる？**　恐れていることが現実になったところで、死ぬわけではないと、私は自分に言い聞かせました。自分がある感情を感じていることと、その原因には気づけた。後は、このジレンマをどう解消するかを決めなくちゃ。これが重要でした。

さて、「変容の三角形」を使った後、私はどんな気分になったと思いますか？　楽になりました。漠然と感じていた感情に恐怖という名前がついただけで、不安が和らいだのです。生理学的にも、体験に言葉を与えると、脳が落ち着くことがわかっています。これが神経科学です（Lieberman, et al. 2007）。私の気分が楽になったのは、何が自分をまごつかせているのかが、クリアになったからです。私は、恐怖に打ち勝つ勇気を選び、論文を書き始めました。

コア感情は、人生のコンパスです。誰もが、自分のコア感情とつながって生きていけたら、不安や恥、罪悪感、うつ、依存症、強迫症、その他の症状を和らげることができます。その方法は？　心の底にあるコア感情をよく知ること、そして、コア感情との向き合い方を学ぶことです。それを教えてくれるのが「変容の三角形」です。

あなたは、どれくらい感情と一緒にいられますか？

「変容の三角形」を学び、実際に使っていくと、あなたの感情を扱う力はぐんぐん伸び、やがて横ばいになります。その時期が来たら、自分と他者への理解を深めるために、別のブロックに気づくときが来たということです。ブロックの存在を感じたとしたら、自分に対する不安と恥が高まったせいかもしれません。あるいは、防衛のモードに入ったせいかもしれません。**「変容の三角形」なんて馬鹿げてる**とか、**後でやればいいや**といった回避的な考えに気づくこともあるでしょう。そうなったら、かつての防衛や、不安、罪悪感、恥から、新たな自己理解のレベルへ進むチャンスです。感情を掘り下げるというのは、玉ねぎの皮を剝くような展開です。皮を一枚剝くごとに、新鮮な部分が見えてきます。感情についての理解を深めることは、生涯にわたる活動なのです。

感情耐性テスト

このテストは、あなたの感情耐性を測定するのに役立ちます。もしよかったら、今からこれをやってみて、本書を読み終えた後にもう一度やってみてください。2回目に、あなたのスコアが伸びていることを祈っています。スコアが伸びていたら、これらの自然で一般的な体験に対して、あなたが、今までより心地よさを感じられるようになったということです。

やり方：それぞれの質問について、心地よさのレベルを評価しましょう。
1から10の尺度で心地よさを評価します。1は「まったく心地よくない」。10は「最も心地よい」となります。直感に従い、考えすぎないでください。これだと思う数字にマルをつけましょう。

1　＞　＞　＞　＞　5　＞　＞　＞　＞　10
（1= まったく心地よくない）（5= どちらでもない）（10= 最も心地よい）

心地よさはどれくらいですか？

1. 大切な人から、怒りや悲しみといった強い感情を直接向けられたとき
   1　2　3　4　5　6　7　8　9　10
2. 大切な人が、あなたに向けるわけではないが、目の前で怒りや悲しみなどの強い感情を示したとき
   1　2　3　4　5　6　7　8　9　10
3. 腹が立ったとき
   1　2　3　4　5　6　7　8　9　10
4. 悲しいとき
   1　2　3　4　5　6　7　8　9　10
5. 幸せなとき
   1　2　3　4　5　6　7　8　9　10
6. 今ここにとどまり、思考や感情を起こってくるままに感じるとき
   1　2　3　4　5　6　7　8　9　10
7. 状況を「立て直す」こともできそうになく、ただ感情を剥き出しにする人と一緒にいて相手の話を聞くとき
   1　2　3　4　5　6　7　8　9　10

合計点数：＿＿＿＿＿＿

点数がいくつであっても、本書を読んで実践し、「変容の三角形」を使って自分の感情に波長を合わせるうちに、感情耐性が育まれます。時間と共に、自分の答えがどう変化したか知りたいときは、いつでも自由に、このクイズに戻ってきてください。

2

コア感情を解放する

フランのパニック、不安、そして悲しみ

孤独感がどんどん強くなってきたという理由で、フランは、セラピーを受けに来ました。彼女は独身で、結婚願望も、子どもがほしいという望みも持っていません。広告会社で働き、仕事最優先の生活を送っていました。「私は仕事と結婚したんです」と彼女は言いましたが、思っていた以上の孤独感を感じ始めているようでした。

最初のセッションで、フランは、16歳で両親を事故で亡くし、それからは叔父叔母と暮らしていると言いました。叔父も叔母も愛情深い人で、彼女の面倒をよく見てくれたそうです。フランは、今も両親の死を引きずっているわけではないけれど、両親がいないという感覚は、次第に強くなっていると話しました。同じセッションで、フランは、父親とも母親とも、特別強いつながりがあったわけではないと認めました。彼女は、両親のことをこう言いました。「典型的なワスプ（アングロサクソン系白人プロテスタント）――厳しくて、冷たい感じでした」。両親の愛を感じてはいたものの、両親の愛情表現をどう言い表せばいいのか、フランは困っているようでした。

2回目のセッションの中盤で、恋愛が長続きしないと話していたとき、フランの目に涙が込み上げてきました。私は、もしよかったら、少し時間を取って、込み上げてきた感情を感じてみるのはどうか、とフランに聞いてみました。彼女は、ぽかんとした目で私を見て、間を置かずに言いました。「最近、編み物を始めたんです。新しい趣味を持つのも大事かなと思って……。仕事以外の時間を埋める何かを。フェイスブックばかり見ている時間を短くしたくて」。**あら？** 私は思いました。**何か見落としてしまった？** 悲しみというコア感情に向き合おう

とした途端、フランは防衛的になり、話題を変えたのです。[1]

感情に対する防衛は、たいてい無意識に起こります。防衛は、その人の社会的なパーソナリティの一部なのです。フランが話題を変える直前に、私は、彼女の感情を捉えていました。フランの目には涙が込み上げ、口がへの字に曲がりました。感情は伝染します。これは、**ミラーニューロン**と呼ばれる特別な細胞の副産物によるものです（Kandel, 2013）。私の身体は、フランの感情状態に共感的に反応します。私は、胸が重くなるのを感じました。それで私には、悲しみというコア感情に触れたものの、話題を変えることで、フランがすぐにその感情から離れたことがわかったのです。

防衛は、自分を守るためのメカニズムです。私たちは子どもの頃から、強すぎて対処できない感情から自分を守るために、防衛を形成します。フランの主なトラウマは、両親を早くに亡くしたことです。それなのに、彼女が、両親は冷たかったと言ったので、私は、彼女は感情のレパートリーが少ないのかもしれないと感じました。私は、最初のセッションで、彼女にこう尋ねました。あなたが育った家庭では、どのような感情が「許され」、どのような感情が、どのように妨げられていましたか？　わざとではなくても、ある感情を表すのは恥ずかしいことだと、子どもに思わせてしまう親がいます。このような親は、子どもの感情を無視し、応答してあげないばかりか、その感情を感じるのをやめさせようとして、すぐに「修正」モードに入ってしまうこともあります。も

1　本書では、フランやその他の事例を通して、ＡＥＤＰ心理療法の主要な段階を紹介しました。セラピストは、クライエントをガイドしながら次の４つの段階を進みます。①防衛的な状態を脱する、②隠れているコア感情にアクセスし、それを感じ切る、③コア感情を感じ切った体験そのものを振り返る（メタセラピューティック・プロセシングと呼びます）、④コアステイトに到達し、その体験をじっくりと味わう。コアステイトとは、私が心を開いた状態と呼んだものの専門的な呼び方です。すべての事例で、クライエントは「変容の三角形」に取り組んでいます。この技法について詳しく知りたい、またはトレーニングを受けたい方は、ダイアナ・フォーシャのＡＥＤＰに関する著書 The Transforming Power of Affect（2000）（邦題『人を育む愛着と感情の力』）をお読みいただくか、ＡＥＤＰ研究所のウェブサイトにアクセスしてください。

【フランの最初の三角形】

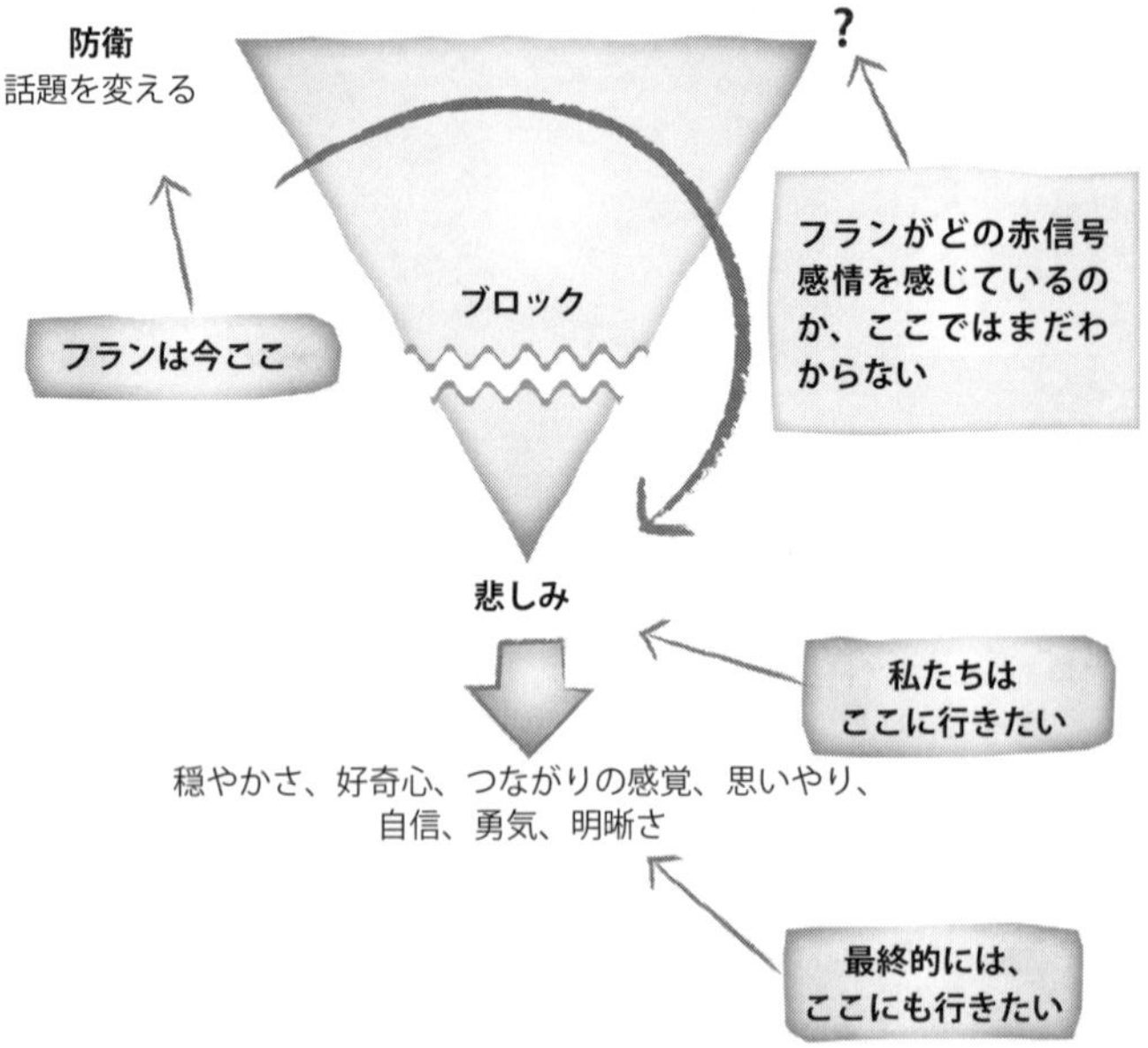

悲しみ（コア感情）が湧き起こりそうになって、フランは話題を変えた。こうやって、悲しみを感じることから自分を守ってきたのだ。この時点では、なぜ防衛が必要なのか、はっきりわからなかったし、私もその理由を彼女に尋ねていなかった。それに、フランはまだ、感情を感じないようにしていることに気づいていない。まずは、自分が感情を避けていると気づくことが大切だ。フランが再び自分の感情とつながり、もっと楽な気持ちになり、これまでよりも他者と親密な関係が持てるようになるために、この気づきが最初の一歩となる。

ちろん、たいていの親は、子どもを傷つけるつもりはありません。ただ、子どもの感情が、親を不安にさせるのです（何事も気の持ちようという文化がそうさせるのです）。親の防衛のせいで、親と子どもの心はつながりにくくなります。その結果、子どもは、この感情は受け止めてもらえないのだと学び、感情に対する防衛を形成します。親が子どもの感情をしっかり受け止めないと、子どもは、親とのつながりが一時的に切れてしまった・壊れてしまったとショックに感じます。それはとてもつらいことなので、子どもは自分を守るために防衛を用いて、これから先、同じショックを感じないようにするのです。

こうして子は親から、感情を感じるのを避けることを学びます。同時に親はどう「正しく」防衛するかを体現してみせるのです。フランは、一家の団欒における会話は、出来事に関することばかりで、家族が人の感情について話し合ったことはなかったと言いました。時事ネタは食事中の話題にぴったりですが、それについて誰がどう感じたかを話し合うことは、ほとんどなかったそうです。たとえば、フランは、クリントン元大統領とモニカ・ルインスキーの不倫について話したのを思い出しましたが、食卓では、誰かが元大統領の裏切りに腹を立てることも、彼の性格に欠点があっても好意を示すというようなこともありませんでした。これが、彼女の両親の感情の表し方でした。親がどの感情を表すのを許し、促すのか。そして、どの感情を感じないようにするのか。それによって、フランの感情のレパートリーが形成されていきました。これはどの子どもにも、同じことが起こるのです。

フランがひとりで感じるにせよ、または、私の前で感じるにせよ、悲しみを感じ切るのは難しいかもしれないと、私は思いました。今ここで直面する感情は、過去の感情体験を引き出すきっかけになります。そこで私は、今体験している恋愛に関する彼女の悲しみを扱うことで、それが両親の死という、過去のより深い悲しみに触れるきっかけになるかもしれないと考えました。今の体験が、過去の体験と似た感情を伴う場合、そのふたつは、心の中でつながっていることが多いのです。今の喪失体験が、過去の喪失体験と結びつくのは、このふたつをつなぐ脳細胞のネットワークに、過去の記憶や感情、身体感覚、信念が保存されているからです。私たちは、たった1秒で、しっかりした大人の気持ちから子どもの気持ちに戻り、喪失を再体験します。主観的には、トラウマがもう一度起こったように感じられますが、本当はひとつの記憶にすぎないのです。

ほんの一瞬、フランは悲しみを感じ、その悲しみは頭から身体のほうに下りていきました。身体は、感情が息づく場所です。たった数秒でも、悲しみをしっかりと感じることができたら、フランは安らぎを感じたはずです。でも、ボン！　一瞬でフランは自分の感情から切り離され、私ともつながれなくなってしまいました。私は、彼女の悲しみを受け止めるつもりだったのですが、彼女は話題を変えました。フランは、自然に出てこようとする悲しみを止めてしまったのです。

この頃は、セラピーを始めたばかりの時期で、互いをよく知ろうとしている段階だったので、私は慎重にいこうと思いました。フランには、感情から離れようとする自分に気づいてもらえればいい——それだけにしよう。私は、フランの編み物の話に耳を傾けました。「初心者向けの編み物グループに入ったんです。週に一度、家の近くのカフェに集まって、みんなで編み物をしたり、編み物の話をしています」

「いいですね」と、私は言いました。「その話をもっと聴いていたいのですが、ちょっといいですか? 少し前に、気持ちが溢れそうになっていたことには、気づいていたのかなと思って」

「そうですか? 気がつきませんでした」

「そうでしたか。何かが起きていたような気がしたのですが、私も間違っているかもしれないし……」と、私は続けました。「ちょっと戻ってみてもいいですか? さっき、もうパートナーを見つけられる気がしないと話してくれましたよね。そして、あなたの目に涙が込み上げてきた。たくさんの気持ちを感じていたようでした。気づいていましたか?」

フランは、少し時間を取って、自分でそれを確かめているようでした。これはいいサインです。彼女が、自分の内側の体験にオープンになっているからです。自分とつながろうとしている彼女に、私は敬意を覚えました。

「ええ。たぶん、気づいていました」と、彼女は答えると、すぐに感情が込み上げてきました。フランはまた悲しそうな顔になり、涙ぐみました。私は、再び変化を感じました。

「感じている気持ちが何かわかりますか? 今、私と一緒にいながら」と、私は尋ねました。

このように感情に名前をつけたり、肯定することが感情を扱うコツです。ほかの人よりも短い時間で感情を特定できる人もいますが、じっくり探求するのもやりがいがあります。フランの探求を手伝いたい。あなたはひとりぼっちではないと、彼女に伝えたい。なぜなら私も、彼女の悲しみを一緒に感じているから、と。このように心がつながった状態を維持することが大事です。こうしてセラピーの場で私とつながる体験が、フランに向けて、他者と親密に関わる新しいやり方を示すことになるのです。

「いえ、あまりよくわかりません。でも、編み物は本当に楽しいです。もう少し編み物の話をしたいです。もし、よかったら」

「ええ、もちろんです」。フランが感情に名前をつけるには至らなくても、何らかの感情の存在には気づけたので、私はこれでよしとしました。今後のセッションで、感情に気づいた瞬間としてこのときのことを振り返ればいい。いずれは、あらゆるコア感情に気づいて、名前をつけることを、彼女に教えることになるでしょう。でも、私はひとまずこう言いました。「編み物の話に戻る前に、伝えておきたいことがあるんです。自分の中にある感情に気づこうとしたこと、とても素晴らしかったです。勇気がいることですよね。私がこう思ったと聞いて、どんな気持ちですか？」

「いい感じです」

「たぶん、私たちはこれから、感情を一緒に探求することになると思います。もしも感情が生じたときは、それにそっと気づいてあげてください」と、私は言い、さらにこう続けました。「その感情にとどまるか離れるかは、一緒に決めましょう。あなたにとって、どちらがしっくりくるかで決めればいいですよ」。私は、今までとは違った形で感情を扱っていくことを、フランの無意識にも伝えたいと思いました。フランがそれを意識できていようとなかろうと、彼女の心は見守ってもらえたと感じて、喜んでいるのが伝わってきました。

フランのセラピーは、概ね順調に進みました。半年ほどで、彼女は感情を止めているときに、自分でそれがわかるようになりました。私が遅れを取ることもあるほどでした。話題を変えるときに、彼女はこんなふうに言うようになったのです。「自分が話題を変えようとしているのは、わかっています。でも、本当はそうしたいわけじゃなくて……」。彼女が自分の心の動きに気づき、それを認めるようになったことは、ここまでの大きな成果でした。

ある美しい夏の日、フランと私はいつも通り、セッションをする予定でした。約束の時間になり、私は、フランはまだ待合室にいるのかしらと、首を傾げました。彼女とは、毎週火曜日の正午に会っていました。待合室のドアを開けて、彼女の姿がないとわかり、私は唖然としました。

結局、フランが来たのはその10分後でした。目は腫れぼったく、頬は紅潮していて、泣いていたようでした。「すみません。遅れてしまって」。彼女がとても丁寧に謝るのを、私はさえぎりました。

「何があったの?」と、彼女に尋ねました。「泣いたみたいだけど」。こんなに感情的になっているフランを見たのは、初めてでした。

「もう、最悪でした」と、彼女は言いました。「犬がバイクに轢かれるところを見てしまって。遅れたのは、その犬を助けようとしたからなんです。その犬の飼い主は、まだ10代でした。バイクは突然現れて、犬を轢き逃げしたんです。その犬はもう虫の息でした。肺が潰れてしまっていて、飼い主の子が泣き叫んでいました。警察が来てくれたけど、犬は、私があの場を離れる頃には死んでいたと思います」

「なんてひどい」と、私は言いました。

「飼い主の子がかわいそうで。彼女は泣き叫んでいました。私も涙が出てきたんです。少し時間を取って、気持ちを立て直そうとしました。すごく動揺していたので」

「当然ですよ。聞いているだけで、心が掻き乱されます」

フランは再び泣き始めました。

「飼い主の子が本当にかわいそうでした。突然、愛犬を失うなんて。しかも目の前で。今も、彼女の泣き叫ぶ声が耳に残っています。本当にひどい」

「本当にひどいですね」。私は、そう伝え返しました。

「……いい加減にしないと」。フランはそう言って、涙を拭きました。

「いい加減にって、何を？」

「私が入れ込みすぎなんです。自分のペットでもないのに」。フランは、自分を戒めるように言いました。

彼女は顔を上げて、私を見ました。すごく悲しそうでした。私の目には急に、彼女がとても幼く映りました。

「なるほど」と、私は言いました。「でも、気持ちの面では、その犬が誰の犬かなんて関係ありません。悲しいですよね。悲しむのに理由はいりません」。私は一旦、間を置きました。「あなたの目の中に、たくさんの気持ちが見えます。あなたが一生懸命、それを抑えようとしているのも感じます。でも、とても大切な涙ですよ。もっとたくさんの涙がありますね」

私の言葉に頷くと、彼女は再び泣き始めました。さっきよりも激しい泣き方で、フランは怖くなったようでした。身体を前後に揺すり始め、呼吸が浅くなってきました。目を大きく見開いています。私は、パニック発作が起こるかもしれないと思いました。

私はフランがパニック発作に飲まれないように、より強く、指示的なアプローチに切り替えました。私自身は冷静でした。こんなときに私が動揺しても、相手の不安を煽るだけです。

「今、私が一緒にいるのを感じられますか？」私は尋ねました。彼女がはいと言うように頷いたので、私は、自分の椅子を彼女に近づけました。「すぐに良くなりますよ。身体の内側で何が起こっているか、教えてもらえますか？　心臓の音に、注意を向けてみてください」

「脈がすごく速いです」と、彼女は苦しそうに言いました。

冷静に優しく、私は言いました。「ちょっとしたパニック発作です」。「ちょっとした」という表現を使ったのは、フランの恐怖心を煽らないようにするためです。何がなんでも、フランをこれ以上怖がらせてはいけません。

できるだけ早く、フランの心と神経システムを落ち着かせること。それが私の目的でした。「すぐに良くなりますからね」。私はこう説明しました。「怖いことが起こったから、アドレナリンが放出されているんです。それが止めば、落ち着いてきますよ。でも、数分かかるかもしれません。少し楽になれる方法があるので、やってみませんか？　こっちを見てください」

私たちは目を合わせました。「そうです！　そしたら、足の裏をしっかり床につけて。何回か、一緒に深呼吸しましょう。1、2、3、4、5、6。いいですよ！　息がおへそまで届いていくように。息をちょっと止めて、ゆっくり吐きます。熱いスープを、フーっと冷ますような感じで。よくできていますよ。そばにいますからね。すぐに良くなりますよ」

やがて、彼女の呼吸は正常に戻ってきて、フランは大きく息をつきました。「心臓の音はどうですか？」

「落ち着いてきました」と、フランは言いました。

「よかった。もう少し、私と一緒に呼吸しましょう」

フランがパニックを起こしたのは、犬が死ぬところに遭遇した悲しみと、両親の死への悲しみが結びついたからです。彼女にとっては大きすぎる、感情の洪水が起こったのです。その洪水に彼女が怯えて、アドレナリンが放出され、パニック発作が起こりました。

フランが落ち着いてきたので、私は尋ねました。「こういうことは前にもありましたか？」

「10代の頃によくありました」

「初めての発作は何歳のときだったか、覚えていますか？」

「いいえ、あまり。ただ、学校で何かあって、教室で泣いていたのは覚えています。もうひとつ覚えているのは、保健室にいたことです。保健室の先生が優しかったので」。フランは、間を置いてこう言いました。「確か、16歳の頃です。フロリダの新しい学校でのことなので。両親が亡くなった後です」

パニック発作の豆知識

- アドレナリンが血中に放出される。
- アドレナリンによって、脈が速くなり、呼吸が浅くなり、苦しくなる。
- これは恐ろしい体験なので、自分に何が起こっているのかわからない人は、心臓発作で死んでしまうのではないかと思って怖くなる。
- パニック発作は心臓発作ではない。
- パニック発作で死ぬことはない。
- 身体が元の状態に戻るのは、アドレナリンの代謝が済んだ後で、これには数分かかる。
- パニック発作による最悪の事態は、失神することである。失神後、呼吸は再び正常に戻る。

「つらい時期だったでしょう」

「親を亡くした人は、ほかにもたくさんいるので」と、フランは言いました。

「ええ。あなたにとっても、つらいことだったと思います」。私は、彼女の気持ちが揺れ動いているのを感じました。「間違っているかもしれないけど、あなたの中で気持ちがせめぎ合っているのを感じます。当時のつらさを認めることについてね」

彼女は頷きました。

「せめぎ合っているパーツに、ひとつひとつ名前をつけてみませんか？」

フランは数分考えて、こう言いました。「あるパーツは、先生からの共感や励ましをうれしく思っています。それを受け取って、自分が体験してきたことのつらさを、しっかり感じてみようとしている。でも、それを認めるのが恥ずかしくもあります。別のパーツは、感情に浸るなと言ってきます。親の死なんて大したことじゃない、前に進めって」

「すごくよくわかります。少なくとも、3つのパーツがあるように聞こえました。ひとつは、私に共感してほしいパーツ、もうひとつは、それを恥じているパーツ。そして、前に進めと言って、これまで体験してきたことにまつわる悲しみを無視したがっている、また別のパーツ。このパーツは、私からの共感が気に入らなくて、『親の死はつらくなんかない、大したことじゃない』と言うんですね」

パーツとは

個人の体験の中にある、いくつかの側面を取り上げるために、私は「パーツ」という表現を使っています。
- せめぎ合っている側面を、ひとつずつ取り上げる場合：「あるパーツはこう感じていて、別のパーツはこう思っている」
- トラウマや記憶として脳内に息づく、幼少期の体験を取り上げる場合：「このパーツは10歳くらいの私です」
- 感情や信念、イメージ、考えもパーツになる：「そのパーツは悲しんでいる」

フランは頷いて、顔を輝かせました。「その通りです」と、彼女は言いました。

「せめぎ合っていたパーツに名前をつけてみて、どんな感じがしますか？」私は尋ねました。

「しっくりきます。ありのままって感じで」。彼女は言いました。

「身体的には、『ありのまま』というのはどんな感じですか？」

「穏やかな気分です」

セラピストにとって、あるいは、防衛や感情のルーツを探る一個人にとって、正しい介入とは決してひとつではありません。このとき、私は選択肢をいくつか用意していました。この選択肢はすべて、赤信号感情を和らげ、フランを「変容の三角形」の下のほうへ進ませるためのものです。フランの場合、赤信号感情は不安であり、コア感情の悲しみを体験できるようにしたいのです。フランに、パニック発作を起こす前の瞬間に戻ってもらおうか。それとも、新しい学校に通っている16歳の自分に戻ってもらうのがいいかしら。あるいは、今この瞬間にとどまってもらうのがいいかな。どの瞬間にも感情がたくさん詰まっているので、どれを選んでも、大切なワークをするチャンスを摑めそうでした。過去の場面でも、未来の場面でも、今であっても、目指すことはいつも同じです。自分が、「変容の三角形」のどこにいるのかを知り、自分がどのコア感情を持っているのかわかるまで、下へ下へと下りていくのです。フランのケースでは、私は、今この瞬間にとどまってみようと思いました。

「内側で何を感じていますか？　ありのままであると知らせているものは何ですか？」私は、彼女にこう尋ねました。

「仰っていることがちょっとよくわかりません。特に気づくことはないと思います」

「身体の感覚は、すごく小さくて捉えにくいので、ほとんど目立ちません。ただ、身体の内側に注意を向けて、心臓のあたりやへそ、手や足、背中、頭のほうはどうでしょうか？　身体全体をスキャンしていくような感じで、ゆっくり、ゆーっくりと。そして、何かに気づいたら、その感覚に名前をつけてみてください。あなたが体験しているその感じ[2]」

「そうですね……。不安は感じてないです」

「その感覚を、何かポジティブな言葉で表せますか？　不安は感じてない。内側のそれは、どんな感じでしょう？」

「静かな感じ、でしょうか」

「いいですね！　ほかにはありますか？」

「少し軽くなった感じもします」

「その軽さは、身体のどのあたりで感じますか？」

「このあたりから始まって」フランは、胃のあたりを指しました。「上や外にも広がっていくような……」

自分の身体の感じに注意を向けてから、15秒ほどで、さまざまな感覚が起こり始めます。より多くの気づきを得たいときは、その分長く、注意を向け続けるとよいでしょう。感情の観察は、瞑想の練習と似たような目的を

2　「内側の感覚はほとんどの場合、一度でも意識すれば別のものに変わる」（Levine, 1997）

持っています。感情を観察するときは、あなたは静かな観察者となって、自分の内側にある感情を良いものとも悪いものともジャッジせず、在るものは在るとして、それにただ注意を向けるようにするのです。自分の身体が体験していることに気づき、その体験が存在していることを認めて受け入れることだけが目標です。このスキルは、心の健康に欠かせないものであり、練習すれば誰でも身につけることができます。

私は思いました。フランとはしっかりと関係を築いてきたし、この関係性があれば、両親の死に関する、ずっと未解決のままになっているトラウマを処理することができるはず——どうすればそうできるのか、ちゃんとわかったわけではないけれど。私が、フランのパニック発作を見守り、それをやり過ごせるように手伝った——彼女を一切ジャッジせず——ので、フランも、私が彼女の強い感情をなんとかできる力があり、私は彼女の味方なのだとわかってくれたようでした。

その翌週、フランは、前回のセッションの後、いろいろなことを考えたと言ってくれました。両親を亡くして、ずっとつらかったこと。それだけではなく、住み慣れた土地を離れ、学校を変わり、新しい友達を作るのも、本当に大変だったこと。そして、フランは、その目まぐるしい変化のせいで、悲しむ余力も時間もなかったのだと気がつきました。

「今、私にこの話をしてみて、どんな感じがしますか、フラン?」私は、彼女に自分の体験に名前をつけてみるよう促しました。すると彼女は初めて、私の促しに応じてくれました。

「悲しみです。でも、そう言っただけで、胸のあたりで心臓がすごくドキドキし始めました」

「では、ゆっくりいきましょう。スピードを落として、そこで一旦止まって。心臓に注意を向けてみてください」。悲しみを感じ、再び不安が高まったせいで、フランの脈は速くなり、呼吸も浅くなってきました。

不安のような赤信号感情が高まったときは、その感情をすぐに和らげることが大切です。そのうち、フランの脳は、悲しみが引き起こす不安やパニックを、永久にリセットし、止めることができるようになります。フラン

【治療中盤におけるフランの三角形】

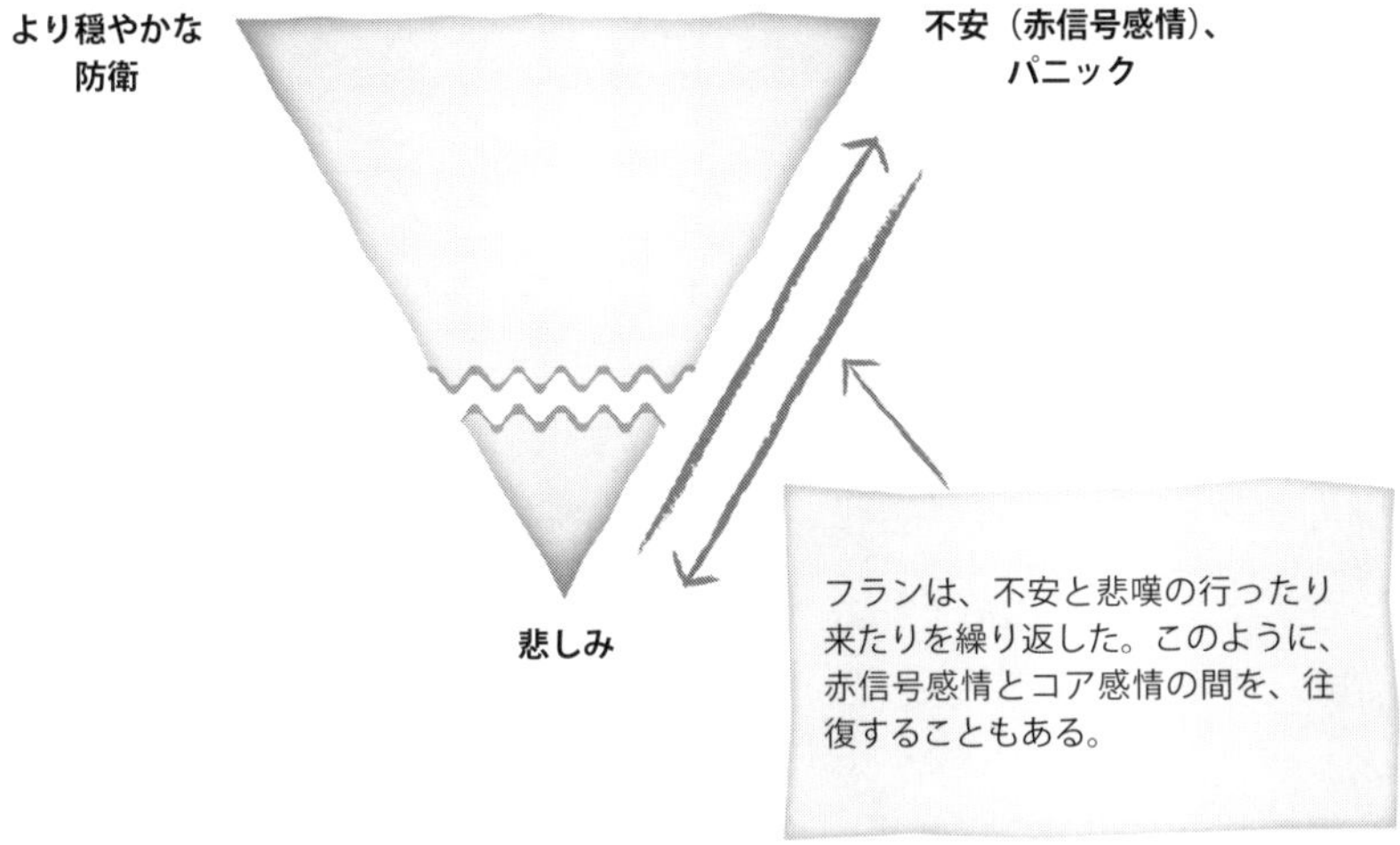
より穏やかな
防衛
不安（赤信号感情）、
パニック
悲しみ
フランは、不安と悲嘆の行ったり
来たりを繰り返した。このように、
赤信号感情とコア感情の間を、往
復することもある。

フランは悲嘆を感じようとしたとき、無意識の葛藤に直面した。悲嘆を感じることへの恐れが、彼女の不安とつながっている。彼女は無意識のうちに悲しみに関連することはすべて回避しようとする。

には、悲しみを体験しても安全だと感じられることが必要でした。私は、彼女にこう言いました。「身体の中にある、不安なときの身体の感じに、集中してみましょう。私の存在も忘れないで。深い呼吸で……。今、何か気づくことはありますか？」

「落ち着いてきました」と、フランは言いました。不安なときの身体の感覚は、ただ注意を向けるだけで収まっていくのです。

「いい感じですよ。1から10のスケールをイメージして、10がこれまでで一番不安な状態で、1が落ち着いている状態だとすると、今の不安はどのあたりですか？」

「3くらいだと思います」

「とても小さいですね。でも、もしかしたら、もっと小さくすることができるかもしれません。もう少しだけ、不安な感じと一緒にいてみましょう。呼吸は心地よく、楽な感じで続けながら、今まで一番落ち着いて、穏やかな気持ちで過ごせた場所を思い浮かべてみてください」

「ベッドは好きです。安心できる場所だから」

「いいですね。ベッドにいるところを想像してみましょう。肌にかかっているシーツの感触を感じてみてください。部屋の中をぐるーっと見渡して。さぁ、どんなことに気がつきますか?」

彼女は深く息を吐きました。「すごく落ち着いてきました」

とうとう、フランが悲しみを感じる準備ができました。

フランは、最初のセッションで見せた防衛から出ました――話題を変えるという防衛です――これは、「変容の三角形」の左上の状態です。そこから、フランは、「変容の三角形」の右上の不安と向き合うところに来ました。フランと私は、パニックを起こさずにコア感情にとどまり続けることを、数か月にわたって、彼女の身体に教え込みました。コア感情が、セッション中に自然と出てくるようになりました。悲しみを頭で理解するのではなく、感情と身体のレベルで感じられるようになることが、フランの目標でした。一部のクライエントたちは、悲しみを「知って」はいても、私が次のように尋ねると、答えることができません。「悲しいって、どうやって**知るのですか?」**あるいは、「どんな身体の感じがすると、悲しいってわかるんですか?」**体験的なセラピーは、今ここでの感情体験に気づく助けになります**。体験的なセラピーは、悲しみなどの感情体験について、ただ話したり振り返ったりするだけのセラピーよりも、ずっと効果的です。話したり振り返ったりするだけでは、体験からの距離が遠くなり、頭を使ったエクササイズになってしまいます。悲しみを体験することだけが、過去の苦しみを乗り越える唯一の方法なのです。感情を十分に体験することによって、つらいコア感情にも耐えられるという自信がついてきます。

コア感情(悲しみ、怒り、喜びなど)が、赤信号感情(不安、恥、罪悪感など)によって抑えられていると、私たちは防衛的な行動を取るようになります。話題を変えるという行動から、相手と親しくなるのを避けるという行動まで、いろいろなやり方で、内面の不安感や心の葛藤を避けようとします。しかし、感情を感じるのを避けていると、何かを犠牲にすることになります。防衛的な行動を続けるのは、エネルギーがいります。防衛的な行動がなければ、このエネルギーを、ほかの活動に回すことができるのです。フランの場合は、防衛を続けたことによって、人生の中で親密な関係を作るエネルギーを奪われてきました。

防衛的な行動が役に立つどころか、むしろ害になるようなときには、感情を感じるという選択をしましょう。私たちはなぜ、コア感情を身体で感じる必要があるのでしょうか？　感覚に集中することで、神経細胞が活性化し、感情体験が促進されるからです。コア感情を堰き止めないということを学ぶと、感情をブロックすることからくる日々の悩みも少なくなり、私たちは、もっと穏やかになって、気持ちのバランスが取れるようになります。そして、勇気が出て、自信もついてくるはずです。

セラピーを始めて1年が過ぎた頃、フランは、こんな重要な発言でセッションを始めました。「日曜日は両親の命日だったんです」

「それは大切な日ですね」と私は言いました。

命日には、人はさまざまなことを思い出します。そのうちのいくつかは、すっかり忘れていたことかもしれません。記憶を構成するのは、身体感覚や音、匂い、思考、イメージ、時には心に保存された衝動も含みます。

「これまで、誰にも話したことがないんですが、命日がいつ来るのか、頭のどこかでいつも気にしていました」

「両親の命日だったと、声に出して言いましたね。自分の言葉を聞いて、どんな気持ちですか？」

「ほっとしました――あとは、悲しいです。命日が来て、悲しい」。彼女の言葉が宙を漂いました。彼女は目を伏せ、口を閉ざしました。

「フラン。ほっとした、悲しい、両方言ってくれましたね。どちらも大切だと思います。どちらを優先しましょうか？」ふたつ、または、それ以上の感情が出てきたら、そのときにどちらの感情が表に出ているのか、あるいは、メインなのかがわかるとベストです。表に出ている感情が、私たちが先に扱っていくべきものです。

「悲しみを感じます。胸のところに、何か重いものがあるみたい。でも、穴みたいでもあります」。身体の感覚に注意を向けているうちに、次第に、フランの目に涙が溜まるのが見えました。

「その悲しみにとどまって、どんなことが起こってくるか、見てみましょう。私も一緒にいますからね」。フランは頷きました。ふたりの心が長いコードでつながっているイメージが、私の中に自然と浮かんできました。私は黙っていました。フランの眉間にシワが寄り、唇が震えています。彼女の目は再び、涙でいっぱいになりました。

フランは手で顔を覆って、膝を抱え、すすり泣きながら、身体を震わせました。ついに彼女の悲しみの波は解き放たれたのです。

「うん、悲しみを解放できて、本当によかった」と、私は言いました。彼女に、ひとりぼっちではないことを伝えたくて。

悲しみが溢れ出し、フランは泣き崩れました。彼女が泣いている間、私は、その悲しみは彼女の愛の形であり、両親とのつながりでもあると説明しました。

「そうそう……我慢しないで。そのままで」と、私は囁きました。

涙が収まると、フランは身体を起こしました。彼女が私を見つめます。私も見つめ返しました。今この瞬間に感じている、彼女へのありったけの愛情と、慈しみの気持ちを示すために。フランは、数回深呼吸をしました。彼女が顔をしかめたので、私は、新たな悲しみの波がやってくるのを感じました。

「まだまだ」と、私は言いました。「いいですよ。そのままで」

その言葉を聞くと、フランは再び泣き始めました。手で顔を覆っているものの、今度は、身体を起こしたままでした。2分ほどで、その波は落ち着いていきました。フランは、もう一度私を見つめました。私がちゃんとそこにいて、中立のままなのを確かめるように。実際、私はそうしていました。部屋の空気も軽くなりました。

フランは大きく息を吸い、上を見て、ゆっくりと息を吐きました。彼女は再び私を見つめ、私たちはしばらくの間、黙って座っていました。フランはもうひとつ、大きく息を吐きました。そして、ようやく「楽になりました」と言いました。私はにっこりと微笑みました。「大きくて重いものが、取り除かれたような感じです」と、彼女は言いました。

「教えてください」と、私は言いました。「それは、どんな感じですか?」

ここから、フランは、私たちの身体に生まれつき備わっている癒やしのプロセスへと入っていきました。このプロセスは、コア感情の波をしっかりと体験し切った後に起こるものです。フランが、この癒やしのプロセスに到達できたのは、フランが自分の身体感覚にチューニングを合わせたまま、コア感情の流れを止めなかったからです。コア感情が十分に解放されたら、その後にはいつも宝物が残ります。これから、私とフランはそれを発掘するのです。

「あぁ! 強烈だったけど、今は大丈夫です。軽くなりました」

「その『軽くなった』感じにとどまってみましょう。どんな感じがしてきますか?」私は、椅子に深く腰掛け、くつろいで見せることで、彼女に急ぐ必要はないと伝えました。言葉にならないたくさんの体験に気づくまで、フランにはたっぷり時間を取ってほしいと思いました。

フランは言いました。「ずっとずっと前にこうすべきだったと今気づきました。ええ、でも自分の心のどこかで私はそうすべきだといつもわかっていたのに、それに気づいてもいなかったの」

「その気づきは、身体の内側でどんなふうに感じられますか?」と、私は尋ねました。

「驚き、でしょうか。やっとすべてを出し切って、気持ちが楽になったのが、信じられないというか。前よりも軽くなって、呼吸ができるような」

この女性が、勇気を持ってやり遂げたことを、私は誇りに思いました。そして、もう一皮剝いてさらに自分を知ってもらおうと、私は再び彼女に尋ねました。「身体では、どう感じていますか？　すごく大切なことなので……」

ゆっくりと落ち着いて、彼女は答えました。「軽さと、落ち着きと、疲れもあります。でも、ほかにもありそう。ちょっと震えています。それに、首の後ろから頭にかけてヒリヒリするような」

ふたりの人間が心をスローダウンさせて一緒にいると、心と身体に起きているたくさんの動きを観察できます。意味のある身体感覚が、さまざまな形で起こっているのに、私たちはそれをほとんど意識しようとしません。行動したり、考えたりすることに忙しくて、なかなか気づくことができないのです。しかし、こうした身体の感覚は変化の兆しです。[3] 心をスローダウンさせると、これらの身体感覚が自由に感じられるようになり、変化（change）と変容（transformation）への準備が整います。ブーンという音、ぐるぐる回る感じ、振動、疼き、流れるような感覚。コア感情のプロセスが進み、癒やしが起こっているとき、身体によく起こるのがこういう感覚です。フランは、ヒーリング感情を体験しているのです！[4] ヒーリング感情を感じられると、私たちは心を開いた状態になり、7つのCにアクセスできるようになります。7つのCとは、穏やかさ（calm）、好奇心（curious）、つながりの感覚（connected）、思いやり（compassionate）、自信（confident）、勇気（courageous）、明晰さ（clear）のことです。

「そのヒリヒリする感じに、一緒にとどまってみませんか？」私は言いました。その新しくて不思議な感覚を、フランが安心して探索できるようにと願いながら。フランには、その感覚に身を委ね、ついて行ってほしいと思いました。

フランは、自分の内側に注意を向けました。30秒ほどしてから、フランはその感覚が収まったと言いました。私は、その後に残っているものがあるか、尋ねてみました。「穏やかさを感じます」と、フランは言いました。

「その穏やかさにとどまってみてください。どんな感じですか？　特に、何かを求めているわけではありませんが、ふたりでできるかぎりのことに気づいていきましょう」

「それってどんな感じですか?」や「何か気づくことはありますか?」と尋ねると、クライエントは9割方、感情や感覚に対して敏感になり、気づきへと近づいていきます。感情や感覚に敏感になるほど、感情体験のニュアンスがこれまでよりもよくわかるようになり、自力でこのプロセスを繰り返せるという自信がついてきます。心の健康とは、自分の内側の体験にとどまる力の副産物なのです。

フランは黙っていました。自分の内側の体験に、しっかりと注意を向けたのです。彼女が顔を上げて、私を見たとき、目には再び涙が溜まっていましたが、それは、これまでとはまったく違う涙でした。彼女の表情は柔らかく、安らかでした。「ありがとう」と、フランは優しい声で呟きました。

「その『ありがとう』について教えてもらえますか、フラン?」

感謝は、ヒーリング感情のひとつです。感謝も、ほかの感情と同じで、それがどんなふうに感じられているかを知り、深く感じることが役に立ちます。感謝は、人と人をとてもポジティブな形で結びつけます。私がフランに対して、私への感謝を表すように促しているのは、変な感じがするかもしれません。しかし、フランにとっては、ひとつひとつの感情が、感情を体験し、よく理解する機会になります。こうしておけば、この先、同じ感情を感じたときに、彼女は今までよりも、その感情に気づきやすくなるのです。

「今まで、先生みたいに、私のそばにいてくれた人はいませんでした。安心できたし、大切にされていると思

3 より良い変化に関連した身体の感覚に注意を向け、それを慎重に言葉で表現する重要性に気づいたというのが、ダイアナ・フォーシャの最も大きな功績のひとつです。Fosha（2013）をご覧ください。

4 感情に焦点を当てたモデルのほとんどが苦しみを扱うのに対し、AEDPはトラウマに関する感情だけではなく、感謝や喜び、心を動かされる感覚、フランが体験した感情のようなヒーリング感情のための語彙を紹介しています。Fosha（2009）をご覧ください。

えたんです。本当にありがとうございます」

「私もとっても心を動かされましたよ、フラン」と、私は、自分の思いを彼女に伝えました。そして、こう尋ねました。「今のあなたの気持ちを言葉にするとしたら何になりますか?」

フランはしばらく考えて、言いました。「私が感じているのは、感謝です」

「もうちょっとだけ、その感謝と一緒にいてもいいですか? あなたは今日、本当にたくさんのことをやり遂げました。疲れているのはわかっています。でも、これもすごく大切なことなんです。どうでしょうか。もし、今日はこれくらいにしておきたいと思ったら、遠慮なく言ってください」

「もう少し感謝にひたっていられます。大丈夫です」

「よかった。そしたら、感謝の感覚は、身体でどんなふうに感じられますか? 頭から爪先までスキャンするような感じで、できるかぎり、ただ気づいてみてください」

フランはもう一度、内側の感じを確かめました。「穏やかな気持ちです。(沈黙)このあたりがあたたかくて(心臓を指す)、地に足がついたような感じ。背筋がすっと伸びて、真っ直ぐに座っています」

「いい気づきですね」と、私は肯定しました。「しばらく、その全部の感覚とただ一緒にいましょう……よく感じてみてください……あなたが今日、一生懸命やって見つけた宝物ですから」

しばらくしてから、フランは顔を上げ、さらに浮かんできた気づきを話してくれました。「両親が死んでから、私は自分を隠すようになりました。今までと同じように振る舞っていたけど、実際は違いました。もう何年も、傷つくことから自分を守っていたことに気づきました。また愛する人を失うのが怖かった。人生にはリスクがつきものだから。でも、生きていくためにはリスクを取らなくては」。フランは、長くて深い息をつきました。

「すごい! 心から尊敬します! たった今、溜め息をついていたけど、その大きな溜め息に耳を傾けたら、何て言ってそうですか?」

**【治療終了時におけるフランの三角形、
防衛から心を開いた状態への変容を示す】**

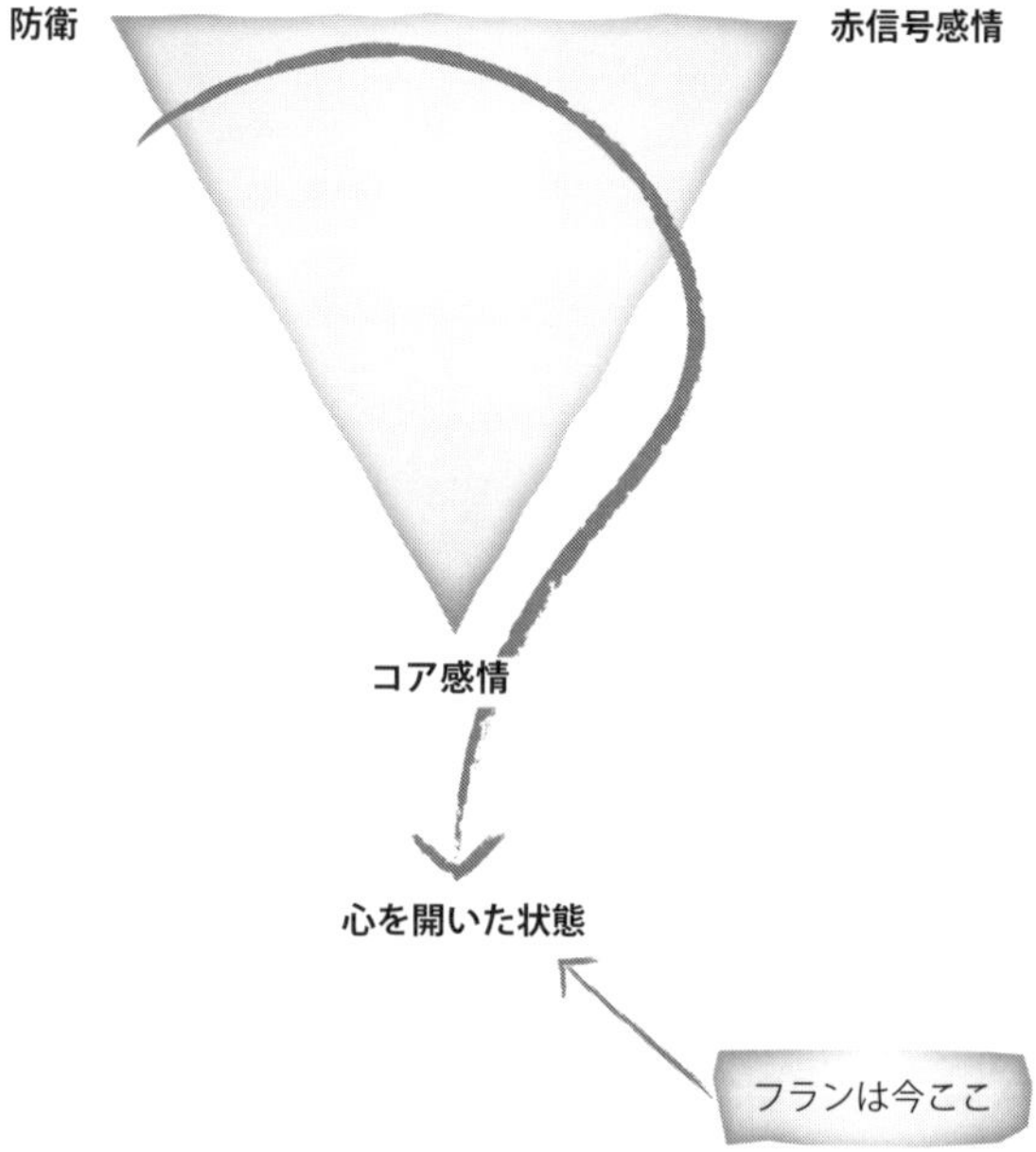

フランの防衛は減じて、不安が落ち着いた結果、今まで抑圧されていた悲嘆を感じ切ることができた。心を開いた状態になると、フランは落ち着きを感じ、自然と今まで自分がどれほどトラウマの影響下にいたのか洞察することができた。

「息ができる。だから、大丈夫だって」と、フランも私もそう確信しました。

フランは本当の自分とつながり、心を開いた状態になったのです。

このブレイクスルーが起きたセッションから、数か月のうちに、フランはデートに行くようになりました。人生で初めて、彼女は、恋愛をしたい、親密な関係を持ちたいと思ったのです。フランは、デートをすることで呼び起こされるたくさんの気持ちを、セッションで話してくれました。その中には、彼女が一番恐れていることも含まれていました。つまり、誰かを好きになると、その人が死んでしまうのではないかという恐怖です。

フランが身をもって体験したよう

に、善い人にも悪いことは起こります。それでも、心を開いて、人を愛し、生きていくリスクを取ろう。私たちは、それを目標にやってきました。私は、フランが自分の恐怖と仲良くなれるように、サポートしました。すると次第に、彼女は、恐怖や心配を見つめやすい距離感を見出していきました。何かを失うことでどれだけ心が痛んでも、自分はその痛みを生き抜いてきたし、これからもそうしていけるだろうと、フランは心に刻んだのでした。

何歳でも変われる——神経科学と神経の可塑性について

心理療法がうまくいくのは、脳とニューロンに深く作用して、正しい遺伝子を発動させ、脳神経の構造を変えるからだ。精神分析医のスーザン・ボーンはお話療法（talking cure）がうまくいくのは、「ニューロンに話しかける」ためだと述べた。つまり、優れた心理療法家や精神分析医とは、「心の顕微鏡下手術」を行う人たちで、クライエントの神経ネットワークに必要な変化を起こすのを助けているのだ。

——ノーマン・ドイジ

セラピーを始めたとき、フランは、完全に感情をブロックしていました。他者と親密なつながりを持つ力が、阻害されていたのです。セラピーの終盤、彼女はすっかり変わりました。もし、脳細胞が変化も成長もしなかったら、こんなことは起こらないでしょう。**ニューロン**という脳細胞は、一定の条件さえ整えば、淡々と新たな接続を形成します。この事実があるからこそ、すべての心理療法は成り立つのです。ニューロンが再構成されなければ、学習も脳の変化も起こり得ないのです。

ある体験を通して、脳が新しい情報にさらされると、脳細胞同士が発火して、新しいつながりが作られます。たとえば、小学校で2＋2＝4と教わります。この学習に関わる脳細胞は、私たちがもう一度、2＋2という表記を見たら、すぐに答えは4と計算できるように設定されます。こうした学習ができなければ、私たちは2＋2はいくつかと聞かれるたびに、初めて学んだときのような感覚になってしまうのです。

私たちの身体も、心と同じように学習します。スポーツをするときや楽器を習うとき、脳は筋肉に指令を出して、独特なやり方で身体を動かします。全身の筋肉の動きは、より良いパフォーマンスができるよう、洗練されていきます。これが脳から全身の筋肉へ、そしてまた脳へと戻るフィードバック・ループです。

練習すればするほど、脳細胞同士のつながりは強固なものになっていきます。そして、筋肉は、より速く正確なパフォーマンスを生み出せるようになります。反対に、練習を何日も休んでしまったら、過去1週間で上達したことも元に戻ってしまうでしょう。

感情の学習でも、同じことが起こります。学習には、同時に発火した脳細胞がつながり合うという共通のルールがあるのです。ある体験をしたとき、ひとつあるいはそれ以上の五感から、脳に情報がやってきます――視覚、聴覚、嗅覚、味覚、そして、触覚――これらは、脳細胞を刺激します。刺激された脳細胞同士が発火し、つながります。ある体験の中のさまざまな要素がつながり合って、記憶が作られます。ある曲を聴くと、あの場所、あの時間にパッと戻ってしまうことはありませんか？　そのとき聴いた曲が、そのとき見ていた映像と結びついているからです。

私たちは皆、記憶によって過去に引き戻されます。古くから付き合いがあるご近所さんを訪ねたり、家族の誰かと喧嘩したり、懐メロを聴いたり、旅に出たままの誰かを待ったり、風邪を引いたり、どんなことも、子ども時代の状態に戻るきっかけになります。神経科学的な見方をすれば、その瞬間、私たちは、過去と現在が入り混じった中を生きていることになります。新旧の脳細胞ネットワークが同時に活性化しているからです。

私たちは、毎日いろんなことを体験しますが、自分を形作る永続的な記憶は、情緒的な要素の強いものです。今感情が、生き延びるために不可欠なことが起こっているという信号を脳に送り、脳はその情報を保存します。

後の参考にするためです。それぞれの体験によって引き起こされる感情が強いほど、関連する脳細胞のつながりも強くなります。起こる頻度が多いほど、つながりは強まります。似たような体験をするまでの間隔が短いほど、つながりは強くなります。子どもの頃に作られたパターンは、繰り返され、強化されます。過去が、私たちに大きな影響を与えるのは、こういうわけなのです。子どもの頃から慣れ親しんだ気持ちや信念を変えるには、長い時間を要することも、これで説明がつくでしょう。子どもの頃の体験は、何年もかけて強化され、非常に強い脳細胞ネットワークを作り上げるのです。

あることに対して、クライエントが強い反応を見せたとき、私は、それが過去の体験と関連しているのではないかと考えます。それと似たような気持ちを感じた、最初のときを思い出してもらうと、たいていはクライエントの子ども時代に行き着きます。子どもの頃の体験は、心にこびりつきやすいのです。つらくて危険な出来事を覚えておくように、脳がプログラムされているおかげで、私たちはこの先、同じような出来事を回避することができます。進化論的な見方をすれば、これは生存のためのプログラムであり、子どもの頃の学びや記憶が深く残る理由を、説明するものでもあります。

過去は変えられないけれど、過去をどう感じるかは変えられる

重要な記憶はすべて、次の4つの要素から構成されます。[6]

5 「同時に発火した神経がつながり合う」というのは、ゲッティンゲン大学のジークリッド・レーヴェルによるものです。(Löwel and Singer, 1992)

記憶とトラウマ記憶の違いとは？

記憶について考えたときに、はっきりしているのは、その出来事は過去のものであるということです。トラウマ記憶が呼び起こされたときは、過去と現在の区別が難しくなります。トラウマ記憶は、同じ感情、同じ身体感覚を引き起こし、同じイメージを見せ、自分に対する同じ信念を抱かせるので、かつての出来事がもう一度起こっているように感じられます。私たちの目標は、トラウマ記憶を普通の記憶に変えることです。トラウマに根ざした感情や身体感覚を感じたり、イメージを見たり（フラッシュバック）、自分に対して心がざわつくような信念を抱くようなことが、起こらないようにしたいのです。

1. 私たちが感じた**感情**
2. 身体に起こった**身体感覚**
3. 記憶の中で心の目に映った**イメージ**や情景
4. 体験によって残った自分自身に対する**信念**。真の自己に対する確信

両親の死を知ったとき、フランの心にある光景が焼きつきました。彼女が感じた感情は、喪失の悲しみ（コア感情の悲しみが、もっと大きくなったもの）と恐怖でした。彼女の心の目に映ったのは、ひとりぼっちで悲しんでいる自分の姿です。身体の感覚は、足元の床が抜けるような感じでした。このとき、彼女にこんな信念（彼女が意識的に、あるいは無意識のうちに学んだこと）が植えつけられたのです。**私はこの世にひとりぼっち、そして、大切な人は皆、私を置いていってしまう**。こうして身についた信念が、それから先の人との関わり方を形作ります。

子どもの頃に作られた神経回路が、現在の体験と結びつくと、私たちは過去の記憶を再び体験することになります。それに伴う感情も、当時と同じ強さで感じます。フランは、犬がバイクに轢かれるところを目撃しました。これが、別の乗り物に両親が轢かれたという、過去のトラウマに関する神経回路に火をつけたのです。バイクと車は同じではありません。しかし、フランの脳内で、このふたつの体験がよく似たものとして組み合わされるには十分だったのです。

私のクライエントのメアリーは、皿などの物を壊すたび、父親の逆鱗に触れたことがトラウマになっていました。メアリーは、今36歳で、優しい男性と交際しています。彼が彼女に怒鳴ったことは一度もありません。しかし、彼女は今でも何かあると、父親にしていたような反応をしてしまうのです。メアリーも、自分の怖がり方は「おかしい」とわかっていましたが、その反応を止めることはできませんでした。皿が割れると、7歳の頃のトラウマ記憶と結びついた脳細胞が、彼女を過去に引き戻します。29年間、神経回路はずっとオンの状態で、無意識のうちに、父親（を重ねてしまうパートナー）の怒りに今にも火をつけてしまうかもしれないと、彼女が想像する原因になっているのです。

メアリーの体験に見られる4つの要素は、次の通りです。

1. **感情**——恐怖
2. **身体感覚**——上半身全体と腕の震え
3. **イメージ**——父親が目を見開き、顔の血管を浮き上がらせる
4. **信念**——「私は安全じゃない」

私たちは、次のような感情的に切迫した出来事に強く反応します。愛する人が去ってしまったとき、ミスをしたとき、何かをなくしたとき、批判されたとき、そして、助けてと言う必要があったとき。特に幼少期は、全体を捉えて合理的に対処する力はなく、親の感情を上手に受け止めることもできません。子どもたちは自分を癒や

6　この体験の4つの要素は、EMDR（眼球運動による脱感作と再処理法）の理論と実践からきています。EMDRは、フランシーン・シャピロが開発したトラウマに対するセラピーです。(Shapiro, 2001)

すことができないまま右記のつらい体験が刻まれていくのです。先ほど述べた体験はどれも、強い反応や強い感情を引き起こす典型的なものですが、そのときに刻まれた古い神経回路は現在になってもしばしば発動します。私たちは、大人として、問題を解決したり、自分の気持ちについて周りの人たちと話し合ったりするためのスキルを身につけていますが、古い回路が発動すると、そういったスキルは忘れてしまい、現在の状況に対して古い回路の過剰な反応をしてしまうのです。

両親のパーソナリティの特徴や家庭環境によって、幼少期からつらい思いをし続けた人がいます。そのような人には共通して、子どもの頃に染みついたトラウマの影響や、否定的な自己概念があります。たとえば、**安心したくても誰にも頼れない、傷つけられるに違いない、誰も僕のことなんて気にかけない、僕の気持ちなんてどうでもいいんだ、私は安全じゃない、僕は悪い子だ、私は醜い、僕は嫌われている、私はバカだ、ひとりぼっちだ、**といったように。

私の姉は、結婚してから、毎年の感謝祭を夫の実家で過ごすようになりました。それまでは、生まれたときからずっと、私の感謝祭には彼女がいました。感謝祭は、私にとって一大イベントだったのです。姉の結婚後、感謝祭の時期が近づき、彼女がメンフィスに向かうと話すたびに、私はいつも同じ気持ちになっていました。「かわいそうな私」。怒りと、嫉妬と、悲しみが入り混じったような気持ちでした。当時は、私の気持ちなんてどうでもいいのねと、思い込んでいました。あれは過剰反応でした。私の中の傷ついたパーツが、感謝祭の日に私を置いていく姉に、罪悪感を味わわせたいと思っていたのです。自分でもわかるほど、声のトーンが変わったので、姉も私の怒りに気づいていたと思います。心の中で、私は小さな癇癪を起こしていたのです。そんなふうに振る舞いたかったわけではありません。姉が大好きだったし、彼女の幸せを願っていました。私はただ、自分自身の心の傷に支配されていたのです。

自分の中ではっきりしてきたのは、このとき私は、6歳の頃の気持ちを再び感じていたということです。可愛らしいパジャマを着た、幼い自分の姿が見えました。これは、姉から「見捨てられる」という体験と、6歳の頃に見捨てられた記憶を、互いに関連づけたということではありません。ただ、そう感じたのです。それがわかったとき、私は、自分の中の6歳のパーツを思いやり、理解してあげたいと思いました。6歳の自分を抱きしめて、安心させてあげるイメージが浮かんできました。幼い自分をなだめてあげると、私の気持ちも落ち着きました。姉が、夫と一緒に感謝祭を過ごすため、私の元を離れる事実は変わりませんが、私はもうこうした気分の変化を感じることはなくなったのです。これは、神経回路における情報伝達（6歳の私と大人の私の）によって、脳の再構成・統合が起こり、感じ方が変わるというひとつの例です。

心理療法家たちが、いつも過去のことをくどくどと繰り返すのは、このためです。子どもの頃の経験は非常に影響力が大きいですし、ネガティブな感情を伴う経験の影響はなおさらに大きいのです。子ども時代に作られた神経回路は、強固です。しかし、私たちは滞っている感情を解放し――フランの悲しみや、物を壊すことに対するメアリーの恐怖のように――神経回路を再構成することによって、反応の仕方を変えることができるのです。反対に、ブロックされた感情に二度とアクセスできないとしたら、神経回路はトラウマの影響を負ったままになってしまうでしょう。

感情、身体感覚、イメージ、信念――脳を変えるうえで、この4つの要素はどれくらい重要なものなのでしょうか？　目指すのは、子どもの頃から持ち続けている、古くて役に立たない感情反応を抑えて、今ここでの苦しみを最小限にすることです。過去の記憶に埋もれてしまった感情を解放し、トラウマの影響を負った記憶のネットワークを再構成するために、「変容の三角形」を使うのです。

脳を変えるためには、そこに新しい神経回路を作らなくてはなりません。想像してみてください。あなたは、深い藪を掻き分けて、水を求めて、ジャングルの中を探検しています。住んでいる小屋から15フィートほどのところで、小川を見つけました。その小川が、飲み水を汲むのに一番近い水辺だったので、あなたは毎日そこへ通い始めます。実際、日に数回は行くことになるでしょう。次第に、藪を取り払った道ができていき、小川へ通いやすくなります。同じ道を毎日1年も通い続けると、そこは近い将来、何の苦もなく小川へ行ける道になるでしょう。

すでに習慣化された脳の反応を変えたいなら、私たちは毎回、鉈を手に取り、藪の中に道を作っていかなくてはなりません。そして、しっかりした新しい道ができるまで、同じ道を何度も通ります。その繰り返しが、何週間、何か月、何年続くのかは、私たちが、その新しい道にどれくらいコツコツ通うかによって決まります。

フランと私は、悲しみの体験を邪魔されない新しい道を作りました。彼女を悲しみから遠ざけていた不安を取り除いたのです。私たちが何度も繰り返したプロセスは、次のようなものです。悲しみが込み上げてきたら、フランはその感情にとどまる。そして、身体と感情で悲しみを体験し、それにしっかり集中する。筋肉が緊張したり脈が上がったりして、不安に気づいたときには、すぐにそのプロセスを止め、不安を和らげる技法を使う。悲しみが不安と絡み合っていたせいで、フランの神経システムは、悲しみ**調整不全**になっていました。ふたつのパイプクリーナーが、絡まっているところを想像してみてください。ひとつは不安で、もうひとつが悲しみです。私たちは、フランの脳内にあるふたつのパイプクリーナーを選り分けました。そうすることで、不安に邪魔されていた悲しみが自由に表現されたのです。生じる不安を和らげることができたら、私たちはまた悲しみに戻ります。込み上げてくる悲しみに十分なスペースを作るのです。私たちはこの作業のたびに、これからも悲しみに耐え、悲しみと不安をより分けていくことを、フランの神経システムに教え続けました。

悲しみにとどまり、不安を和らげ、再び悲しみにとどまり、また不安を和らげる。フランは、これを何度も繰り返しました。そうするうちに、彼女の身体は、悲しみと危険はイコールではないと学び直しました。フランがブレイクスルーを体験したセッションでは、それまでにやってきたことが実を結び、悲しみが込み上げ、溢れ出しても、彼女はそれを調節することができました。彼女の脳は変化したのです。フランの身体は、悲しみの調節

気持ちをうまく調整できないときの伝え方

「調整不全（dysregulation）」とは、気持ちの動揺を表すのにぴったりの言葉です。なぜなら、この言葉は、「動揺」が生物学的な状態であることを思い出させてくれるからです。動揺を感じると、私たちは何かおかしいなと気づきます。動揺しているときもしくは調節不全が起きているとき、神経システムもスムーズに機能していません。落ち着きをなくし、心を開いた状態ではいられなくなります。私たちの身体は、物理学的、化学的、そして生物学的なバランスで成り立っているのです。ひどいトラウマを抱えた人の中には、調節できている状態がどんなものなのか、わからない人もいます。落ち着きを感じたことは一度もなく、代わりに、彼らの身体と心は、常に危険に備えているのです。

不全の状態から、**調節できる状態**になりました。悲しみを感じても、冷静でいられるようになったのです。このセラピーの指針となったのが、「変容の三角形」です。

私のクライエントのハリーは、ことあるごとに両親から拒絶されてきました。両親は、自分たちのことで頭がいっぱいだったのです。ハリーは子どものうちに、拒絶に関する神経回路を形成しました。10代でデートをするようになると、女の子に拒絶されることで、ハリーは暗く沈んだ気分になり、ネガティブなことばかり考えるようになりました。**自分には何かが足りない**、それに**僕は負け犬だ**、そして**もう二度と彼女ができることなんてないだろう**。10代のデートの体験に、子どもの頃の両親との体験が結びついたのです。歳を重ねるにつれ、ハリーは女性をデートに誘うたびに、同じような気持ちを味わうようになりました。

30歳になった今、ハリーはパーティーである女性と知り合い、連絡先を聞きました。彼女は、真剣だった関係に終止符を打ったばかりで、まだ新しい人とデートをする気になれない。でも、もしよければ、数か月のうちにお茶でもしましょうと言いました。彼女の反応は、彼とは何の関係のないものでしたが、ハリーはこの瞬間、拒絶されたと感じてしまいました。彼の申し出を断ったのは彼女の都合でしたが、ハリーはそれを自己否定に結びつけました。そんなハリーを助けるためには、拒絶に反応する彼の脳細胞のネットワークをつなぎ直す必要があります。そして、現在の文脈に合った感じ方や振る舞い方ができるようにするのです。

トラウマ体験の中の情緒的な要素と向き合うことによって、脳細胞のネットワークを変化させる。その有効な手立てになるのが「変容の三角形」です。滞った感情のエネルギーを解放すると、神経回路のつながりが変わり、過去の傷が癒やされます。できあがった新しい神経回路は、現在の生活に合わせて更新されるので、かつてのような形で物事に反応せずに済むようになります。

やってみよう――心をスローダウンさせる

感情と身体の状態に注意を向けるためには、「変容の三角形」を使うのはもちろんのこと、心のスローダウンが欠かせません。心のペースを落としてリラックスすることは、最初はうまくいかなくても練習すればできるようになります。

腹式呼吸

へそからの深い呼吸は[7]、私がクライエント全員に伝えているスキルです。腹式呼吸は、私たちが持っている中でも、特に強力なリラックス・ツールです。まず心のペースを落としてみましょう。そうすると、身体の内側で起こっていることに気づきやすくなります。何か新しいことや、不快なことを体験しても、呼吸を続けることが大切です。

腹式呼吸は、**迷走神経**と呼ばれる主要な神経を実際に刺激します。迷走神経が刺激されると、心臓と肺の活動

7　これらの呼吸法の教示は、ニューヨーク市認定の鍼師シャロン・ワイズのものです。

【迷走神経】

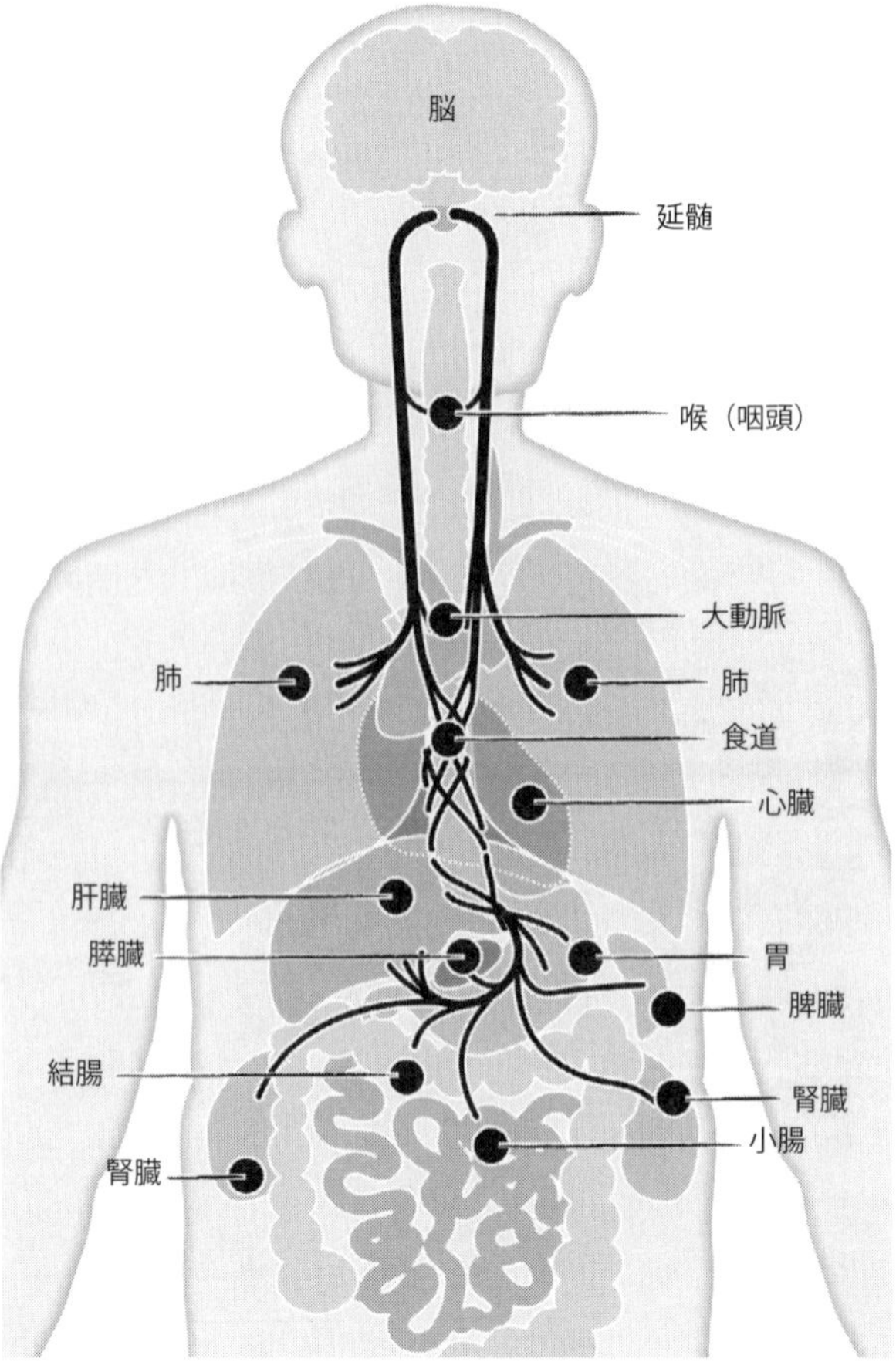
脳
延髄
喉（咽頭）
大動脈
肺
肺
食道
心臓
肝臓
膵臓
胃
脾臓
結腸
腎臓
小腸
腎臓

を緩やかにする信号が送られます。これは、不安を落ち着かせ、和らげるための強力で効果的な方法です。やり方は次の通りです。

鼻からゆっくりと大きく息を吸って、へその下のあたりを感じながら呼吸します。へそが前に出てくるのを感じてください。ブッダになったような気持ちで、へそをできるだけ突き出しましょう。へそに手を当てるのも効果的です。息を吸ったときに腹が膨らむのを感じられるように。これを数週間、練習します。私たちはたいてい胸、厳密には、肺の上部で呼吸しています。胸で行う呼吸から、腹で行う呼吸へとシフトするためには、練習が必要です。

しっかりと息を吸ったら、ちょっとだけ止めてみましょう。[8] それから、口をすぼめて息を吐き切ります。スプーンの上の熱いスープを冷ますような感じで。口をすぼめることで、息の流れをコントロールすることができ、最高のリラックスを体験することができます。息を吐くときに、自分の身体に波長を合わせてみると、内側が一番リラックスするスピードを見つけることができるでしょう。吐く息は、吸う息の2倍の長さで吐き切るようにします。息を吐くときに、身体全体が緩み、力が抜けるイメージを思い浮かべるのもよいでしょう。これを5回繰り返します。

腹式呼吸を練習して、気づいたことをふたつ挙げてみましょう。自分の内側で起きていることを確かめるように、さまざまな変化に注意を向けます。どんなに小さく、かすかな変化でもかまいません。感情の状態や身体の感じはどうでしょうか。気づいた変化に名前をつけてみましょう（本書の巻末にある、感情と感覚の言葉のリスト

8　腹式呼吸の練習を始めたばかりの頃は、息を吸うと特に、脈が少し速くなるのを感じることがあります。これは正常なことです。息を吐くと、脈は遅くなります。自分が一番リラックスできる呼吸のリズムと深さを見つけるには、遊び感覚で呼吸の練習をしてみることです。練習するにつれて、不安を和らげるうえでも、コア感情の波を乗り切るうえでも、呼吸が確実な方法だとわかるでしょう。

を使うのもよいでしょう。体験に言葉を与えるのに役立ててください）。ここで大切なことは、間違った答えはないということです。あなたが自分の感情や身体の反応に気づき、名前をつけるため実験してみるつもりでやってください。自分の内側で何が起きるのか確かめる実験を、呼吸を通して行っているのです。

1. ＿＿＿＿＿＿＿＿＿＿＿＿＿＿＿＿＿＿＿＿

2. ＿＿＿＿＿＿＿＿＿＿＿＿＿＿＿＿＿＿＿＿

この正しい呼吸法を練習し、使っていくと、短期的かつ長期的に、心身の健康を維持できるというメリットがあります。腹式呼吸は神経システムをリラックスさせて、ストレスや緊張を和らげ、血圧を下げる効果がありますし、気持ちも穏やかになります。腹式呼吸の練習は、内臓をほぐして整えることにもなり、基礎代謝を高めます。

正しい呼吸に戻ることは、難しくはありませんが、ある程度の練習が必要です。私がお勧めしているのは、少なくとも1日に2回、腹式呼吸を練習するためのリマインダーをセットしておくことです。朝起きたときと寝る前にやってみるといいでしょう。寝つきを良くするのに役立つ感じがするかもしれません。

不安に気づいたときやコア感情を体験しているとき、いつでもこの呼吸をやってみてください。優しく長く深く、へそから息を吐き出すうちに、感情の波はピークを迎え、やがて解放され、落ち着いていくでしょう。

外界の知覚を用いて今ここに意識を戻す

2分あれば、五感の知覚を通じて、今ここを感じる練習ができます。家で静かに過ごしている時間を練習に当てもいいでしょう。あるいは、渋滞にはまったとき、スーパーの列に並んで待っているとき、または、駐車場まで歩く間にやるのもいいです。目に見えるものや聞こえてくる音、匂いに気づくことで、今ここにいる感覚をはっきりと味わってください。スローダウンして、今ここにいることは、「変容の三角形」に取り組む中で出会う気持ちや感情、感覚を言葉で表す際に、とても大きな助けになります。

窓から外の世界を見てみましょう。パッと目に飛び込んできた色を3つ挙げ、名前をつけてみましょう。

1.

2.

3.

あなたがいる場所の触覚に注意を向けてみましょう。今、確かめてみた感触を3つ挙げ、名前をつけてみましょう。

1.

2.

3.

周りの音に注意を向けてみましょう。聞こえてきた音を3つ挙げ、名前をつけてみましょう。

1.

2.

3.

いかがでしたか？　内側の世界を確かめながら、さまざまな変化に注意を向けます。どんなに小さく、かすかなものでもかまいません。感情の状態や身体の感じはどうでしょうか。このエクササイズをやってみて、あなたの状態は、今どんなふうに変化しましたか。気づいたことをふたつ挙げて、名前をつけてください。気づいた変化を言葉で表して、以下に書き留めましょう。

こうしたエクササイズは、今ここへの気づきを高めるようにデザインされています。あなたは、さっきより目が覚めた感じがするかもしれません。不安定な感じがすることもあるでしょう。今としっかりつながっていると感じるかもしれません。何も変わらなかったと思うこともあるでしょう。どんな気づきも素晴らしいのです。これは観察の練習であり、正しい答えはありません。ただ、内側の反応の微妙な違いに気づいて、その体験にぴったりの言葉を探してみるというのが、このエクササイズの唯一の目的です。本書の巻末にある感情と感覚の言葉のリストを使ってもかまいません。気づいたことを表現する言葉を見つけるのに、役立ててください。

もし、このエクササイズをやって、気持ちが不安定になったり、落ち着かなくなったりする場合は一旦休憩を取ってください。気持ちが落ち着くような呼吸をしましょう。あるいは、次に紹介するグラウンディングのエクササイズを行い、気持ちを落ち着けましょう。

グラウンディング

1. 立っていても座っていてもかまいません。足をしっかりと床につけましょう。足の裏で床を感じます。足裏で床を感じながら、30秒間そのままでいます。簡単ですね。

2. 静かに立ちながら、あるいは座りながら、足の裏に片方ずつ注意を向けてみましょう。そして、内側で気づいたふたつのことに、名前をつけてみてください。内側の世界を確かめながら、さまざまな変化に注意を向けます。どんなに小さく、かすかなものでもかまいません。感情の状態や身体の感じはどうでしょうか。気づいた変化を言葉にしてみましょう。

今度は、呼吸とグラウンディングを組み合わせます。足裏で床を感じながら、4、5回腹式呼吸をします。1、2、3、4と数える間に、できるだけたくさん息を吸いましょう。一旦止めて、今度は口をすぼめてゆっくりと息を吐きます（熱いスープを冷ますような感じで）。呼吸の終わりはさまざまですが、だいたい8～12秒ほどです。たっぷり時間を取りましょう。

もう一度、足の裏に片方ずつ注意を向けます。足元の地面を感じてください。どんなことに気づきますか？内側の状態の変化に、あとふたつ気づいてみましょう。頭から爪先まで、身体全体をスキャンしていくような感じで、さまざまな変化に注意を向けます。どんなに小さく、かすかなものでもかまいません。感情の状態や身体の感じはどうでしょうか。何か気づいた変化を、言葉で表してみましょう。

1.

2.

心をスローダウンして自分の内と外の世界に注意を向けてみるたびに、ポジティブな変化が脳に起こり、促進されます。こうやって、自分自身をケアしていくのです。これらのエクササイズの最中に体験することはどんなことでも、「変容の三角形」にすぐ書き込むことができます。それらを通して、あなたの気持ちが楽になるために必要なことがわかってくるでしょう。

平和な場所をイメージする

平和な場所を一度でも想像したなら、あなたはそれをいつでも、必要なときに使うことができます。ストレスフルな体験から一時的に避難したいとき、その平和な場所へ行ってみましょう。「変容の三角形」を使っていて不安が高まったときは、一旦休憩して、平和な場所をイメージしましょう。自分の中の罪悪感や恥を抱えたパーツに向き合って、落ち着かなさを強く感じ始めたら、平和な場所へ行くようにしましょう。職場や人間関係の中で、何かに腹が立っていて落ち着きたいときにやってみることもできます。あなたがすでに持っている、心を落ち着かせる方法が入った道具箱の中に、この平和な場所も加えておきましょう。

立ち止まって、足の裏で床を感じながら、もう一度スローダウンしましょう。そして、4、5回腹式呼吸をします。

今度は、現実の場所でも、空想の中の場所でもいいので、自分が穏やかで、落ち着いていられる場所を思い浮かべましょう。それは海や山、もしくは、あなたのベッドかもしれません。または、映画や本の中の場所かもしれません。異なるシチュエーションをいくつか想像してみましょう。いずれもあなたが穏やかで、落ち着いていられる場所です。たっぷり時間を取りましょう。一番リラックスできるイメージを見つけたら、自分がそこにいるところを想像します。大切な人や大好きなペット、好きなものをそこに加えてもいいですし、あなたを動揺させる人を締め出すためのドアと鍵を加えてもいいでしょう。この空想上の平和をより良いものにするために、必要なものは何でも加えてみましょう。

映像をイメージするのが難しいときは、リラックスできる音楽をイメージしたり、幸せな気持ちになったときのことを思い出しましょう。おばあちゃんが作ってくれた料理の匂いや、好きな人の香水の香りのように、あなたを落ち着かせてくれる香りをイメージするのもいいでしょう。

平和な場所や音、香りをイメージの中で感じると、内側のどんな感じに気がつきますか。その体験を言葉で表してみましょう。

1. ＿＿＿＿＿＿＿＿＿＿

2. ＿＿＿＿＿＿＿＿＿＿

3. ＿＿＿＿＿＿＿＿＿＿

平和な場所のイメージに対する心のブロック

もし、平和な場所のイメージがブロックされていると感じても、大丈夫です。それは起こり得ることです。誰でもときどき、心のブロックを感じます。そんな自分をジャッジしないようにしてください。

平和な場所のイメージやエクササイズをもう少し続けたい場合は、平和な場所を見つけることに対するブロックを克服するために、必要なものをイメージできそうか、やってみましょう。イメージのいいところは、現実的な制約から自由になれることです。あなたは、必要なものを何でもイメージすることができます。空に制限がないのと同じように。たとえば、大切な人が病に苦しむか苦境に陥っているために自分が平和な場所にいると想像すると罪悪感を感じたり、ほかの人が平和でなければ自分も平和でいられないと感じたりするとします。そんなときは、神様や裁判官を思い浮かべて、一時的な許可をもらうこともできます。あるいは、あなたは、自分の問題を何度も反芻するのを止められないかもしれません。そんなときは、問題をすべて箱に入れるところを、1分か2分、イメージしましょう。そうすることで、平和な場所をイメージしやすくなるかどうか、確かめてみましょう。できないと感じる場合でも、それをジャッジすることなく、ただ感じてください。好奇心を持ち続けて、自分の体験が練習でどのように変わっていくか受け入れることができます。

3

トラウマを認識する

サラのうつと、葛藤の乗り越え方

強すぎる感情に対処できないことや、感情のせいで恥をかくこと、または、感情の力によって自分の不十分さが明るみに出ることを恐れて、感情体験を切り離した人たちは、のちにうつや孤立、不安といった形で、その代償を払うしかなくなる。

——ダイアナ・フォーシャ

私とクライエントの関係、クライエントと外の世界との関係は相互に反映し合い、同時進行します。実際、私は、他者に対してどう感じ、他者とどうつながっているかをクライエントに理解してもらうために、私たちの関係をテンプレートとして使うよう勧めています。私たちは、より満足度の高い、新しい関わり方を、セッションの中で安全に試すことができます。葛藤に対処するのは難しいという人がほとんどですが、対人的な葛藤をずっと乗り越えやすいものにするために、私たちはさまざまなスキルを身につけることができます。

私たちは、他者との衝突にさまざまなやり方で対処しています。腹が立ったと相手に伝えたり、ある話題を避けたり、仕返しを企てることもあります。自分の中の怒りを押し殺してうつになったり、パートナーに過剰な要求をしているのではないかと心配になったりもします。逆もまた然りです。自分の欲求やニーズが、友人や家族、パートナーの望みに反する場合、多くの人が、その伝え方に頭を悩ませます。これらは誰にとっても扱いにくいジレンマです。幸いなことに、私たちが自分自身の真実を受け入れ、分かち合い、互いに満たし合うことにより、抑えていた気持ちをケアすれば、すべてはうまくいきます。

サラと私は、5年間一緒にセラピーをする中で、互いのことをよく知っていきました。親から受けた長年の精神的虐待により、サラの心は傷だらけで、うつと不安に苦しんでいました。1日を乗り切ることにエネルギーを費やしてしまい、友人との交流といった楽しみに使えるエネルギーは、サラにはほとんど残りません。

よちよち歩きを始め、「ノー」と言えるようになった頃から、サラは絶え間なく怒鳴られ続けていました。母親が作った料理を嫌がると怒鳴られ、サラが病気になったときも、母親は彼女に喚き散らしました。母親を「良くない」目つきで見たと言って、母はサラを怒鳴るのでした。不機嫌な表情をするだけで、何時間も詰問されるのです。「何を考えているの？」母親は尋ねます。「なぜそんなことをするの？　そんなに私が嫌い？」サラは、母親の怒りが収まり、攻撃がやむことを願いながら、部屋の隅で縮こまっていました。成長するにつれて、サラの心はいつも、母親の怒りを回避するために何ができるか、怒りに火がついたらどうやってそれを止められるか、という考えでいっぱいになりました。彼女の脳は、最後の手段として、自分の思考と感情のスイッチを切り、ひたすら母親に合わせるようになりました。そうすれば、母親は喜び、親子のつながりを維持することができたのです。

幼少期を通じて、母親との関係はずっとこんな感じでした。サラの父親は愛情深い人でしたが、あまり家にいませんでした。母親がサラを責め立てるところを目撃しても、父親は、それを止められるほど強くもありませんでした。生き延びるために、サラは自分のコア感情をブロックしなければなりませんでしたが、それによって、サラはさまざまな症状を呈することになります。不安、強迫観念、完璧主義、リストカット、壁に頭を打ちつける、自尊心の低さ、うつなどです。

私と初めて会ったとき、サラは30歳でした。私は、彼女が耐えてきた数々の仕打ちに心を痛めました。彼女が私といて、安心と安全を感じられるようにサポートしよう、安心と安全が、感情とトラウマのセラピーを根づかせる基盤になるはずだ、私はそう考えました。セラピーを始めて最初の1年間、サラの神経システムは張り詰めていていて、まるで卵の殻の上を一緒に歩いているかのようでした。サラは、母親の機嫌を損ねるのを恐れていたのと同じように、私を不快にさせるのを恐れていました。私がある表情を浮かべ、それを汲み取ることができないと、サラは私の機嫌を損ねたと思い込み、拒否反応を示しました。無言のパニックに陥るのです。私の目の前で、両腕を身体に巻きつけ、頭を膝に突っ伏して目を閉じ、止まってしまうのでした。彼女の反応を生物学的に説明すると、闘争か逃走あるいはフリーズ、という人間の危機対応システムが作動しているのです。

フリーズ状態から脱し、再びコミュニケーションが取れるようになると、シャットダウンする直前、気持ちを落ち着かせてほしくて、必死に私を求める気持ちと、私の怒りが死ぬほど恐ろしいという両方の気持ちがあったと、サラは言いました。言うまでもなく、セラピーは、サラにとって決して簡単なものではありませんでしたが、彼女は良くなりたい一心で、懸命に取り組みました。次第に、私たちは信頼関係を築いていきました。私がいつも安定して、穏やかな存在であることによって、彼女の脳は私を安全な存在であると認識していったのです。私たちのセラピーは、少しずつ深まっていきました。

2年目のセラピーでは、サラの心の中のトラウマを抱えた数々のパーツについて知り、そのパーツとのワークに時間を使いました。私たちは皆、自分の中にさまざまなパーツを持っています。これらのパーツは、まるで独立した個人のように、それぞれが信念や感情を持っているため、個々のパーツをよく知ることが役に立ちます。自分がさまざまなパーツからできているのだと知っていれば、自分の中の葛藤を理解しやすくなり、なぜ自分の気持ちが複雑で一貫性がないのかがわかるようになります。私たちの心を、過去と現在が混じったもの、あるいは、子どものパーツと大人のパーツが混ざり合ったものとして見てみると、謎に満ちた心の動きも理解しやすくなるはずです。

【セラピーを始めた頃のサラの三角形】

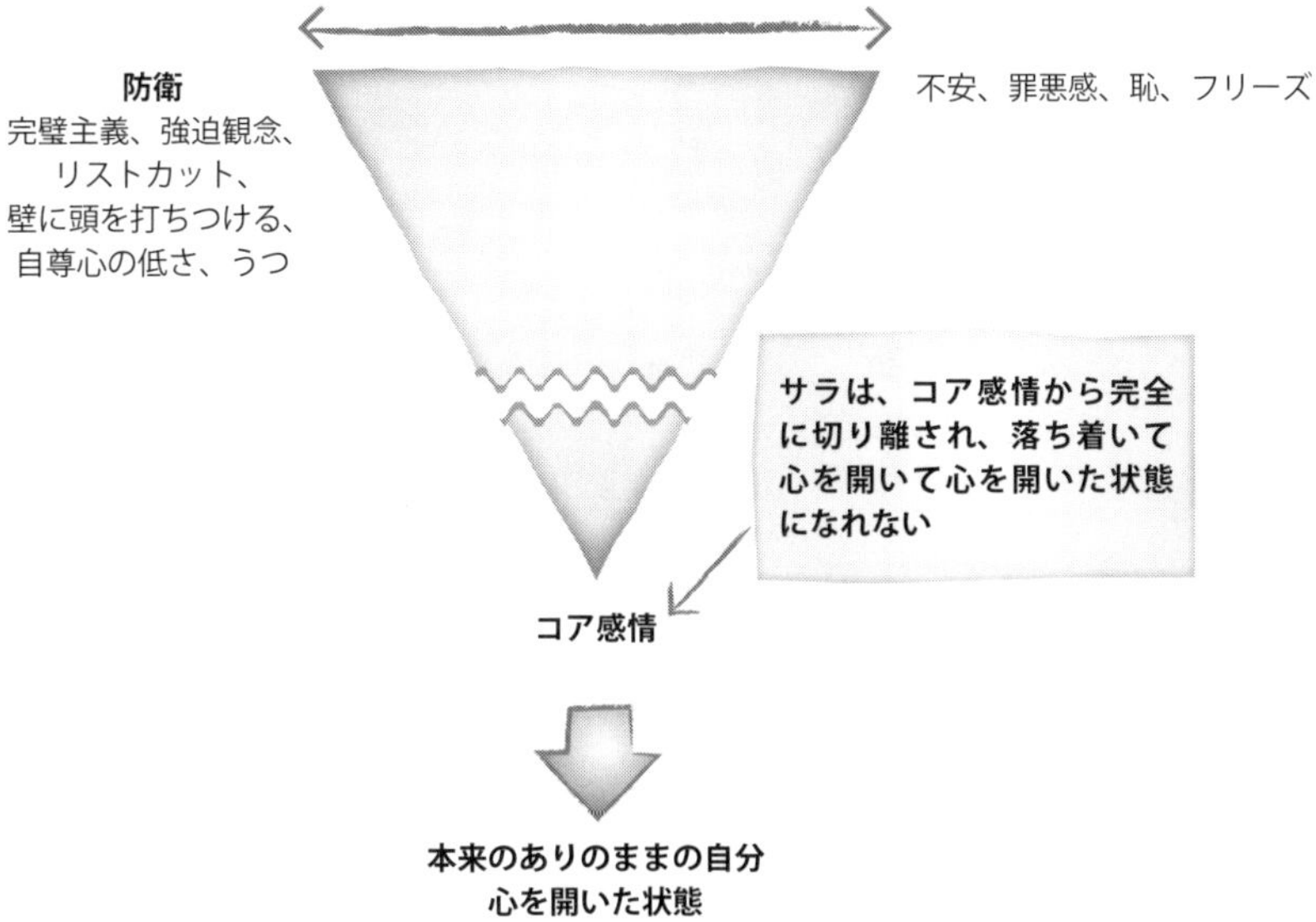

私がサラに初めて会ったとき、彼女は、防衛と不安の高い状態の間を行き来していた。コア感情体験にはまったくアクセスできず、常に調整不全の状態だった。穏やかな気持ちや自信などの7つのCも、まったく感じなかった。

サラが動揺しているとき、私は、動揺しているパーツに話をさせてみましょうと、彼女に提案しました。すると、サラはよくこう言いました。「2歳児になったみたいです」「5歳児みたいです」「10代の頃のような感じです」。いずれもすべて別々のパーツです。私たちは、サラの心に住んでいるたくさんの子どものパーツをよく知り、ケアしていきました。

セラピーの3年目と4年目、私たちは、セルフケアと自分への思いやりのワークを行いました。このふたつは、セラピーを始めた頃から、サラが悪戦苦闘してきたテーマでした。サラにとって、自分を思いやりケアするということは――あるいは、私がよく言う、自分自身の良い母親になるということは――誰かが自分を救い出してくれるという幻想を、手放すことを意味しました。サラは、自分の中の幼いパーツを思いやり、ケアする存在にはなりたがりませんでした。彼女は、幼いパーツが必要としているのは私であり、彼女自身ではないのだと、繰り返し説明しました。しかし、自分自身の良い母親になることでしか、自分に対する信頼感を育むことはできません。サラには、私と一緒にいるときだけではなく、セッションの外でも、一日中落ち着いて自分をなだめられるようになることが必要でした。

サラが自分をケアしたり、思いやったりすることは難しかったので、彼女自身がその役割を引き受ける準備ができるまで、私たちふたりで、幼い彼女のパーツをケアすることにしました。これまで与えられなかった人ほど、思いやりやケアを受け取りやすいと考えるのは、自然なことかもしれません。しかし、適切な養育を受けてこなかった人は、ケアされることを切に願っていても、それを受け入れるのが難しいのです。彼らは、再び打ちのめされるリスクを負いたくないと感じます。サラは、心を開いてガードを下げることによって、とんでもない悲劇が起こるだろうと思っており、心が粉々に打ち砕かれるのを恐れていました。また、いつも求めていた保護と安全を手に入れることで、これほどまでにネグレクトに耐えてきた自分への深い悲しみも呼び起こされます。思いやりを受け取るというのは、時に、痛みと苦しみを伴うプロセスでもあるのです。

セラピーが5年目に入る頃には、私とサラの間のアタッチメントはずっと安定したものになっていました。彼女は、トラウマを負った幼いパーツを認識し、パーツとのやりとりを落ち着いて行えるようになりました。加えて、サラは自分の考えを主張する力も身につけていきました。私に対して率直に、話したいこととそうでないことがあると言えるようになったのです。サラは前ほど、私を怒らせることを怖がらなくなりました。私に対して一歩も引かず、対立するようなことさえ見られ始めたのです。彼女は、強迫観念と侵入思考に対する薬物療法を試すことに同意してくれました。薬物療法は、これまでサラがずっと二の足を踏んでいたものでした。これは、改善への大きな一歩です。もっと良くなりたいという欲求が、彼女の中で大きくなっているということでもあるし、自分はもっと楽な気持ちになって**当然だ**という信念を、サラが抱くようになったことの表れでもあるからです。

私とサラは、今ここにとどまる力を育み、コア感情を妨げる恥や不安といった有害な感情を和らげ、そして、コア感情の怒りや悲しみ、恐怖を感じるためのスペースを作るために、サラの「変容の三角形」の上を何百回も移動しました。ある日、私が休暇に入る前日に、サラとのセッションを行ったときのことです。その前のセッションは、サラの都合でキャンセルになっていました。その前の月から、サラはよくセラピーを休むようになっていたのです。

オフィスに彼女を迎え入れると、サラは笑顔で私に挨拶しました。

「先日はすみませんでした。セッションをキャンセルして、お気を悪くされていませんか？」サラは緊張した様子で、私に尋ねました。髪を手でなでつけ、無意識に気持ちを落ち着かせているようでした。

私たちは週に2回の頻度で会っていました。午前中のセッションは、サラがベッドから出られなかったり、出たくなかったりして、キャンセルになることも多くありました。それでも彼女は、セッションを受けたいとき、あるいは必要なときに予約ができるというオプションを好んで使っていました。

「いえ、そんなことはありませんよ」と言って、私は彼女を安心させようとしました。「ただ、キャンセルについては考えていました。セッションについて話し合えたらと思うのですが」。私の中では、1度しか来ていない彼女から、2回分の料金をもらうことに対する気まずさが高まっていました。

私は、サラが下唇を噛んでいるのに気づきました。呼吸が浅くなり、目に見えて苦しそうです。サラはソファに座り、落ち着かない様子で身体の向きを変えました。私は、サラを動揺したまま、帰したくありませんでした。彼女が動揺したままでは、私は休暇中ずっと罪悪感に苛まれ、サラを心配し続けることになります。彼女が心の平穏を取り戻すのに、私が休暇から戻るまで2週間も待たせるようなこともしたくありませんでした。サラがキャンセルについて話題にしてくれたので、私はどうにかしてこのまま続けようと思いました。私たちはこれまでに、この話を続けられるだけの安全な関係を築いてきたはずだという自負もありました。

「あなたが、週に2回のセッションを希望しているのはわかっています。ただ一方で、最近お見えになるのは、週に1回だけですね」。私はためらいながら、こう伝えました。サラを不安にさせないように気をつけながら、言うべきことを正しく伝えようと思いました。

彼女は緊張した笑い声を上げ、笑顔を見せました。そして、早口でこう言いました。「そうですね」。顔をしかめた様子から、彼女の心の痛みが伝わってきました。

「2回分の料金は払いたくないかもしれませんよね」と、私は言いました。「もしそうなら、私が休暇から戻ったら、このことについて話し合いませんか。そして、何がベストかを一緒に考えましょう」

「でも、もし、私が週2回のセッションをこのまま維持したければ、それでいいですか?」こうしたやりとりは、サラには難しいことだろうと私は思いました。和らいできたとは言え、母親から繰り返しされてきたように、いつの日か私から拒絶されるのではないかという強い恐怖が、サラの中にはまだ残っているのですから。

「ええ。週2回のセッションを続けることもできます。ただ、2回目のセッションが必要でも、そこに来ないのはどうしてなのか、ふたりで一緒に知っていきたいなと思って。それをはっきりさせたいだけで、迷惑とは思っていません。あなたにとって一番いい方法を取りたいですし、利用していないものに対してお金を払うことの意味も一緒に考えたいのです。これも、あなたのことをよく知るチャンスだと思っています」

「わかりました。それならいいです」と、サラは言いました。

「それから、セッションも数年続いているので、9月から料金を上げようと思っています。このことも、あなたが週2回のセッションを希望するか、しないかに影響するかもしれません」と、私は付け足しました。今、彼女にすべての情報を伝えておくことで、難しいテーマを2回も話し合わなくてもいいようにしたかったのです。

新しい料金についてサラから質問があったので、私は、新しい料金は次の2点に応じて算出すると説明しました。1週間の内に会う頻度と、セッションの時間の長さです。これまで、私たちは55分のセッションを行っていましたが、サラと会い始めた頃から、私は55分のセッションを徐々に廃止していました。セッションの時間は、クライエントのニーズに応じて、45分か60分としていました。

「私は、絶対に55分がいいです」と、彼女は言いました。私は、彼女が自己主張できたのをうれしく思いました。

自分のニーズを他者に伝えるというのは、生きるうえで必要なことです。サラにとって、自己主張することは、どんな望みも母親の怒りを買ったという昔の記憶を山ほど思い出させるものです。昔の記憶のネットワークに火がつき、子どもの頃に感じたのと同じ気持ちになってしまうのです。55分のセッションを続けたいと私に伝えると、その反動で罪悪感や不安、恥が喚起され、彼女は「変容の三角形」の赤信号感情のコーナーに押しやられるのでした。

ここでサラをサポートするというのは、サラが、恥や罪悪感、不安の状態から、三角形の下にあるコア感情へと進む道に戻れるようにすることです。自分が望んでいることや必要としていることを知るためには、自分のコア感情を知り、肯定することが必要です。

「教えてくれてありがとう」と、私は言いました。「気が楽になりますから、一緒にやっていくうえで大切なことです。要するに、つながりが深まって孤独が和らぐのです。ひとりより、ふたりで考えるほうがいいアイデアを出せます。このことについて話すときに起こってくる気持ちを感じるのも、私は大切なことだと思います。セッションの外の世界でも、誰かとある問題について話し合っていきたいですよね。これはきっといい練習になります。私たちならできると思うんです！」保証と肯定。このふたつは、安心・安全の感覚を高め、不安を和らげるのにうってつけの関係的な介入です。「もしよかったら、教えていただけますか？　今、このことについて話しながら、内側で起こっていることを――起こってくる感情を、ただ認めてあげてください」

何かを恐れているような顔つき、息を詰める様子、私を見ないように目を閉じているところ、そして、硬く凍

【サラが自分のニーズと需要を、ストレートに主張したときの三角形】

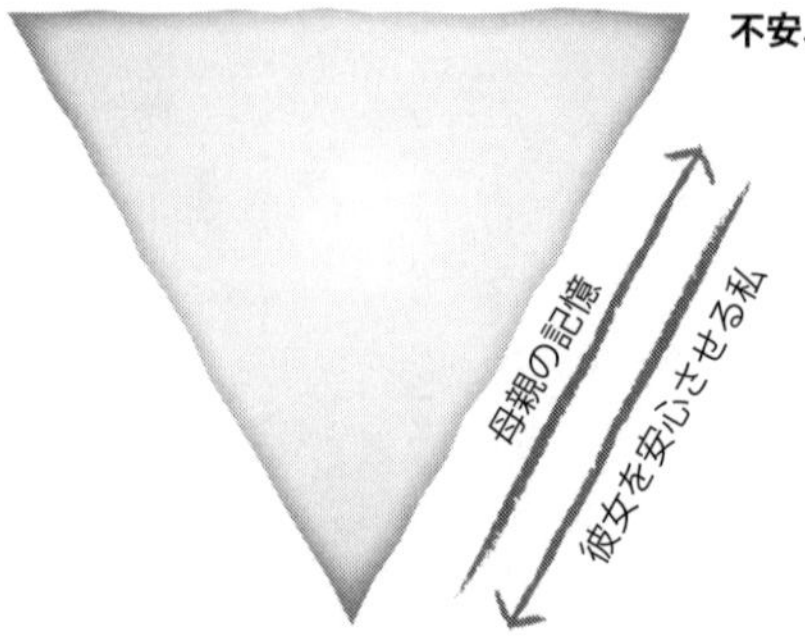

サラは今でこそ怒りにアクセスできるようになり、自分の望みを主張もできるようになったが、そうすることはいまだに不安を誘発し、赤信号（抑圧）感情へと彼女を押し戻そうとする。

りついたような彼女の身体を見て、私は、彼女の中にたくさんの気持ちがありそうだと感じました。サラは不安になると、いつも色白の顔がさらに青ざめるのです。

「うーん……」と、サラは緊張した様子で唸りました。

私は、サラの気持ちをわかったつもりにならないよう心がけました。起こり得るさまざまな感情を、広く迎え入れてもらえるように、私は彼女に、よく起こる反応の例を伝えることにしました。「小さくなったような感じがしますか？　怖い感じや怒りに気づいたり、不安になることもあるかもしれません。ジャッジするのではなく、自分の身体にただ波長を合わせて、いろんな感情のためのスペースを作ってあげましょう。あなたの中で何が起こっているのか、私にはわからないけれど、知りたいと思っているので、ここでこうしてサポートしていますね」

彼女は15秒ほど間を置いて、こう言いました。「わかりません。たくさんありすぎて。たくさんあって、ごちゃごちゃしています」

「たくさんあるんですね」と、私は、彼女の体験を肯定しました。「もしかしたら、一緒に深呼吸してみるといいかもしれません。ゆっくり……ペースを落として……私とのつながりを感じてください。このまま続けながら、私と一緒にいる感覚や、私とのつながりを感じていられそうですか？」

「ええ」と、サラは自信なさげに答えました。

「気づいた感情を、ただ認めてあげるだけで、気持ちが楽になるかもしれません。その感情にどっぷりと浸らなくていいんです。ただ、感じていることをひとつひとつ、認めていきましょう」

「少し動揺して、ちょっとだけ、怒っているかも」

「いいですね！　教えてもらえてとてもうれしいです。少し動揺していて、ちょっとだけ怒っているかも。ほかにも何かありますか？」

これまでのサラだったら、不安と恥という悲惨な状態に逃げ込み、それから感情に名前をつけられるようになるまで、数分はかかったでしょう。彼女は、私と、自分自身とのつながりを素早く取り戻し、このストレスフルな状況を新しいやり方で乗り切ったのです。私は、彼女の変化に胸を打たれました。

「たぶん、混乱もしています」と、彼女は言いました。

「その混乱を少しの間、脇に置いて、本当に感じていることを認め、尊重することはできそうですか？[1]　怒りや動揺がある場所から話してみてください。それから、私は、あなたのお母さんではないということも思い出してくださいね。私はヒラリーです。私たちには、たくさんのことを一緒にやってきた歴史があります。セッションの後はいつも、気持ちが楽になったと言ってくれましたよね。思い出せますか？　あなたの怒りは、私を脅かすことも、怖がらせることもありません。私は、あなたが感じていることを話してくれるのが好きです。だから、あえて推測はしません。もっと良くなるために、あなたが感じていることについて話し合いましょう。私たちな

1　感情にアクセスするために、混乱のような防衛に、少し脇に退いてもらえるかどうか尋ねるというのは、とてもＡＥＤＰらしい介入です。

らできます。サラ、あなたの中の怒りに、話をさせてあげられますか？　教えてください。『私は怒っています。だって……』」

彼女は、わずかに笑みを浮かべて、私を見ました。「えっと、よくわかりません……」と、サラは言いました。

「どんな感情があってもいいんですよ」

「でも、自分がなぜ怒っているのか、本当にわからないんです」と、彼女は言いました。サラはたいてい、自分がこう感じるのはなぜかという理由を知りたがりました。なぜこう感じるんだろうと尋ねても、あまり役には立ちません。代わりに私が伝えたいのは、**感情はただ在る**ということです。理由を問うよりもいい方法は、気づいた感情を丸ごと受け入れ、体験し、その感情が私たちに何を伝えようとしているのかを知ることなのです。つまり、何がその感情を喚起し、それは身体でどんなふうに感じられ、どんな衝動を伴っているかを知ることです。

このとき、彼女をサポートするために、私は、身体の感覚に注意を向けてみましょうと提案しました。感情が持つ深い知恵を得るときには、いつも身体がよりどころになってくれます。私には、これまでふたりでやってきた成果を見てみたいという気持ちもありました。

「怒りがある内側の部分は、あなたにどんなことを伝えてきていますか？」[2]と、私は尋ねました。

「まだ、先生としっかりつながった感じがしないんです。私が求めているほどには……」。サラは目を閉じて、ソファのクッションに身体を深く沈め、口の端を引き結びました。息を止めて、感情の流れを止めようとしているようでした。サラは、なんとか今ここの体験にとどまり、嫌な気持ちに飲まれまいと闘っていました。怒りを告白したことで、再び不安が湧き起こったのです。

「サラ、どうしたいですか。どんなイメージがあったら、その怒りを抑えずに済みますか？」内側から起こってくる衝動に気づき、安心してそれを感じられるようになれば、その衝動への恐れが和らぎ、ブロックする必要もなくなります。

たじろいだサラに、私ははっきりと、しかし、優しくこう言いました。「一緒にいますよ、サラ！　何が起こっても大丈夫です」

怒りを表すのは不快なことではなく、こんなに気分が楽になることなのだと繰り返し体験することが、サラには必要でした。そうすることによって、彼女の脳が、新しくより健全な回路を作っていけるからです。サラには、「変容の三角形」の下のコーナーに到達することが必要でしたが、このときはまだ、防衛と不安の間を行ったり来たりしていました。

私は続けました。「怒りは何をしたいのでしょう？」サラは黙ったままです。「どんなことでもかまいません。怒りは、私に何をしたがっていますか？　あなたのためにやってみましょう！」

「怒りは、先生を冷たくあしらうだとか、口を利かないようなことを望んでます」

「よく教えてくれましたね！」私は言いました。彼女は目を閉じたまま、頷きました。私の反応を見るのが怖かったのでしょう。彼女の脳は、私が、彼女の母親のように怒りで応答するのか、いつものように優しさと思いやりで応答するのか、無意識下で混乱し続けていました。

「私を無視すると怒りを避けることになってしまうので、私を無視できないとしたら、怒りは今、私に何をしたがっていますか？　何と言いたいでしょうか？　私に対する怒りの衝動を、イメージの中で出してみましょう」

自分を傷つけたり、怒らせたりした人たちに対して、怒りの衝動が何をしたがっているのか、何を言いたがっているのか知ること。そして、イメージを使って、空想の中でその怒りを表現すること。ブロックされた感情を

2　この言葉は、ベン・リプトンが私に教えてくれたもので、彼のAEDPスーパーバイジーたちに伝えられ続けています。彼はここで言及するに値する人です。

【怒りを巡るサラの無意識の葛藤】

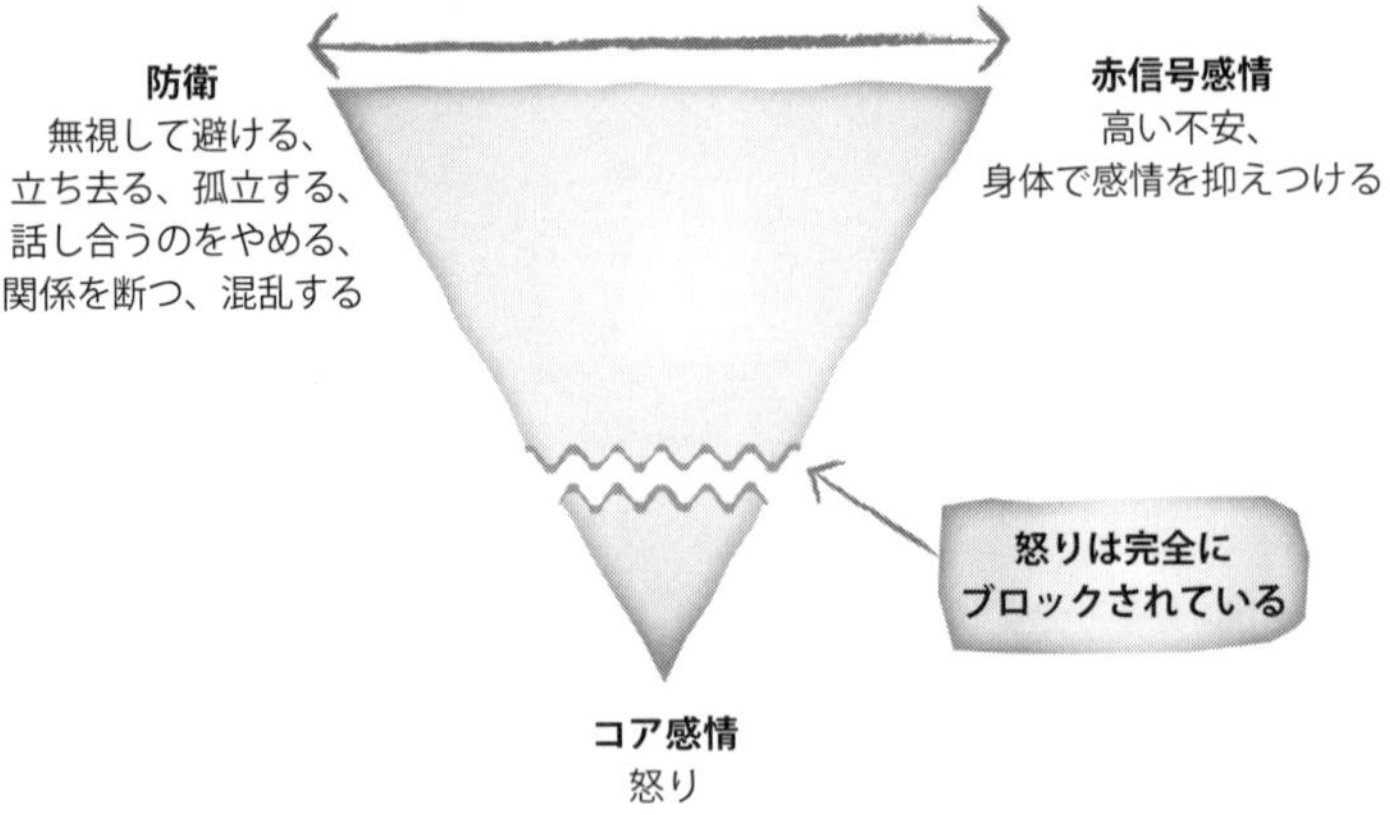

サラは、恐怖、パニック、不安、恥によって、怒りをブロックしている。そして、痛みを伴うこれらの感情を感じないように逃避している。しかし、そうすることで、彼女は人との関わりを犠牲にしている。他者との関わりを避けて、嫌な気持ちを意識しないようにしているのだ。

解放し、怒りを健全に感じ切る方法を練習するには、このようなやり方がいいでしょう。

サラが何を言うべきか葛藤していたので、私は言いました。「わかっています。怒りを表すときでさえ、あなたは私のことをすごく気遣ってくれている。それに、見捨てないでほしいと思っているんですよね。あなたが私に怒りを感じ、それを表したとしても、私はあなたとこのままつながっていたいです。なので、その大切な怒りの声を一緒に聴いてみませんか」

この言葉で、サラは、話しても大丈夫だと確信できたようでした。「わかりました。怒りは、席を立って、ここを出たいんだと思います」

サラはよくトライしました。私もそれを誇らしく思います。しかし、彼女の無意識の心は、賢くもまた別のやり方で、怒りを直接扱うのを避けました。立ち去るというのは、怒りを感じないための防衛です。

「なるほど！　でも、出て行くと、怒りを避けることになってしまいます」と、私は説明しました。「立ち去るのは、怒りと向き合うことに**なりません**」

サラには、自分の中の怒りがとても大きなものに感じられたのでしょう。トラウマを負い始めたとき、彼女はすごく小さかったので、私は、サラの怒りは彼女の中の乳児のパーツ、または、とても幼いパーツからきているものかもしれないと思いました。怒っている乳児や子どもの姿を見たことがあったら、救いがたいほどの激しい怒りを顔に浮かべて、身体をよじらせる姿が思い出されるかもしれません。乳児や小さな子どもたちは、怒りを、自分を飲み込むほど巨大なものだと感じます。ひとりでそれに対処しなくてはならないとしたら、なおさらです。[3]

サラにも怒りがこんなふうに感じられていて、怖かったのでしょう。サラは、幼児のパーツの怒りに加えて、その頃からずっとブロックしてきた怒りも感じています。その感覚とエネルギーは、彼女を圧倒するものだったことでしょう。そのため、自分の怒りが、私たちのどちらかを傷つけるものではないと信じていいのかどうか、サラは葛藤し、不安が高まったのです。「変容の三角形」を使うと、このような事態を予測することができます。**つまり、防衛のメカニズムを使うのをやめると、自分が無防備になったように感じて、不安が高まるだろうと予測できるのです**。そこで、何も悪いことが起きないというだけではなく、ポジティブで新しい体験ができ、それが何度も繰り返し起こるならなおさら、脳にもっと現実的で新しい回路が作られていきます。

サラの不安が高まったとき、私は一緒に呼吸をしたり、テレビの話題を振ったりと、さまざまなやり方で、彼女が落ち着くのを手伝ってきました。一般的に、不安は、誰かとつながっていると落ち着くものです。その誰かは、安心できて、自分の気持ちに正直でいられる相手がいいでしょう。

「呼吸を忘れないで」と、私は言いました。「怒りを感じてみて、その怒りが何をしたがっているか、わかるで

3 赤ちゃんが怒っていると思うと、気後れするお母さんもいるかもしれません。赤ちゃんの怒りは、母親に向いているのではないのです。コア感情の怒りは、基本的な欲求が満たされていないことへの反応として起こります。怒りは、泣いたり喚いたりして、母親や身近な人に、確実に欲求を満たしてもらうための力強い主張なのです。思い出してください、感情は生存のためのシステムなのです。

しょうか?」

「たぶん、先生を怒鳴りつけたいのだろうと思います」と、彼女はついに言いました。

ハレルヤ! 私は心の中で叫びました。よくやったわ! サラは私と一緒にいながら、怒りの衝動を表すことができたのです。これはサラの心が健康になるうえで、大切なひとつの節目になりました。

「何て怒鳴りたがっていますか? 今、感じている力を全部使って、想像してみてください。心の中でイメージしてもいいですし、私に聞こえるように声に出してもいいですよ。どんなやり方だと、気持ちが楽になりそうですか」。私は、彼女の怒り(生の感情、合理的な自己ではない)が、私に何をしたがっているのか、サラに気づいてほしいと思いました。それに気づければ、自然な衝動が起きても落ち着いていられます。衝動について話すだけなら、他者を傷つけることにはなりません。サラの怒りが私に何をしたいのかを話すことは、私を傷つけることではないのです。誰かを傷つけるのは、考えなしに衝動を行動に移すときだけです。

「たぶん、こう言うと思います。『今日、その話をされたことに怒っているんです。先生は、休暇に入ってしまうのに。それに……』」と、彼女は、そこで言葉を切りました。

皆さんも覚えているかもしれませんが、実際、セッションの初めにこの話をしたのはサラのほうでした。「先日はすみませんでした。セッションをキャンセルして、お気を悪くしていませんか?」これは、私たちがそれほど、内なるパーツとコミュニケーションを取っていないという、とても良い例です。異なるパーツの存在に気づき、パーツ同士のコミュニケーションを促進していくことが必要です。そうすれば、脳は最適な状態で機能します。ただ、私はここで、サラに最初のやりとりを思い出させることはしませんでした。

「私とつながっていてくださいね、サラ。とてもよくやっていますよ。ほかにもありますか? もっと何かほかに。いい調子ですよ!」と、私はたくさんのエネルギーと熱意を込めて、そう伝えました。彼女の怒りを支えるためです。「休暇でいなくなるのに、私が今日、この話をしたので怒っているんですね」と、私は繰り返しま

他者との衝突から生じる不安を和らげる方法

1. 一旦休憩して、どちらかが、あるいは互いがもっと冷静になり、もう一度歩み寄れそうになったら、改めて最後まで話し合おうと約束する
2. 腹式呼吸を一緒にする
3. 別の話や面白い話をする
4. 互いをハグする。楽しく過ごしていたときを思い出し、この難しい局面も乗り越えられると信じる

自分自身の不安と向き合う方法

1. 片方ずつの足に注意を集中して、頭で考えるのをやめる。足裏の下にある地面を感じる
2. 腹式呼吸をする
3. 外へ散歩に行き、景色を観察する。色を3つ、音を3つ、感触を3つ、それぞれ名前をつける
4. 不安になっているから、先のことに関する結論を出すのにいい時期ではない。まずは、冷静になろうと自分に言い聞かせる
5. 不安なんだね、気持ちは変わっていくものだよと、自分に言い聞かせる
6. 思いやりと好奇心を持って、不安に伴う身体の感覚に注意を向ける――ジャッジしないように――不安が和らぐまで続ける。注意を向けている間、深い呼吸をするのを忘れない
7. 平和な場所や、自信を感じられたときのことをイメージする
8. 美しい音楽、肌に降り注ぐあたたかい日差し、ハグされる感覚といった、心が穏やかになるものをイメージする
9. ジョギングやヨガなどのエクササイズをしたり、ジムに行ったりする

した。

　サラは笑い声を上げ、笑顔を見せました。変容が進んでいます。ひどいと感じた出来事を飲み込めてきて、おかしさすら感じるようになってきたのです。

「ほかにはどうですか?」私は尋ねました。

「えーっと……もうありません」と、彼女はそう言って俯き、右を向きました。その仕草から、私は彼女が恥ずかしがっているのだと感じました。

　私は、サラがもう少し話してくれるのを待つことにしました。

「えっと……わかりません。料金が上がることについてです……。私、お金は、いつもきちんと払っていますよね。でも、なんだか、セラピーにお金を払っているんだって思い出させられた感じがして……。それが不快だった

ので、腹が立ったんです」

「そうだったんですね。ほかにもありそうですか？　本当によくやってくれています。簡単なことではないですよね。料金の件であなたを不快にさせたこと、教えてくれてうれしいです」。彼女は頷きました。「もっとありますか？　あなたの中のいろんな怒りを尊重する、いい機会にしたいんです」

「怒りのためにやっているんですよね。でも、心配にもなってきました。先生から、もうここに来てはいけないと言われるんじゃないかって。つまり、その、先生は、私を追い払おうとしているんでしょうか？」彼女は苦労して、なんとかこの言葉を口にしました。私は、サラが再び目を閉じ、浅く、苦しそうな呼吸をしているのに気づきました。心配していることに話が及ぶと、彼女の中の恐れが顔を出すのです。

「私に聞きたいことがあるみたいですね。もう少しはっきり言えそうですか？」私はサラに、もっとはっきりと主張してみてほしいと思いました。

「先生は、私に来るのをやめさせようとしているんですか？」彼女の問いかけは、はっきりとした力強いものでした。

「率直にお答えしてもいいですか？」私の本音を知りたいというニーズと勇気が、彼女のものだと示すために、私は許可を取りました。

「はい」と、サラは答えました。

「私は、あなたとのセラピーをやめようなんて、まったく思っていません」と、私ははっきりと否定しました。「あなたに会うのは楽しみですよ、サラ。だから、あなたを追い出したいなんて、そんな気持ちはまったくありません」

「私とのセッションを週1回にしたいと思っていますか？」これは素晴らしいことでした。サラは私が促さなくても、自分から別の心配事を聞いてくれたのです。しかも、はっきりと。

「いいえ」と、私は言いました。「でも、2回分の料金を払っていて、来るのは1回ということについては、ちゃんと話し合いたいです」。サラは笑い、少しリラックスしたようでした。

「わかりました。それならできると思います」。サラは微笑みました。

「ネガティブ」な気持ちを感じ切ると、「ポジティブ」な気持ちもはっきりと表しやすくなります。ようやく、彼女は、私をありのままに見てくれるようになり、私の本当の意図を理解してくれました。この瞬間、私はもはや、彼女の母親ではなくなりました。古いレンズがなくなったのです。

「やっぱり心配です」と、サラは言いました。彼女は手で顔を覆い、ソファの背にもたれかかりました。

コア感情がある三角形の下の部分に到達したところで、サラは「変容の三角形」の赤信号感情のコーナーに戻ってしまいました。本音を話し合ったことで、彼女の古い神経回路が刺激され、再び不安が高まったのです。この不安は、彼女の頭の中に生きる母親からの反撃を予想し、想像したことによる反応です。

私は言いました。「待って待って。何が起きているの？　過去へ行かないで。大丈夫よ。何が起こったのかしら？　もう一度しっかりつながりましょう。気持ちに飲み込まれる前に戻って、何が起きたか、言えますか？」

私は、これまで無意識的のうちに、さまざまな反応が起きていたことを、サラにも知ってもらいたいと思いました。サラがそれに気づけば、彼女の脳も、過去は終わり、自分は今、安全なのだと学ぶので、神経システムの緊張が和らぐのです。

私は尋ねました。「私に話したい考えや、伝えたい気持ちがあることで、どんなに怖い気持ちになっていたか、気づきましたか？　あなたの考えも気持ちも、私を傷つけたりしません。これまでも長い間、そのことについて話してきたし、だからこそ、私もあなたに、自分の考えや気持ちをはっきりと伝えることができました。健全な関係ってこういう感じだと思うんです」

サラが私を見上げ、私たちはしっかりと見つめ合いました。「先生は優しいですね」と、サラは言ってくれました。

「そんなに悪くはないかもしれないですね」と、私は言いました。私の変に自嘲的な言い方が、サラにはおかしかったようでした。彼女はソファの上で身体を横に傾けたり、のけぞったりしましたが、両足は床についたままでした。サラは、普段からよくやるように、ソファの上にあるクッションを抱き寄せました。

サラは、きちんと座って生き生きとした様子を見せたかと思うと前屈みになって胎児のような姿勢を取ったり、安心感を得ようとしてクッションを抱きしめたりと様子がころころとよく変わりました。前屈みの姿勢をやめて、きちんと座り直すたびに、彼女は笑顔を見せ、明るさと落ち着きを取り戻すのでした。コア感情を表した後の短い間、彼女は穏やかで平和な、心を開いた状態になったようでした。それから、何かが引き金となって、彼女は「変容の三角形」の不安か防衛の状態に戻ったのです。でも、この上り下りを繰り返すたびに、サラの脳が発火してつながり、新しくアップデートされた回路が作られるのです。

サラは、よくこう思っていました。この世界で、彼女をよく理解し、大切に扱うことができるのは、私ひとりだけだと。私は、この世界には、優しくて理解のある人が何百万といるから、サラにはこうした人たちと親しくなってほしいと思っていました。しかし、サラが、優しくて理解のある人を見つけようとして、友達になれそうな人との関係を深めていくには、時間とエネルギーをかけて人を見極めなくてはなりませんでした。もし、意地悪なことをする人がいれば、そういう人にはもう会う必要はありません。多くの人たち、特に、自分には境界線を引く権利があると感じられない人たちは、自分のためにならないことに対して、ノーと言える力があることを忘れています。

サラがリラックスして、今ここにいる感覚をしっかりと感じているようだったので、私は、セッションの途中、彼女がなんとか今ここにとどまろうとしていたとき、内側で何が起こっていたのかを振り返りたいと思いました。

「すごく怖い気持ちになると、何が起こるのですか?」

「全部がごちゃごちゃして、ややこしいんです。拒絶される感じだと思います。先生が実際に、私を拒絶したということではなくて、ただ、そんな感じがしたんです」と、彼女は言いました。

「拒絶されたと感じたパーツは、私に何か聞きたがっていますか？　そのパーツを肯定してあげられたらと思うのですが」

サラはこう説明しました。「何も聞こえません。そのパーツは完全にパニックになっていて、私も何も感じられないのです」

人が怒りを感じたときに、防衛的になって感情を締め出すというのは、そんなに珍しいことではありません。感情を締め出すという反応によって、強すぎる感情に心が対処できなくなったり、怒りに対処できない養育者を動揺させることがないようにしているのです。サラの場合、感情を締め出すというのは、恥や不安、罪悪感に飲み込まれていることの表れなのだと、私は理解しました。母親からひどい扱いを受けたことで、これらの感情が生じたのです。これらの赤信号感情は、母親の激しい怒りからサラを守っていて、母親を喜ばせて親子のつながりをしっかりと維持するために、コア感情の怒りや恐怖、悲しみを隠しているのです。

「あなたの中の幼いパーツが、私に対して怒っていて、そのせいでほかのパーツが怖がっている。そう思いますか？　可能性はありそうでしょうか？」

「ええ。間違いないです」。サラは微笑んで、頷きました。これは、私が正しい方向に向かっているというサインです。

サラをはじめ、幼少期のトラウマに苦しむ人たちに必要なのは、何も危険がないときに脳の警報が鳴らないようにすることです。警報が鳴らなくなれば、身体はリラックスし、適応的で自分のためになることに心を開くことができます。こうした状態になれば、物事をクリアに考えられます。

「あなたの中の幼いパーツがどんな状態でいるか、調べる方法は何かありますか？　たとえば、その子は何歳くらいで、今どんな気持ちでいるのか、感じられますか？」

サラは数分間、内側に注意を向けていました。「その子は3歳で、怒っています。先生を突き放したい。でも同時に、必死で先生を求めています」

彼女が自分の怒りとつながると、まるで本当に3歳の子どもが過去から訪ねてきたようでした。こうすることで、今ここにいる大人のサラが、3歳の自分の声を聴き、慰め、話しかけることができます。そして、おそらく最も大切なのは、思いやりを向けてあげることです。反対に、この幼いパーツに乗っ取られると、私たちはそれに脅かされてコントロールが効かなくなるのです。

心のエネルギーを使うと、子どものパーツから距離を取り、実際にそのパーツの姿をイメージすることができます。何歳くらいで、何を着ていて、どこにいる、といった具合です。パーツをイメージすると、そのパーツと、心を開いて今にいる自己とが、やりとりできるようになります。幼いパーツが今にいる自己と融合していると、心を開いた状態に近づいているかどうか、はっきりしません。[4]

自己とトラウマを抱えた幼いパーツを分けないと、自己は、そのパーツに話しかけ、そのパーツを落ち着かせるための力をなくしてしまいます。セッション中に、子どものパーツが出てくると、私はたいていそれとわかります。クライエントの見た目や行動、話し方が幼くなるからです。サラの場合は、姿勢が変わったり、髪の毛をいじったり、幼い声で話し始めます。中には、子どものパーツでいるのを好んで、パーツと分かれるのが正しいとは感じない人たちもいます。しかし、今にいる自己と、子どものパーツを分ける努力をするのが一番いいのです。そうすれば、あなたはもっと自分に自信が持てるようになり、レジリエンスが高まり、より健全な関係を築けるようになります。

セッションの中で、私はサラの3歳のパーツを肯定し、思う存分、私を突き放してみて、私はどこへも行かないからと言いました。

【3歳のサラのパーツの三角形】

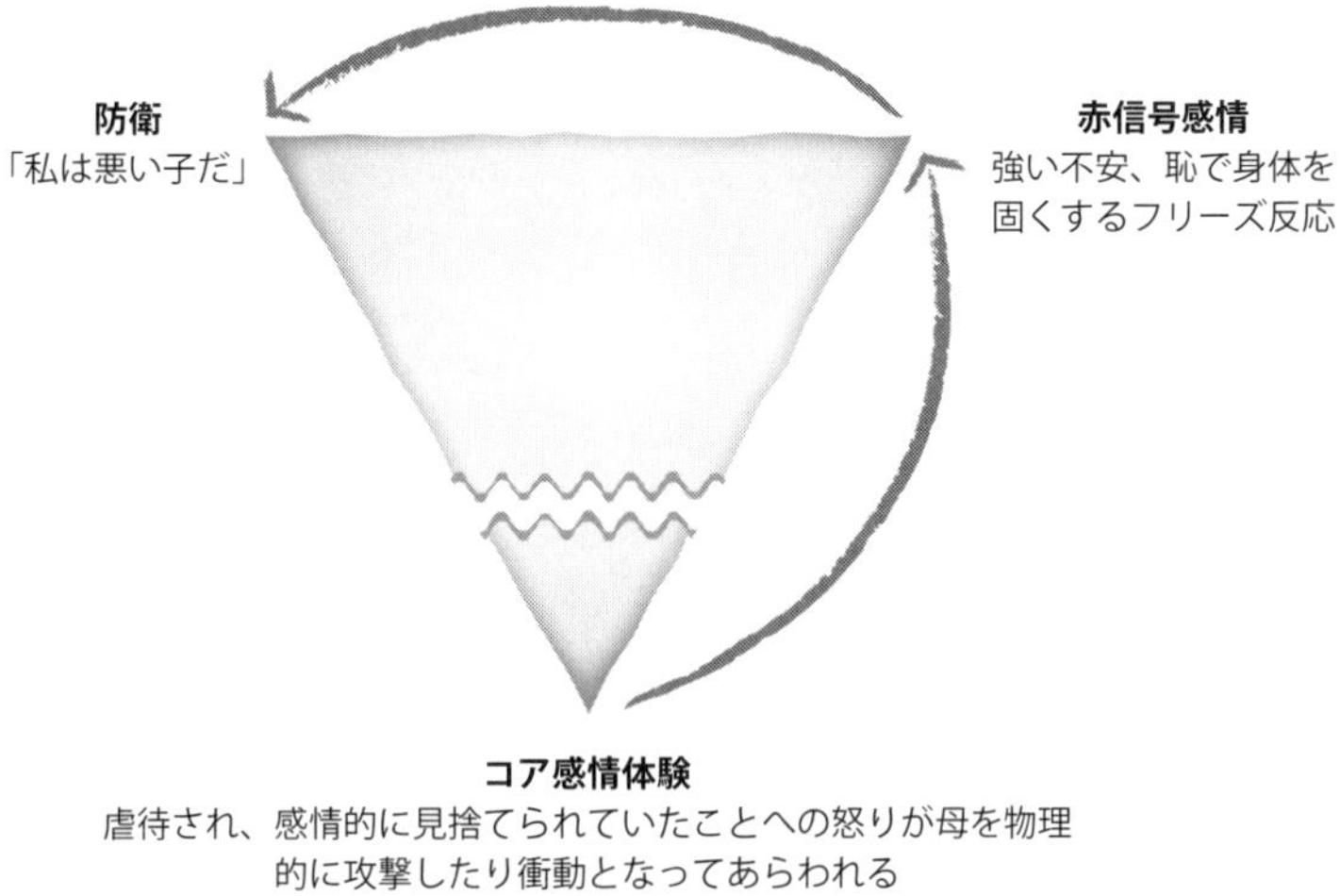

「わかりました！」サラは笑顔で頷きました。そして、彼女は目を閉じ、3歳のパーツと話し始めました。これは、セッションの中で何度となく練習してきたことでした。

「3歳のサラが、怒る権利を独占していたんですね」と、私は言いました。

　今まで何年も、幼い子どものパーツは、衝突を避けることによって、彼女の人生をコントロールしてきました。3歳のパーツを分離させることができて、大人のサラの自己に力が戻ってきたのです。彼女は、衝突しても対処できることを学びました。ほとんどの人が、子どもの頃の恐れや怒り、悲しみ、不安、恥といった状態に、無意識のうちにハイジャックされているという事実を理解できていません。その状態が、今も私たちの気持ちや行動をネガティブな形でコントロールしていることもわかっていないのです。

　別の「三角形」を書いて、子どもの頃のコア感情と赤信号感情、防衛の関係を見ていくこともできます。

　子どものパーツからいくらか距離を取って視野を広げると、サラはリラックスして、穏やかさ、好奇心、つながり

4　この考えはシュワルツの Internal Family System Therapy（2004）からきています。

の感覚、思いやり、自信、勇気、明晰さをそなえた、今ここで心を開いた自己へと近づいていきました。

サラは続けました。「でも、その子は見つけてもらって、抱っこしてもらいたいとも思っています」

「その場面をイメージする方法は、何かありますか?」私は、サラの過去のトラウマを癒やすために、イメージを使ってみようと思いました。「あなたの3歳のパーツに愛情を注ぐ、お母さんになったところをイメージできますか? 今、その子の姿を見ながら、その幼いパーツにとってしっくりくることは何なのか、感じてみましょう。それから、今ここにいるサラ、あなたにとってもしっくりくることを」

彼女は目を閉じ、しばらく内側に注意を向けて、こう言いました。「彼女には、ヒラリーには怒っても大丈夫よって言ってあげたいです。先生は彼女を大切に思っているし、見捨てたりしないから」

私は尋ねました。「彼女は、その言葉を受け取れましたか? それとも、その言葉は、彼女にはまだ難しいですか?」

サラは頷きました。「理解できたのはちょっとだけです。難しかったのかな。抱っこはもういいみたいです」。サラは再び、ソファの上でうつぶせに倒れ込み、クッションを抱きしめました。「わかってくれてうれしいです」と、彼女は言いました。

「わかっていますよ」と、私は答えました。

セラピーを続けるにつれて、サラの幼いパーツは、どんどん穏やかになっていきました。怖がって必死にしがみつく様子も見られなくなりました。そして、サラはセッションの中で、私に対して自由に主張するようになりました。凍りついて固まることもなくなりました。何が好きで、何が嫌いかを、私に教えてくれるようになりました。日常生活でも、友人や同僚に対して自分の気持ちを言えるようになり、人生を自分でコントロールしている感覚を持てるようになったのです。

誰もが少なからず傷ついている——小さなトラウマと大きなトラウマ[5]

何が怖いのか教えてくれたら、きみに何が起こったのか、教えてあげられるよ。
——D・W・ウィニコット

フランの物語は、圧倒的な感情に飲まれて、しかもそれをひとりで体験することが、どんなふうにトラウマを生み出すかを示しています。さまざまな理由から、フランは自分の悲しみを十分に感じ切るための内的・外的なリソースに恵まれませんでした。その代わり、フランの脳は悲しみをブロックしました——彼女にとって、当時の悲しみは大きすぎたのです。両親の突然の死は、大きなトラウマ（big T trauma）です。つまり、何十年にもわたって影響を及ぼす悲劇的な出来事を、フランは経験したのです。

大きなトラウマには、このほかに、レイプ被害、戦争、事故、自然災害、身体的・精神的虐待、犯罪を目撃す

5　異なるタイプのトラウマを区別する際は、ある種のトラウマが別のトラウマよりも悪いとか、ほかのトラウマより重要だといった判断はしないということを知っておく必要があります。トラウマは、トラウマなのです。小さなトラウマに注意を向けることで、理由のわからないトラウマ症状に苦しむ人たちがいるのを認められるようになります。小さなトラウマを抱えた人は、問題や症状のせいで自分を責めてしまいがちです。私は、小さなトラウマというものがあると伝えることで、トラウマを抱えた人たちの恥やスティグマを、完全になくすことはできなくても、改善させられたらと願っています。

る、犯罪の被害に遭うことが含まれます。一方で、専門家たちが小さなトラウマ（small t trauma）と呼ぶ、もうひとつのトラウマもあります。これは、一見ささいなことの繰り返しによって生じるトラウマで、時間をかけて積み重なり、最終的にトラウマティック・ストレス症状を引き起こします。私たちは皆、ある程度の小さなトラウマを経験しており、誰でもそこから回復する力を持っています。

サラの物語は小さなトラウマの数々を中心に成り立っています。私と会うまで、サラは、自分が受けてきたのはごく普通のしつけだと思っていました。母親が自分に対して怒鳴るのも、自分のためを思ってのことだと信じていたのです。怒鳴られるのは、自分が悪い人間だからだと信じて疑いませんでした。これは、トラウマが自分自身に対する間違った信念をどんなふうに植えつけ、虐待や情緒的ネグレクトが——わずかであっても——どんなふうに恥を植えつけるのかを、よく表した例です。私は、サラにこう提案したことがありました。心の中で自分を責めるのはやめませんか、それはお母さんからされたことを続けることになるからと。しかし、彼女はその提案を受け入れませんでした。厳しいしつけを守らないと、ひどい人間になってしまうかもしれないと恐れたのです。

小さなトラウマ

小さなトラウマは、さまざまな出来事から生じます。たとえば、

・情緒的交流が足りない
・アイコンタクトが足りない

・感情を理解してもらえる体験が少ない
・情緒的虐待――怒鳴られる、呼び捨てにされる、支配される、搾取される、見捨てると脅されるなど
・親やきょうだい、同級生、その他の人からいじめられる
・無視される
・親が威圧的である
・過度に注目される（過干渉）、過度に介入される
・学校での成功体験がない
・失業する
・親の期待に応えられないと感じる、あるいは、きょうだいほどうまくできていないと感じる。例：読書をしない、運動が苦手、外向的でない、社交的ではない
・何らかの理由で人とは「違う」と感じる、または、孤独だと感じる。理由としては、ジェンダー、精神的・身体的障害、精神的・身体的な疾患、性的指向、学習障害、身体的特徴、体重、社会経済的地位、文化的な問題など
・転居
・離婚
・親の再婚
・混合家族
・不倫
・養子を迎える、子どもが生まれる
・養子になる

・家族の誰かと対立する、疎遠になる
・法的なトラブルを抱える
・身体疾患、精神疾患
・怪我をする
・病気の親やきょうだいがいる、あるいは、家族の誰かが亡くなる
・親が収監される
・自分が収監される
・身内に依存症の人がいる
・親がうつ病である
・親がトラウマを抱えている、または、精神疾患を患っている、あるいは自己愛性人格障害や境界性人格障害である[6]
・困窮している
・弾圧されている
・人種差別を受けている
・女性蔑視に遭う
・偏見や非難の目で見られる
・移民になる
・社会からの期待を裏切ってしまう（信仰、コミュニティ）

右記のほかに、あなたが体験した小さなトラウマを書き加えてみましょう。

小さなトラウマを測る物差しは、人生経験に応じて発達します。小さなトラウマは、一見すると普通の日常に隠れていて、気づかれにくい出来事の中で起こります。情緒的虐待によっても起こりますし、ネグレクトでも起こります——はっきりわかるものも、わからないものもあるのです。下の子が生まれてから、上の子がネグレクトされることもあるでしょう。病気や障害を持って生まれた子どもがいる家庭では、「手のかからない」ほうの子どもが、ネグレクトされていると感じることがあります。小さなトラウマは、十分な世話してもらっていない、応答してもらえない、見てもらえない、気にかけてもらえない、守ってもらえない、助けてもらえないといった、有害とはっきり言い切れない形で起こることもあります。要するに、小さなトラウマは、主観的な痛みや傷つきから起こるのです。親が、きょうだいが、親戚が、教師たちが、そして、聖職者たちがあなたを気にかけていたとか、あなたが愛され、大切にされているように見えたこととは関係がないのです。

特に、小さなトラウマを抱えやすいのは、幼児や小さな子どもたちです。子どもの脳は発達途中にあり、さほど合理的ではありません。自分の気持ちを整え、落ち着かせる能力には限りがあるので、小さい子どもは、すぐ感情に対処できなくなります。発達途中の脳は、傷つきや不快なことに強く反応します。たとえば、養育者が汚れたおしめを変えずにいると、赤ちゃんは気持ち悪がって、泣き出します。赤ちゃんは泣いて、注意を引こうとするのです。それでも誰も来てくれないと、感情はどんどん強くなり、赤ちゃんは、防衛することでその感情に

6 自己愛性人格障害と境界性人格障害は、好まれなくなってきた用語です。これらの障害は、幼少期の虐待やネグレクトによって引き起こされるという共通見解があります。

対処しようとします。赤ちゃんは「変容の三角形」の下へ向かうのとは反対に、コア感情から不安のコーナーを通り過ぎ、防衛を作り出すのです。誰も赤ちゃんをあやしに来なければ、強すぎる感情に対処するために、解離のような防衛が作られることもあります。[7] しかし、養育者が来て、よしよしとなだめてくれたら、赤ちゃんは落ち着いた状態に戻り、防衛を作り出す必要はなくなります。

あやしてもなかなかすぐには泣き止まない、赤ちゃんや子どもがいるのも事実です。親が子どもの感情にうまく対応していても、気質や遺伝によって、我慢がきかなかったり、ひっきりなしに癇癪を起こす子どももいます。子育ては誰にとっても大変で困難なことであり、そこに正解はありません。

もし、子育て中の方が本書を読んでいたら、クライエントたちの物語を通して、ご自身を省みることになるかもしれません。どうか、自分を責めたり、周りの人を責めたりしないでください。罪悪感も感じてほしくありません。ただ、自分の子ども時代を振り返って、体験してきた小さなトラウマを見つけてみてください。私たちは皆、親として、自分が置かれた環境でベストを尽くしています。希望を持って、過去の傷を癒やし、あなた自身とあなたのお子さんが新たなトラウマを抱えることがないように、本書の内容を役立てていただければ幸いです。

小さなトラウマも、大きなトラウマと同様、心に爪痕を残します。小さなトラウマも、調節困難な強い感情を引き起こすからです。私たちがまだ幼く、無防備な頃はなおさらです。サラは、私を怒らせたのではないかと思った途端、パニックを起こして凍りつきました。私は、セッションの中で起こってきた感情や身体の反応を、言葉にしてみてほしいとクライエントに伝えます。すると、彼らは、その現象をブラックホールのようだとか、頭が真っ白になる感じとか、ぼーっとする、目眩のような感じ、麻痺した感じ、離人感、ほかにもよくわからない感覚があると表現してくれます。このような変わった感覚は、子どもの頃の小さなトラウマ、あるいは大きなトラウマが残した爪痕なのです。「変容の三角形」を使って、この傷を癒やすことができます。つまり、防衛を乗り越え、不安や恥、罪悪感を和らげ、コア感情を感じ切ることで、身体はリラックスし、自然なホメオスタシス（バランスの取れた）状態に戻っていくのです。

クライエントのマーティンは、裕福な家庭で育ちました。両親はいずれも優秀な弁護士でした。両親はマーティンに愛情を注いでいましたが、子どもにあまり関心がないようでした。マーティンはもっと両親に自分を見てほしいと思っていました。この情緒的なネグレクトによって、マーティンは、自分はどこかおかしいに違いないと感じ、自分を恥じるようになりました。コア感情の怒りと悲しみが、恥によって隠されてしまったのです。

ステファニーには、彼女やほかのきょうだいをいじめる兄がいました。子どもの頃、彼女はしょっちゅう恐怖と怒りに打ちひしがれていました。この恐怖と怒りは、最終的に、家庭はちっとも安全な場所ではないという信念と、不安によって隠されてしまいました。

ブルースの母親は、人を見下すタイプの女性でした。ブルースは、自分が彼女の人生を台無しにしたと思っていました。母親から嫌われていると感じていたのです。気持ちを楽にするために、ブルースは、不安と恥によって防衛した嫌悪や憤り、悲しみを体験することが必要でした。

マリアの2年生のときの担任は、ものすごく意地悪な人でした。大勢の前で生徒の失敗を指摘し、無視するなどの厳しい罰を与えるのです。マリアは学校がすっかり怖くなってしまいました。彼女が怖がっているのを深刻に受け止めてくれる人がいなかったので、マリアは解離を起こすことで恐怖を覆い隠したのでした。

コニーは身体は男性ですが心は女性で、男性を愛する人であり、性別を問わない形容詞（they/ them/ their）を好んで使っていました。[8] コニーは誰にも内緒で、もう何年も自傷行為をしていました。自傷行為は症状であり、

7　解離とは、感情や思考、身体感覚、自己感や記憶のつながりが断片的になる心理学的なプロセスを指します。解離には、白昼夢のような軽度のものから、解離性同一性障害（ＤＩＤ）に見られるような重篤なものまで幅があります。

防衛です。コニーは、セクシャリティとアイデンティティの混乱や、周囲との違いを感じており、そこからくる恥や不安、憤り、恐怖が混じり合った気持ちに対処できなくなるのを避けたくて、自分を傷つけるのです。

マイケルは3人きょうだいの末っ子で、中度のトゥレット症候群を抱えていました。子どもの頃は、みんなから怖がられ、いつもひとりぼっちでした。きょうだいやクラスメイトといても、疎外感を感じていました。思春期には、心を麻痺させて、恐怖心を「治療」するために、ドラッグに手を出すようになりました。

メアリーの父親は、皿を割るといった小さなミスで、彼女やほかのきょうだいを侮辱する人だったので、彼女も、小さなトラウマからくる症状に悩まされてきました。現在、彼女は恋人と一緒に住んでいるのに、ひどく侮辱されるのを恐れて、些細なミスをしたところを想像するだけで、パニックになってしまうのです。ミスと言っても、用事を忘れたり、もっと悪くても、グラスのようなものを割るくらいのことです。メアリーの恋人は、なぜ彼女が口も利けないほど緊張してしまうのか、理解できずにいます。彼にとっては、彼女が皿を割るくらい、どうってことないからです。彼女が口を利けなくなってしまうのは、恐怖に凍りついているためです。

過去のトラウマや、子どもの頃のひどい体験のせいで苦しんでいる人たちに落ち度はなく、責められるべきではありません。トラウマからくる症状に苦しんでいるというのは、弱さの証ではないのです。むしろ、私たちが人間であり、生き物であるということを思い出させてくれるものなのです。

気づきは、トラウマを癒やすための必須条件

私たちは、体験のある側面と別の側面を分けたり、切り離したりしています。両親の死と悲しみを切り離したフランや、怒りに蓋をしたサラのように、私たちはもともとの感情をよく忘れてしまいます。しかし、その体験

に関する神経回路はオンのまま働き続けているので、その時点から、感情のエネルギーが脳の中で滞ってしまうのです。脳内で切り離された回路が、日常の中で過去の体験とよく似たものを感知すると、トラウマを抱えたパーツと関連する神経回路が発火します。過去に起こったことが、今再び起こっているように感じられるのです。この忘れられた体験は、私たちの生活に影響を及ぼし続けますが、癒やしを起こすために、必ずしも過去の記憶を呼び起こす必要はありません。大切なのは、心に焼きついた感情を理解し、「変容の三角形」を使ってそれらの感情を感じ切ることです。

退役軍人がＰＴＳＤのフラッシュバックに悩まされるという話をよく聞きます。車のバックファイアによって、恐怖を抱えたパーツが刺激され、彼らを銃撃戦の最中に引き戻すのです。実際は安全であるにもかかわらず、彼らは身の危険を感じます。トラウマ治療におけるひとつの目標は、安全なときに安全を感じられるようになることです。

トラウマやうつ、不安症、その他の精神症状から回復しようとするなら、私たちは、自分の感情や身体の反応に気づくことを学ばなくてはなりません。

少し時間を取って、今ここにいる自分自身を感じてみましょう。瞑想をしたり、足の裏が床についているのをただ感じたり、深呼吸をしてみると、気持ちが落ち着き、気づきも深まっていきます。しばらくそのままでいると、こんな感じが起きてくるのではないでしょうか。

・頭の中の考えから、気持ちや身体感覚へと注意が移っていく

8　トランスジェンダーの人たちや性別違和の人たち（身体と心の性が一致しない人）が、性的に中立な代名詞を使うのはよくあることです。they/them/theirを使うことは、男性・女性という伝統的なふたつの選択肢に当てはまらない人たちや、彼・彼女というふたつの選択肢を適用できない人たちが性別を問わずに使える選択肢のひとつです。

・過ぎたことを考えたり、先のことを想像して心配したりしている状態から、今ここにいる状態へと変化する
・今ここにしっかりといながら、自分の身体とつながった状態になっていく
・ペースがゆっくりになり、自分の状態に気づきやすくなる

このような変化が起こると、自分の内側の世界を観察しやすくなり、「変容の三角形」のワークにも取り組みやすくなります。練習していくうちに、内側の世界に気づきやすくなり、準備もそれほどいらなくなっていくでしょう。

気づきを高める方法はふたつあります。ひとつは、普段から自分の状態を意識してみることです。**調子はどう？** と自分に聞いてみると、身体の健康に注意が向かいやすくなるでしょう。**いい感じ！** とか、**疲れた！** といった具合に。ほかには、もっと集中して行う方法があります。ある特定の感覚にだけ注意を向けて、それをただ観察していると、そこに意識を集中できます。これには、自分自身や自分が気づいたことに、心からの思いやりと好奇心を向けるというスタンスが必要です――ジャッジしないようにしましょう。意識を集中させるには、静かで、穏やかで、辛抱強くあること、そして、これから起こることを予測しないようにするという意志が必要です。結果として、気持ちを観察し、それをあるがままにしておくためには、勇気と自信が必要だとわかるでしょう。あなたが感じているのは、ただの気持ちだということを覚えておいてください。信じられないほど不快な気持ちでも、それが私たちを殺すことはありません。そんな自信はないと思ったら、自然のままの気持ちを感じている間、信頼できる相手にそばにいてもらいましょう。起こってくることを観察しながら、それを言葉にして、相手と分かち合うのもいいでしょう。感情の働きに慣れてくると、謎が解けてきて、感情を前ほど怖いと感じなくなります。それによって、新しい感情体験へと踏み出せるようになるでしょう。

トラウマと「変容の三角形」の関係は？

トラウマは、強い感情を喚起します。つらい思いをするのは日常茶飯事ですが、多くの人は、心に傷を残すことなく、そのときをやり過ごせます。しかし、落ち着きや安全感、気持ちをなだめて支えてくれる誰かといった必要なリソースがなければ、私たちの脳は、防衛を使って対処しようとします。そうなると、うつや全般性不安障害、自尊心の低下といった、トラウマからくる症状に苦しむことになるかもしれません。

同じ間違いを繰り返す、間違った選択を続けている、自滅的な行動を取る、周りの人とうまくやれない、本来の力を発揮できないといった小さなトラウマが、このような行き詰まりや、強迫的な繰り返しの理由を説明してくれるかもしれません。古い神経回路が、無意識のうちに、私たちの選択や行動に悪影響を及ぼしているかもしれないからです。

防衛を使っていると気づいたり、自分を抑えるような感覚や、目標に向かうのを妨げるような感じがあるのに気がついたら、それは、「変容の三角形」を使って、その背景にある大元のトラウマを見つけ出し、癒やしていく素晴らしいチャンスになります。

私たちはつながるようにできている——愛着の科学

幼い子どもたちが、何らかの理由で、母親、あるいは母親の代わりとなる人から、一貫したケアや見守りを受けられなくなると、そのことで心が一時的に乱れるだけではなく、多くの場合、長期的な悪影響を受けることになる。

——ジョン・ボウルビィ

私がいつも安心させていたのに、サラはなぜ、私といて安全だと感じられなかったのでしょうか？　子どもの頃にどんな扱いを受けてきたかは、他者と安全につながる能力に大きく影響します。つながり方のパターンは、乳幼児期の早い段階から子ども時代にわたって確立されます。同時に発火したニューロン同士がつながるということを思い出してください。これまで他者との間で体験してきたことから、私たちはこの先、他者に期待できることを知るのです。他者に期待することや、私たちが彼らからしてもらえる・してもらえないと信じていることは、大人になった現在の人間関係における振る舞いや考え方に、大きな影響を与えます。脳内の回路のつながりを意識することはできません。そのため、私たちは過去からの影響に気づくことすらできないのです。私たちは、自分の中の仮説を現実だと見なしています。しかし、それは現実ではありません。私たちは、自分だけの特殊なレンズで日常を見ているのです。

母親からしょっちゅう怒鳴られていたので、サラの脳はいまだに、すべての人が自分を怒鳴りつけるものだと感じていました。母親の感情面のニーズを満たすことを期待されてきたので、あらゆる人間関係において、期待通り、感情面のニーズを満たすことがサラの仕事になったのです。母親の期待はちっとも筋が通っていないと、サラは理屈ではわかっていましたが、彼女の脳は、ほかの人のことを優先して行動しなさい、さもないと、良くないことが起こるぞ、と言うのでした。母親との間ではずっとそうだったからです！　意識のレベルでは違うとわかっても、彼女の脳は過去とつながっているのです。

ヒトは本来、社会的な生き物です。私たちは、生き延びるために他者の存在を必要とします。自分の世話をしてくれる人を求め、そのそばにいるように動機づけられているのです。[9] 養育者がそばにいて、苦痛を感じたときにそれをなだめてもらえるというのが理想的な状況です。赤ちゃんや小さい子どもは、養育者が喜びや興奮を一緒に分かち合ってくれると、どんどん機嫌が良くなります。一般的に、赤ちゃんがコア感情を表すたびに、世話をする人が肯定的な反応をすると、感情は自然に流れていき、心の健康が高まります。反対に、赤ちゃんや子どもがコア感情を表すたびに、世話をする人がそれを拒絶すると、赤信号感情や防衛が作動して、子どもは自分の感情をブロックし、相手を喜ばせようとするのです。

アタッチメント理論は、ジョン・ボウルビィが1950年代に発展させたものです。私たちの身近な環境や子どもの頃の関係性によって、他者とつながって関係を維持する力や安心感を感じる力が、どのように促進・阻害されるのかを説明した理論です。[10] 養育者によって、空腹や身体的快適さ、情緒的つながりをほどよく満たしてもらえると、私たちは安心を感じることができます。優しく、敏感に反応し、希望を与え、共感的で、信頼に値

9　ヤーク・パンクセップは、探索の欲求に関する研究で知られています。(Panksepp, 2010)
10　医学博士で、精神分析の著名な思索家・文筆家としても尊敬されているドナルド・ウィニコットは、これを別の形で説明しました。彼は、子育ては完璧である必要はなく、「ほど良くあれ」と言いました。

【赤ちゃんや子どもの感情にとって大切なのは、受け止めてもらえること】

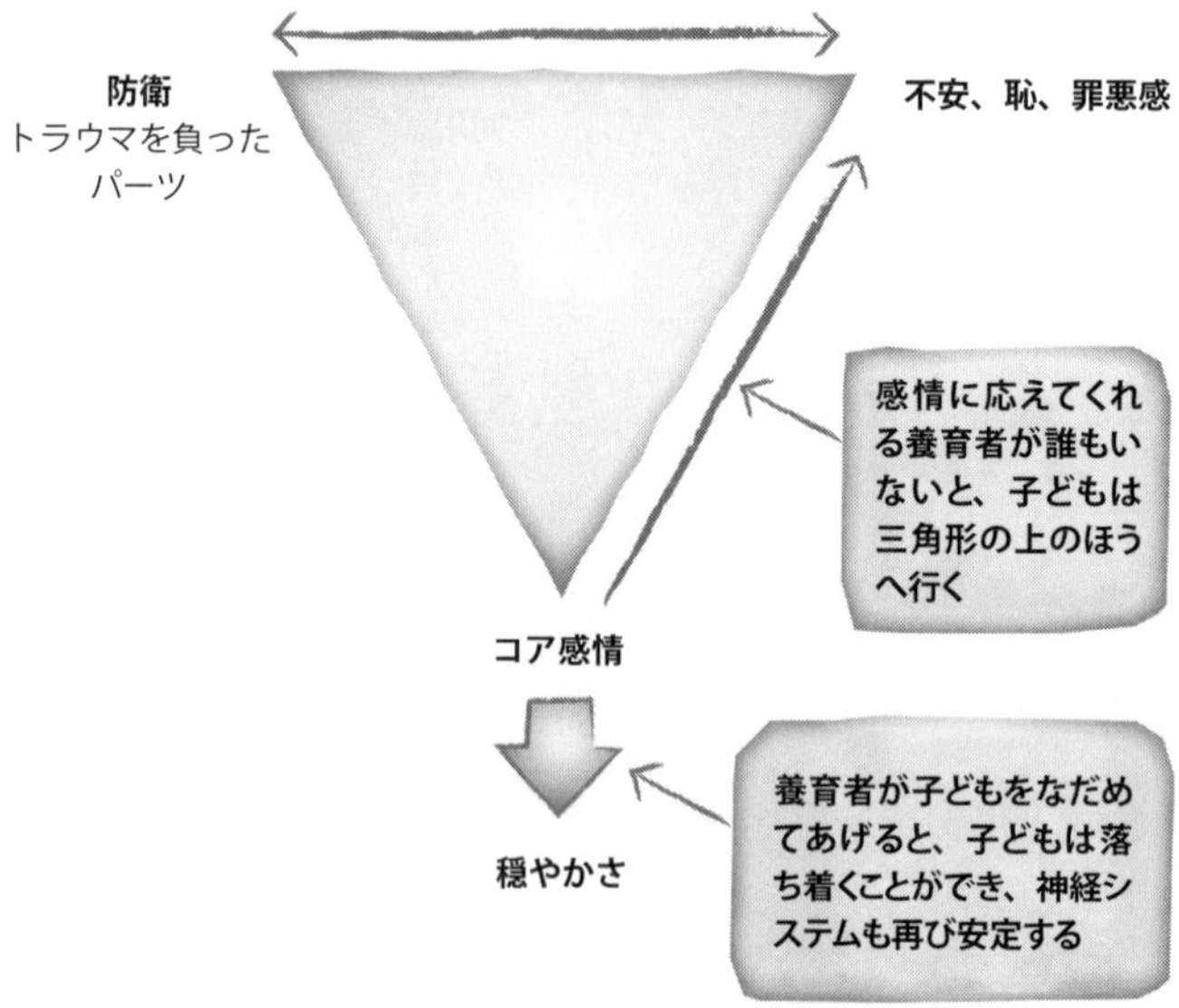
防衛
トラウマを負ったパーツ
不安、恥、罪悪感
感情に応えてくれる養育者が誰もいないと、子どもは三角形の上のほうへ行く
コア感情
養育者が子どもをなだめてあげると、子どもは落ち着くことができ、神経システムも再び安定する
穏やかさ

「変容の三角形」の観点からすると、面倒を見てもらえないことで、赤ちゃんや子どもは不安になり、恥を感じる。こうして、赤ちゃんや子どもは、コア感情を感じ切ることができなくなってしまう。

する人たちに囲まれているとき、赤ちゃんや小さな子どもたちは、安心と安全を感じます。安心と安全と感じると、赤ちゃんや子どもたちはすくすく育ち、リスクを取って、自信満々に周りの世界を探索し始めます。戻ってこられる安全な場所があることで、子どもたちは、ゆるぎないエネルギーと高揚感に駆り立てられ、自由に生きていけるのです（Bowlby, 1988）。

安心感を持った子どもは、他者との間に満足のいくアタッチメントを形成し、安定した大人になります。反対に、恐怖、怒り、悲しみ、嫌悪といったコア感情が自然に起こってきたとき、養育者に欲求を満たしてもらえないと、私たちは他者をあてにすることはできないということを学びます。赤ちゃんや子どもは、これらの感情を体験すると、気持ちを落ち着かせ、なだめてくれる養育者を必要とするので、事態はますます悪くなります。養育者が子どもをなだめることができないと、その子は、ひとりでその感情に対処しなくてはなりません。そうすると、危ない、ひとりぼっちだ、お前には価値がないというシグナルが鳴り、不安や恥が喚起されます。赤ちゃんや子どもが、コア感情と赤信号感情の組み合わせに対処するなんて、到底無理なことです。脳は対処できないほど強い感情を調整するために、それを意識の外に締め出して、自分の心と養育者とのつながりを守ります。これが小さなトラウマの温床となり、トラウマを抱えたパーツが生まれることになります。私がサラに会ったとき、サラは怒りを感じられませんでした。怒りは、彼女の自己から完全に切り離されていたのです。彼女が自覚できていたのは、不安と自分自身に対する嫌な気持ちだけでした。

養育者になだめてもらえない赤ちゃんや小さな子どもたちは、対処のために防衛を使って、自分で自分の世話をしますが、これでは健康に育つことはできません。子どもの脳は、孤独と強すぎる感情に対処しようとして、防衛や小さなトラウマを生み出してしまうのです。こうなると、世界を探索するために使われるはずだったエネルギーは、内側に回るしかありません。子どもは生き延びますが、それには多くの犠牲が伴います。サラのように、養育者に気持ちをなだめてもらえなかった子どもは、他人を信じるな、他人をあてにするなという指令を出す脳を持って大人になります。このような大人たちは、サラのように、生きづらさを感じやすく、人間関係にもつまずきがちです。強い不安やうつを抱えていることは言うまでもありません。

メアリー・メイン※という研究者は、親が、おもちゃのたくさんある部屋に幼児を置いていき、しばらくして戻ってきたときに、幼児がどのような反応をするかを観察する実験を行いました（Main, Hesse and Kaplan, 2005;

※　原書のまま。訳注。愛着理論はジョン・ボウルビーによって開発され、M・エインズワースがストレンジ・シチュエーション・プロトコルを用いて3つの「子どもの愛着パターン」を提唱し、メアリー・メイン（M・エインズワースの教え子）によって対象が成人に拡張されて4つの愛着カテゴリーとなりました。

Main and Solomon, 1990）。このストレンジ・シチュエーション・プロトコルと呼ばれる実験で、子どもにも大人にも、大きく分けてふたつのアタッチメント・スタイルがあることが明らかとなりました。**安定型**と**不安定型**です。メインは、不安定型をさらに3つの下位カテゴリーに分けました。それぞれ、とらわれ型・愛着軽視型・未解決型（とらわれ型と愛着軽視型の混合型）と言います。この学習された対処パターンは、子どもが大人になっても残り、他者との関わり方に影響を及ぼします。

これらのカテゴリーの人々は、対人関係における体験をそれぞれ次のように表現します。

安定型　私は自分に満足しています。それに、誰かと仲良くなれると安心します。私は、互いに助け合えるような関係を望んでいます。普段から、自分が愛され、受け入れられていると感じます。自分の感情を安心して表現できるし、必要なときには、ほかの人のことも安心させてあげることができます。

安心感が探究心や柔軟性を育むので、安定型の人たちは、仕事でも愛情面でも満足度が高い傾向にあり、避けられない困難に直面しても、それを乗り越えることができます。

とらわれ型　私はとても依存的です。人とはものすごく仲良くなりたいし、人間関係に執着します。見捨てられたくなくて、自分の希望や願望にそぐわないことでも、ついやってしまいます。人間関係のことで頭がいっぱいなんです。

とらわれ型の人たちは、見捨てられないよう必死になるあまり、異性と見境なく付き合うことがよくあります。自分で自分の気持ちを落ち着かせることができないので、相手の行動が、自分に対して優しく、健全なものかどうかを、客観的に評価することができません。このカテゴリーの人たちは、人間関係の中で、自分自身であるという感覚を見失いがちです。人間関係に、必ずしも満足できているわけではないのです。彼らの目的はたいてい人に喜んでもらうことなので、仕事でも愛情面でも悩みを抱えます。自分がしたいことが何なのか、わからなくなることも多々あります。

愛着軽視型　私は人と深く関わるのが苦手です。自分の世界にこもって、自分の興味があることに没頭するほうが好きです。自分を守るために、ほかの人との間に壁を作るのが得意です。自立心が人よりかなり強いので、ほかの人なんて必要ありません。人とは距離を取っています。自分の気持ちを打ち明けることに抵抗があるんです。

このタイプはとらわれ型とは対照的です。愛着軽視型に分類される人は、一見冷静で淡々としているようでも、生理的には動揺しています。私が初めてフランに会ったとき、彼女のアタッチメント・スタイルは愛着軽視型でした。このタイプの人たちは、人間関係において誰かに頼ることがありません。他者が自分を安心させてくれたり、ケアしてくれるとは思っていないのです。愛情面は深みに欠けますが、仕事では有能な人物として評価されます。安全と感じられた場面にエネルギーを注ぐのです。

未解決型　私は、孤独を感じて絶望するといったひどい状態になります。自分を見失ってしまうのです。ときどき、自分が誰なのかわからなくなったり、自分がこの場にいないような感じがします。ほかの人とは関わりたくありません。人に近づくのが怖いのです。私は、愛され、大切にされるような関係に値する人間ではありません。たまに、周りの人や自分自身を傷つけたくなります。傷ついては壊れていくようです。誰かと親しくなりたいという気持ちは強いけど、傷つけられるのが怖いのです。

この最後のカテゴリーは、重篤なトラウマ症状を抱えた人たちと、最も関連の深いアタッチメント・スタイルです。子どもにとって、自分の親がひどく恐ろしい存在であるという、想像する限り最悪のジレンマが生じたとき、このアタッチメント・スタイルが形成されます。

子どもが一体どうやって、とらわれ型と愛着軽視型を同時に持つようになるのか、不思議に思う方もいるでしょう。メインは、親のほうへ向かって後ろ向きに歩いていくという、子どもの奇妙な行動を書き留めています。子どもが、まず最初に、背中で母親に触れるところを想像してみてください。親を求めながらも恐れているという子どものジレンマが、痛烈かつ鮮明に描き出されています。このタイプの人たちは、社交的な場で強い不安を感じやすく、仕事でも愛情面でも葛藤を抱えています。このタイプに最も近いのは、初対面のときのサラでしょう。

赤ちゃんや子どもが、健康にすくすくと育つためには、気持ちの面で安心できることが必要です。これは大人も同じです。私がパートナーと一緒にいて安心できるのは、彼が私に優しくしてくれると信じているからです。私がそうさせてほしいと言えば、彼はその優しさを疑うことさえ許してくれるでしょう。私が、彼の存在を必要とするとき、彼は必ずそばにいてくれると思えるのです。私は、安心のために、一貫した（筋の通った）愛情を必要としますし、パートナーが私のことをたくさん考えてくれていて、必要なときには味方になってくれると信じられることも大切です。パートナーが私をわざと傷つけたり、見捨てたりしないと信じられる必要があるのです。

悲しいことに、多くの人がこうした優しい関係を持てるわけではありません。安心感や安全感を持てない理由はさまざまです。周りの人からどんなふうに愛され、受け入れられてきたかということは、私たちが自分自身をどんなふうに愛し、受け入れるかということと直接関わり合います。自分が悪いと感じたとき、ほとんど、またはちっとも優しくしてもらえなかったら、心に苦しみを抱えた自分自身にも優しくすることはできないでしょう。世話をしてくれる人から、身体的・精神的な境界を尊重されなかったり、仲良くしろ・距離を置けなどといった要求が過剰になったりすると、私たちは養育者を心の外に締め出します。そして、また同じことが起こるのを恐れて、ほかの人に心を開くことが難しくなってしまうのです。

子どもの頃の安心感や安全感の度合いは、神経システムの発達に影響を与えます。赤ちゃんや子どもの頃に感じた孤独感の程度によって、安全ではない環境に置かれたときに、脳がトラウマの影響を受けやすくなってしまうのです。

次の質問は、自分が、安定型・不安定型のうち、どのカテゴリーに当てはまるかを知るのに役立ちます。

1. あなたは、人間関係のメリットを最大限に活用していますか？　そうでなければ、何が邪魔になっているのでしょうか？　あなた自身のことですか？　それとも、相手の要因でしょうか？
2. ほかの人の前で、どれくらい心を開いたり、閉ざしたりしていますか？　どれくらいたくさん相手に心を許し、どれくらいたくさん相手を受け入れると、自分にどんな影響がありそうですか。あなたの心を開く助けとなる行動はどんなもので、心を閉ざしてしまう行動はどんなものですか？

これらの質問に答えることによって、心の中、そして人間関係において、安心を作り出すために必要なものが見えてくるでしょう。私はこれまで、セラピー開始当初に不安定型のアタッチメントを示す人たちを、たくさん見てきました。しかし、セラピーを終える頃には、彼らは**獲得安定型**のアタッチメント・スタイルになります。

獲得安定型とは、もともと不安定型のアタッチメント・スタイルを持っていたけれど、大人になってそれを変えることができ、安定したアタッチメントを持つようになった人たちを指します。

たとえば、マーサと私がセラピーを始めた最初の年、彼女は、できる限り最短でセラピーを終えたいと繰り返し言いました。彼女は、「残りの人生をセラピーに費やすなんて。ウディ・アレンじゃあるまいし」と、セラピーに興味を示しませんでした。彼女は、いつでも好きなときにセラピーをやめていいと、私が言い出すのを待っているようでした。前のセラピストは、セラピーをやめたいと思う彼女に罪悪感を抱かせたようです。マーサは、その罪悪感によって身動きが取れなくなったと感じ、私との間で同じ気持ちを味わいたくなかったのです。また、彼女は、あなたの人生については、何も話してくれなくて結構ですと、あらかじめ私に言いました。そして、私が彼女に共感し、ポジティブな気持ちを表すと、彼女は顔をしかめるのでした。

セラピーを始めた最初の頃、私は彼女のこうした様子を軽く見ていました。彼女が取っている回避戦略を見つけ、それについて尋ねることが大切だと思っていましたが、彼女の防衛を高めるだけだと感じて、あまり強くは出られませんでした。彼女が安心を感じるためには、私から距離を取る必要があったのです。いつもより気持ちが通じたと思えたとき、私はその瞬間をどう感じているか、彼女に聞きました。彼女の答えはいつも矛盾していました。彼女は、気持ちが通じる体験も悪くないけれど、心が近づきすぎると、私を気にかけないといけなくなるのではと感じて、怖くなるのだと言いました。私は、「心が近づく」とはどういう意味なのかと尋ねました。マーサは、私を受け入れるという意味で、それは危険なことだと言いました。彼女は、私との間に、何か壁のようなものを置いておきたいようでした。いつもどうやって壁を作っているのか、聞いてみると、こんな返事が返ってきました。「文字通り、先生との間に壁を感じるようにしているんです。そうすると、安心できるから」。私といるときに、彼女が体験していることを聞けば聞くほど、自分を守るために他者を心の中に入れまいとして、彼女がどれだけのことをやっているかが明らかになっていきました。心の中に最初に踏み入ったのは誰なのかと尋ねると、彼女は、ためらわずにこう言いました。「母です！」ノーという答えを受けつけないなど、ほかの人が、私たち個人の境界を尊重してくれないとき、または、その人自身も健全な境界が何なのかを体験したことがないために、境界の概念を理解できないとき、私たちは心の中に土足で踏み込まれたと感じます。

そうこうするうちに、マーサは心を開き、壁を低くしても安心していられるようになってきたので、私のことがよりはっきりと理解できるようになりました。彼女が理解する必要があったこととは何か？　それは、私が、彼女の心に土足で踏み入ったりしないということ、そして、彼女が「ノー！」と言ったら、私はそれを聞き、それに従うということです。私がうっかり近づきすぎてしまったら、マーサにそれを教えてもらいたいのです。彼女の境界を尊重できる人間として、マーサは私を信頼し始めました。彼女は、代わりに私自身の境界も尊重してほしいという、私の気持ちにも気づいたようでした。私たちは、境界を尊重されるとどんな感じがするかを話し合い、尊重されるという体験が身体でどう感じられるか、言葉にしてみました。彼女は、身体の芯からリラックスする感じだと言いました。私たちは、母親への怒りを感じ切ることもやっていきました。彼女の中の子どものパーツは、尊重してもらえなかったことに腹を立てていたのです。それから、彼女は、私だけではなく周りの人も、彼女の境界を尊重してくれると信じられるようになりました。境界を尊重してほしいと伝えることにも、安心感を持てるようになりました。マーサのアタッチメントは、愛着軽視型から安定型へと変化したのです。彼女のアタッチメントは、獲得安定型に分類されるでしょう。

安定型になるためには、以下のことに関する自信を育むことが大切です。

1. 境界を作り、維持できる
2. 自分の望みやニーズを伝えられる
3. 人間関係がもたらす浮き沈みに対処できる

誰もが、人間関係の中でうまく立ち回るためのスキルを学ぶことができ、その能力を育むことができます。役立つスキルは、次のようなものです。反応する前にひと呼吸置く、引き起こされた感情の根っこにあるものに関心を持つ、感情や反応を落ち着かせるために深呼吸やグラウンディングを行う、「変容の三角形」のワークをする。このほかにも、自分を落ち着かせる手段をいくつか持っておくと、人間関係の中で自分がどんなふうに助けられ、傷ついているのかをよく考えながら振り返ることができるでしょう。最終的な目標は、自分の望みやニーズ、恐れていること、境界を守ることなどを、自信を持ってしっかりと伝えられるようになることです。

サラに苦痛な瞬間にとどまってもらったのも、私との間で起きた葛藤によって、ある感情を感じていることに気づいてもらいたかったからです。これまでずっと、子どもの頃の感情にハイジャックされてきたのだという気づきは、彼女が自分を助けるための手段になりました。彼女は深呼吸をして、気持ちを落ち着かせることができるようになりました。ペースを落として、反応した自分の中のパーツを見つけることもできるようになったのです。彼女は、私との間で実際に体験したことをベースにして、本来の自然な人間関係がどんなものかを思い出すようになりました。かつて体験したような危機ではなく、今は安全な環境にいるのだということを、考えて判断できるようになったのです。彼女は、幼い自分のパーツに語りかけ、安全であることを伝えて、なだめてあげました。彼女は、心を開いた大人の状態に、どんどんとどまれるようになりました。心を開いた大人の状態とは、サラが、私と彼女の中の幼いパーツとを同時に意識しながら、彼女自身の気持ちを落ち着かせることができる状態です。**これは、私たち全員に当てはまります。昔のパーツが反応してしまったときは、反応したパーツに働きかけることで、気持ちを落ち着かせることができます。**冷静になればなるほど、私たちは今ここで地に足をつけて、合理的に物事を考えられるようになります。過去と現在を区別すれば、分脈に沿って、問題を正しく解決することができるのです。

相互依存は、安全な関係性の印です。相互依存とは、ふたりの人間が互いを頼り合い、信頼し合っているということです。相互依存的な関係の中でふたりは対等です。互いに頼り合っているだけでなく、それぞれ独立して生きています。相互依存的な関係の中では、私たちは自分のニーズも相手のニーズも認め合い、そのふたつのバランスを取ろうとするのです。

もし、あなたが、信じるに足り、気持ちの面でも頼りになる、信頼できる相手を見つけたら、それは不安定な関係を改善し、安定した関係を築くいい機会となるでしょう。しかし、そのためには、あなた自身が変化と成長を**望む**必要があります。過去のつらい経験が、全身全霊であなたに信じるなと警告してくる中で、人を信用するのは勇気がいります。それでも、あなたは成長のためのチャンスを摑まなくてはなりません。安定型のパートナーや友人、もしくはセラピストが近くにいるはずです。彼らと問題や葛藤について話し合い、関係を築いていきましょう。安定型の人たちは、あなたを傷つけてしまったら、必ず関係を修復しようとしてくれます。人間関係における小さなヒビや亀裂を繰り返し修復する中で、私たちは、相手を深く信じることを学んでいきます。物事を解決するうえで、当たり前のように起こる小さな亀裂を乗り越えるのは、簡単なことではありません。サラと私は、セラピーの中で、たくさんの亀裂を経験してきました。関係にヒビが入るたびに、私は、ふたりなら修復できると信じてきました。あなたを理解し、何があってもつながりを保ち続けたいのだと、彼女にはっきり知らせることで、私は彼女との関係を修復したのです。私が使ったスキルは、難しい話し合いの際に、誰でも使うことができるものです。たとえ違和感があったとしても、小さな亀裂を絶えず修復する習慣を身につけていけば、誤解や信用を損なうことがあっても、最終的にはそれがより大きな信頼と親しみにつながっていくのです。

やってみよう──思いやりを自分に向ける

アタッチメントの理論や研究が示しているように、そして、私たちが直感的に知っているように、私たちが最も力を発揮できるのは、無条件に愛され、受け入れられているときです。私たちは、自分の痛みに対しても同じように向き合うことを学ぶ必要があります。つまり、自分自身を優しく扱い、受け入れ、なだめてあげるのです。心が傷ついたときにはなおさらです。はっきりさせておきたいのは、悲しいときや恐怖を感じるときだけではなく、何らかの形で私たちが怒りや嫌悪、動揺を覚えたときにも、心は傷ついているということです。喜びや興奮、自分に対する誇りなどを感じても、傷つく人たちがいます。これらの感情を感じると、不安や恥が喚起されてしまうことがあるのです。

セルフ・コンパッション※は、ほとんどの人にとって簡単なものではありません。しかし、思いやりや受容的な気持ちを持ちながら自分と向き合うと、気持ちが楽になります。想像してみてください。気持ちが動揺したとき、理解や受容、思いやりを持って接せられるのと、厳しく評価的に接せられるのとでは、どちらが気持ちが楽になりますか？　脳が落ち着きを取り戻すのは、私たちが安全を感じ、見てもらっている・受け入れられていると感じるときなのです。

つらい気持ちになるような記憶や、最近あったつらい出来事を思い浮かべてみてください。

書いてみよう

あなたと同じことを体験し、同じ気持ちになっている友達がいるとしたら、その友達をなだめるために、あなたはどんなことを言ったり、したりするでしょうか。自分に聞いてみてください。言ってあげたいこと、してあげたいことを書き出してみましょう。

思いやりを誰かに与えるところをイメージできたら、その思いやりを、最近つらい思いをした自分の内側のパーツに向けてみましょう。なだめるような言葉を実際に口に出してもいいですし、してあげたいことをイメージしてみてもいいです。右に書き出したことを何か、自分の傷ついているパーツに対してやってみましょう。思いやりを受け取るために、どんな条件も必要ないのだと自分に言ってあげてください。

※ 訳注。セルフ・コンパッションとは、自分に対して優しく親切である態度（意識）のことであり、自責や自己否定の対極にある概念です。自分が辛いときにこそ、自分が親友が同じ状況だったら取る態度を自分に対して取るのがセルフ・コンパッションです。

深い呼吸をします。吸う息と共に思いやりが身体に入ってきて、吐く息と共に苦しみが身体から出ていくようにイメージします。心と身体の反応に、注意を向けてください。このエクササイズが難しいと感じても、問題ありません。難しいと感じるのは、正しく行えているからです。セルフ・コンパッションって、とっても難しいんです！

このエクササイズをやって、体験したことをふたつ書き留めてみましょう（考え、気持ち、身体の感覚。何でもかまいません）。思いやりを自分に向けることができた人は、さっきよりもあたたかさやリラックスした感覚を感じているかもしれません。

1. ＿＿＿＿＿＿＿＿

2. ＿＿＿＿＿＿＿＿

やってみよう――自分を育てる

自分の感情と向き合う中で、自分の内側で起きていることを認め、受け入れ、大切にするというスタンスが培われます。

ぐずっている子どもをあやす、穏やかで安定した親の姿を思い浮かべてください。親は、子どもが感情を安全に感じられるように抱っこして、最終的には泣き止ませます。このような養育者は、子どもにはない次のような予備知識を持っています。

1. 感情は一時的なものである
2. 感情は私たちを殺したりしない
3. 情緒的に応答してくれる落ち着いた養育者の存在が、感情を調整する助けになる

子どもの頃、誰かから傷つけられたり、無視されたりして、嫌な気持ちになったことを覚えていますか？　今の大人の自己が、傷ついた幼い自己に会いに行くところを想像してみてください。あなたの中の傷ついたパーツをなだめてあげるところをイメージします。正しいと感じられるなら、どんなやり方でもかまいません。あなたの中の幼いパーツは、ハグしてほしいのかもしれません。または、ただ勇気づけるような言葉をかけてほしいだけかもしれません。あなたの中の幼いパーツをよく見て、その声に耳を傾けてみましょう。

過去を変えるのではありません。終わったことは終わったことです。変えられるのは、これからの自分の感じ方です。小さなトラウマを癒やしていきましょう。過去を生き延び、大人になった今、あなたの中の傷ついたパーツに、穏やかさと思いやりを与えてあげるのです。あなたはすでに、感情に関する予備知識を持っています。目標は、イメージを使って、つらい思いをした瞬間に、思いやりと安全を届けてあげることです。どんなに昔のことでもかまいません。自分の中の傷ついたパーツと安心してつながり、当時の自分がしてもらいたかったように、そのパーツをなだめてあげましょう。

イメージを使って、自分の中のパーツを安心させるには、次のような方法があります。

- 話しかける
- 安心できる言葉をかける
- 抱きしめる
- 毛布でくるんであげる
- アイコンタクト
- 肩や背中を撫でる
- 水を飲ませてあげる、ミルクやクッキーをあげる

安心させてあげるためにできそうことを、さらにふたつか、それ以上挙げてみましょう。

1.

2.

このエクササイズはいかがでしたか？　今、身体の内側で感じられることをふたつ書き留めてみましょう。考え、感情、身体の感覚、何でもかまいません。

1.

2.

4

コア感情

ボニーの怒り

ボニーという新しいクライエントから、ボイスメールが入っていました。両親の離婚について話したいというのです。電話口で、彼女は、自分は25歳の大学院生で、学部時代に2年間、「定期的に」セラピーを受けていたと言いました。両親が離婚を考えていると突然知らされて、彼女は気分が落ち込みました。両親の結婚生活が幸せでなかったなんて、思いもしなかったのです。彼女は中流家庭に生まれ、伝統的な教育を受けてきました。ニューヨークの郊外で育ち、他者との対立を好まないシャイな子どもでした。最初の電話でのやりとりで、ボニーは次のようなことも教えてくれました。子どもの頃から、気分の落ち込みを感じることはあったものの、学校での生活に支障が出るほどではなかったそうです。ただ、たまに引きこもりがちになることがありました。

私たちが会ったのは、彼女から電話をもらった翌週のことです。ボニーは物腰の柔らかい女性でした。彼女は笑顔で挨拶し、私の後についてオフィスへ入って来ました。彼女は部屋の中を見渡して、ソファに目を止め、それからクラブチェアへ視線を移し、そちらを選びました。それは、このオフィスの中で、私から一番離れて座れる場所でした。そのことに気づいた私は、この距離は、彼女にとってどんな意味があるのだろうと考えました。私は、彼女の姿勢にも目を留めました——清々しく、きちんとしている。彼女は、背筋と足の筋肉に力を入れて、真っ直ぐ座っていました。私も何年も座り仕事をしてきたのでわかるのですが、ボニーは気を緩めないようにしていたのです。

初回のセラピーで、クライエントが緊張するのはごく普通のことです。私はそれをジャッジするのではなく、不安のサインを探し、クライエントにも自身の不安に気づいてもらうことで、最初から安心感を感じられるようにサポートします。人の身体の様子が伝えるメッセージを読み取れば、その人の望みやニーズ、トラウマ、人間関係についての物語が見えてきます。たとえば、自分自身を肯定的に捉える人たちが取る姿勢はどうでしょうか。自分に対してポジティブな気持ちを持っている人たちの立ち姿は、たいてい背筋が真っ直ぐ伸びています。反対に、自尊心の低い人たちの姿勢は、たいていうなだれていて、まるで自分の身体を小さくして隠れようとしているようです。

「さて、ようこそ」と、私は笑顔で言いました。「始める前に、いくつかお伝えしたいことがあります。これから言うことは、あなたがすでに知っていることかもしれません。でも、一緒にセラピーをやっていくうえで、とても大切なのではっきりさせておきますね」

彼女と目が合ったので、私は続けました。「まず、ここは物事をジャッジする場ではありません。私は、あなたが話してくれることすべてに、好奇心と思いやりを持って向き合います。あなたにも、自分に対して同じように向き合うように勧めます。ジャッジされると心を閉ざしてしまうし、嫌な気持ちになりますよね。批判は無用です。何より優先されるのは、あなたの安全と安心です。何か違和感を覚えたり、動揺や苦痛を感じるなど、私があなたに何か好ましくないことを言ったときは、教えてほしいのです。よろしいでしょうか」

「はい」と彼女は言い、頷きました。

彼女がどれくらい他者の言うことを受け入れるのか、わからなかったので、私はもう一押ししてみることにしました。境界線を引く力は、セラピーでも日常生活でも重要なものです。好ましくないことが起こっていても、「ノー」と言うのは難しい。多くの人がそう思うのは、人間関係に波風を立てたくないのです。

「嫌な感じがするか不快に思ったことを、どうやって私に伝えると安心できますか？　抵抗なく言えそうな言葉や手のジェスチャーなど、何か思い浮かびますか?」

「たぶん『しっくりこないです』と言えると思います」

「今から1、2回練習をしてみませんか? あなたを困らせたいわけではなく、率直にやりとりしていくうえで大切なことなんです。もしよかったら」

彼女はためらっているように見えました。そして、口を開きました。「しっくりこないです」

「いいですよ! もう一度だけ、練習です」

「しっくりこないです」と、彼女はさらに勢いをつけて言いました。

「素晴らしいです!」と、私は言いました。「最後にもうひとつ、知っておいてほしいのは、あなたが、私のことや私の気持ちをケアする必要はまったくないということです。それは私がやります。私がここにいるのは、必要なときにあなたをサポートするためです。いいですか?」

「それを伺えてよかったです。私は相手のことを気にしてしまうので。ここではそうしないように気をつけます」

「ご自分でも気づいていらっしゃるんですね?」と、私は尋ねました。

ボニーは頷きました。

「素晴らしいです! では、何か理由があって、私のことが気になるか、あなたの話を私がジャッジしていると思ったときは、教えてください。その場で何が起きているのか、一緒に振り返ってみましょう」

「わかりました」。彼女がにっこり笑っても、私にはまだ彼女が遠く感じられました。

「話し始めてから、今、起きていることで、何か気づいたことはありますか?」

「まだ特に。両親から離婚を考えていると聞かされてからずっと、本当につらいんです」

「そのまま感じてみてください」

ボニーの顔が赤くなり、目は涙でいっぱいになりました。唇の端を固く結んでいます。「3か月ほど前のことです。両親から一緒に食事をしようと誘われて、離婚しようと思っていると言われました。以前から幸せではなかったし、私も大きくなったので、離婚を決めたと言うんです。両親双方の問題だそうです。今の家を売って、同じエリアにそれぞれ新しく家を買うそうです。両親は、大丈夫だと言いましたけど」。彼女の声が大きくなりました。「私は大丈夫なんかじゃ**ない**。私は生まれてからずっと、あの家に暮らしていたのに！」

このとき、ボニーの意識の内外で、たくさんのことが起こっていました。彼女が複雑な感情を体験しているのが伝わってきました。私は、彼女が泣いているからといって、悲しいのだろうとは考えません。人はいろんな理由で泣くからです。悲しみ、怒り、恐怖、嫌悪、不安、恥、罪悪感、あるいはこれらの感情が入り混じった表現として、人は涙を流します。私は、彼女が感じている**具体的な**感情が何かがわかるように、手助けしたいと思いました。なぜでしょうか？　どの感情を感じているかがわかれば、その感情はすぐに落ち着いていき、その感情に伴う不安を和らげることができるからです。どの感情かを知れば、次に何をすればいいかもわかるようになります。適応的で、役に立ち、緊張を取り、生産的で、ためになる行動を選ぶことができるのです。

ボニーは、両親が離婚したら、自分は「大丈夫じゃない」と言いました。しかし、これは思考であって感情ではありません。それに曖昧です。彼女が、自分の体験をもっと具体的に知ることができるように手伝う、それが私の目的でした。

「私も『大丈夫じゃない』って思うことがあります。でも、あなたにとってのそれはどんな感じですか？」と、私は尋ねました。

「すごくつらいです」と、彼女は答えました。

「もう少し教えてもらえますか？　何が一番つらいのでしょう」

彼女はしばらく黙っていました。私には、彼女が考えているのか、話し始める前に考えをまとめているのか、あるいは、何も考えられず、頭が真っ白になってしまったのか、よくわかりませんでした。彼女は空っぽになったように見えました。ようやく、彼女は微笑みながらこう言いました。「わかりません」

「今、何が起こっていましたか？　静かに考えていましたね」

「考えていただけです」

「考えていたことを、私に話しても大丈夫そうですか？」彼女は気が進まない様子でしたし、言えないのかもしれないと思ったので、私は優しく言いました。

「ただ、考えていたんです。何もかもなんてうんざりなの、こんなことにならなければよかったのに、って」。もっと曖昧になってしまいました！　彼女は怒っているのでしょうか？　悲しんでいる？　それとも恐れている？　嫌悪している？　不安がっている？　恥じている？　あるいは、罪悪感？

「確かに。うんざりね」と、私は反復しました。この表現は確かにその通りですが、彼女自身の体験を、私にしっかり伝えるものではありません。両親が離婚して、うんざりする理由は、たくさん思い浮かびます。私も、19歳のときに両親が離婚したので、うんざりする感じはわかります。しかし、彼女が意味するところはわかりません。こうだろうという憶測は、時に、効果的なやりとりの邪魔になります。

明確化は、感情や心と向き合う際に鍵となる要素です。癒やしが起きるのは、ある気持ちやイメージ、記憶、身体感覚、信念をはっきりさせて、それと向き合っていくときなのです。私は、彼女が曖昧さを防衛として使っているのではないかと考え始めました。この防衛は、彼女が自分の本当の感情と向き合うことを阻み、無意識に予期している悲しい答えから彼女を守っています。自分の本当の気持ちを知ったら、彼女はその悲しい答えを出さなくてはいけなくなるのです。

「ボニー」と、私は優しく言いました。「私にこれ以上話していいかどうか、迷っているように感じるのですが」

【セラピーを始めたときのボニーの三角形】

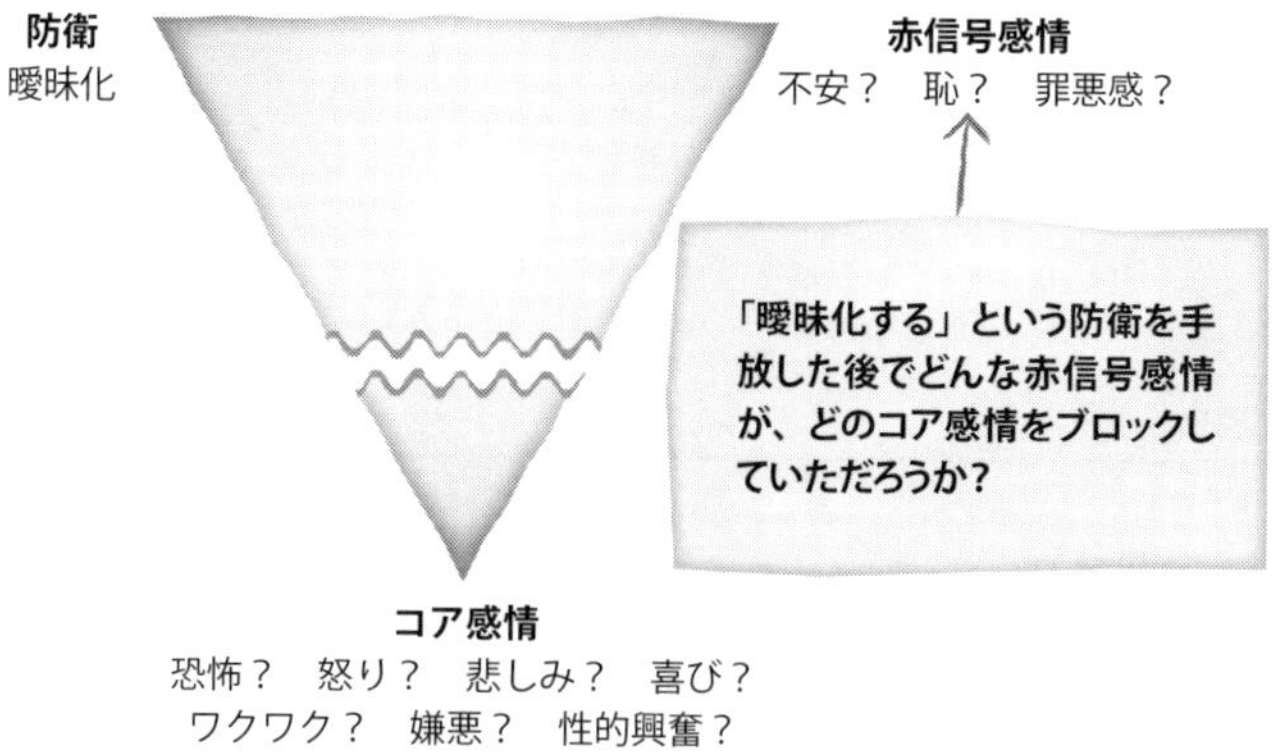

「そうです！」彼女は語気を強めました。

「両方の気持ちを言ってみるのはどうでしょうか。一方では話したいと思っているけれど、もう一方ではそうしたくないと思っている」

ボニーは再び泣き始めました。「何か言うと、そのせいで身動きが取れなくなってしまいそうで。いつもこうなるんです」彼女が言わんとしていることを、私は十分に理解できませんでしたが、これは彼女にとって大切なことのように思えました。

「いつもこうなるっていうのは？　つまり？」私は尋ねました。

「先生が、私を批判するんじゃないかって」と、彼女は言いました。

「なるほど」と、私は頷きながら言いました。「何かを言うことで、私から批判されると思っていたら、話しにくく感じるのは当然ですね。よく教えてくれました。それはとても大事なことですよ」

彼女の曖昧さは、身動きが取れなくなることと、批判されることへの防衛だったのだとわかりました。

ボニーは自分を開いて話すことを怖がっていました。話すと、身動きが取れなくなってしまうからです。すると私も、口を開

セラピーで、子どものパーツを独立した存在として映像化するメリット

- 子どものパーツが抱え込んでいる感情から距離を取ることができ、すぐに安心感を得られる
- 子どものパーツに関わりやすくなり、そのパーツのことがよくわかるようになり、やりとりもしやすくなるので、パーツをなだめ、助けやすくなる
- パーツが抱えている感情を認めて、止まっていた感情のエネルギーを再び流れさせることで、子どものパーツを癒やすことができる
- 対話の橋がかかり、子どものパーツが意識に統合される。その結果、神経システムが安定する

くのが怖くなりました。私が何か尋ねるたびに、彼女をさらにがんじがらめにしてしまいそうな気がしたからです。どうすれば、このもつれたやりとりを解くことができるのでしょうか。このやりとりは、彼女の過去と深く関わっているようです。しばらく黙って考え、感じてみて、私はこう切り出しました。「質問にはっきりと答えようとすると、身動きが取れなくなるのでしょうか?」

ボニーは頷いて箱からティッシュを数枚掴みました。彼女はとても幼く見えました。ティッシュを取りに行く身体の動きは、どこかぎくしゃくしていてぎこちない感じでした。

「ゆっくりと、感じてみましょう。何か大事なことが起こっているみたいなので」。私は、ボニーが目に見えてリラックスしてくるまで、間を置きました。「身動きが取れなくなると感じているあなたの中のパーツが、外に出て来て、このソファに座っているのをイメージできますか? それができたら、あなたの中で一番落ち着いて、一番自信を持っている自己の目を通して、そのパーツの姿を見てみてください。何が見えてきますか?」そして、私は少し待ちました。およそ1分ほどです。

しばらくして、彼女は言いました。「子どもの頃の自分が見えます」。彼女は大きな溜め息をつき、肩が下に下がりました。安心したサインです。

私たちの脳には、トラウマを負ったパーツをイメージによって映像化する力があります。大人になった今の自分の目で、それを見るためには、それを

身体の外に出してみるといいでしょう。こうすると、いろいろなことができます。たとえば、彼女は今、現在にいる自己と身動きの取れない子どものパーツとの間に距離を作り出したことで、すぐに気持ちが落ち着きました。不快な気持ちを抱えたパーツを外在化すると、私たちはそれについて話せるようになります。そうすることで、恥や不安、罪悪感をすぐに、確実に和らげることができます。イメージを使ってパーツを分離するというやり方は、そのパーツをよく知り、トラウマを抱えた自己の側面を癒やしていくのに適しています。多くの人は、セッションの初期からこれができますが、それが難しい人もいます。集中力と辛抱強さ、そして、やってみようという強い意志が必要です。

「すごい！」と、私は言いました。「そうしたら、今、どんな感じがしていますか？　あなたの中のパーツがそこに、私たちと一緒に座っているのを見ていて」。私は、想像上の小さなボニーが座っているソファを指しました。「その子の姿がはっきり見えてくるまで、その小さな女の子をじっと見ていてください。その子は何歳くらいで、どんな服を着て、どこにいますか？」私は、ボニーに、覚えていることをできるだけ鮮明に思い出してほしいと思いました。そうすれば、その記憶に取り組みやすくなるからです。現在の自分の目からそのパーツを見ながら、彼女がそのパーツと長く一緒にいられるようになると、パーツの姿はどんどんはっきりしていきます。私たちは彼女の脳のある部分――神経回路――を活性化させようとしているのです。そこに、子どもの頃のトラウマに関する記憶が眠っているからです。

「変な感じです。8歳の自分が見えます。レオタードを着て、家のキッチンにいます。バレエを辞めたいと言ったせいで、父に頭を叩かれたんです。父からは、この恩知らずめ、と言われました。私はバレエが大嫌いでした。ほかの生徒たちのことも、先生のことも嫌で、もう行きたくなかったんです」

彼女のつらさを思うと、胸が痛みました。思い出した記憶の中で、ボニーは本当の気持ちをはっきりと親に伝えていました。彼女は叩かれたうえに、恩知らずと人格まで攻撃されたのです。このとき、父親は知らず知らずのうちに、彼女の率直さまで叩き出してしまったんだと、私は心の中で思いました。これは小さなトラウマです。このとき、父親は次のような教訓をボニーに与えました。

1. 私がどう感じ、何を大切に思うかを、他者に伝えるのは良くないことだ
2. 人（子どもにとって、両親は他者の代表だから）は、私のことを気にかけない
3. もし、私のしたいことや、私にとって大切なことをほかの人に伝えたら、傷つけられ、侮辱される

私が、両親の離婚をどう感じているのか聞いたとき、彼女は身動きが取れなくなったのですが、この記憶のおかげで、その理由がよく理解できました。離婚についてどう感じているかを私に話すのは、彼女の心の中では、バレエについてどう感じているかを父親に話すのと、同じことなのです。

彼女の中のパーツが引き金となり、ボニーはかつての現実に逆戻りしました。その瞬間、ボニーにとって私は存在しなくなりました。8歳のパーツの目には、私は父親として映っているのです。今この部屋の中に、私たちと一緒にいるもうひとつのパーツがあります。それは、8歳のパーツを守っているパーツです。庇護するパーツは警戒して、彼女の内側でこう言っていることでしょう。「あり得ない！　ヒラリー先生に言う勇気はないわ。お父さんが私たちを傷つけたみたいに、傷つけられるだけよ」と。このとき、私は彼女の父親であり、彼女は8歳なのです。

ボニーが率直さをはばかることなく、自分のニーズを満たすためには、私は父親ではなく、今、彼女は私といて安全なのだということを、庇護するパーツにわかってもらわなくてはなりません。しかし、8歳のパーツは過去にとどまったままです。私は彼女の父親ではないということ、そして、彼女はもはや自分を守るためのリソースを持たない8歳の女の子ではないことを、彼女が理解できるようにする必要があります。大人になった彼女は、

曖昧という防衛によって、なぜ生活に支障が出るのか

曖昧にすることで、
・真実が隠されたままになる
・自分の意図は何なのか、自分のニーズ／望みは何なのか、混乱した状態が続く
・自分が何を望み、求めているか、あるいは何が不満かを言い表せないため、人間関係における衝突に対処しにくくなる
・あることについて、自分が本当は何を感じているのか、言いにくくなる
・ある特定の状況と結びついたコア感情を見つけにくくなる

自分を守り、自分のために主張し、自立してもよいのです。大切なのは、今、自分は安全なのだと彼女に学習し直してもらうことです。子どもの頃、彼女は閉じ込められて**いました**。大人の彼女はそうではありません。大人の彼女はこんなふうに言って、自分を守ることができます。「それは嫌です！」あるいは、「そんな言い方しないで」「もう帰ります」といった具合に。

8歳のパーツを癒やし、過去にとどまったままのボニーが、今を生きられるように、私は、彼女がこの記憶と向き合うための準備をしようと思いました。現在は、彼女にとって絶対に安全な場所です。

私はボニーに言いました。「今ここで私と一緒に座りながら、8歳の頃の場面に戻ってみましょう。小さなボニーやお父さんに対して、どんな気持ちが湧いてきますか？」

私は、この記憶に伴うコア感情にアクセスしようとしました。8歳のボニーは、怒りと悲しみを押し殺さなくてはなりませんでした――どちらも、身体的な攻撃に対して、人が自然に感じるコア感情です。しかし、今、私は現在にいる彼女の大人の自己に、父親や8歳のパーツに対してどんな気持ちを感じるか、見てみてほしいと思いました。幼い子どもだったときには、感じることを許してあげられなかった気持ちを、大人になったボニーに安全に感じてみてほしかったのです。その気持ちを体験することは、彼女が自由になるのを助けてくれます――記憶がもはや、感情のエネルギーを帯びなくなるからです。止まっていた怒りが解放されれば、彼女のうつも軽くなります。そして、自己防衛の

ために今まで使ってきた「曖昧という防衛」は、必要なくなります。この防衛が、自分のニーズや望みを効果的に伝える彼女の能力に、影響を及ぼしていたのです。

記憶の中の父親に対して、どんな気持ちが湧いてくるかという私の質問に、ボニーは答えることができます。過去にとらわれたままの子どものパーツを、脇に置くことができたので、今の彼女は答えを言えるのです。これまではずっと、8歳のパーツが、彼女の心の一番前に出ていました。セッションの冒頭で見られた彼女の行動も、そのパーツからきたものです。そのパーツをソファの上へ動かしたので、大人のボニーは今ここでさらに安心感を感じ、私を父親としてではなく、私として見ることができるようになりました。そのため、彼女は、私と感情を共有できるようになったのです。

「父に怒っています」

「よく気づきましたね。あなたのその怒り、とっても大切です！」私は言いました。

コア感情の怒りを認識したことは、ボニーにとってひとつの節目になりました。セッションの中で、クライエントがかつての怒りにアクセスできたとき、私は心の中で**大当たり！**と叫びます。そして、ここからの私の目標は、クライエントにその怒りを十分に感じてもらうことです[1]。

「ボニー、身体の中では何が起こっていますか？　怒っているよって、今、身体が教えてくれましたね。気づいたことすべてを、よく感じてみてください。そして、それを言葉で言い表してみましょう。身体の感覚を表現する言葉です」。身体の体験に波長を合わせる方法を学び始めたばかりの人たちや、身体を感じるのが苦手な人たちの場合は、言葉のリストを用意して、そこから選ぶといいでしょう。「頭から爪先まで全身を見渡しながら、どんな感覚がそこにあるか、見ていきましょう。エネルギーを感じたり、体温の変化や緊張、プレッシャー、振動があるのに気がつくかもしれません。あなたが感じたことすべてが、怒りを感じているんだよと教えてくれているんです」。このように誘いかけることによって、彼女に今ここの身体の感じにとどまってもらい、内側に注意を向けてもらいました。

20秒ほどしてから、彼女は言いました。「気づいたのは、えっと、胃の中に燃える穴があるような感じです」

「いいですね！　ほかにも何か気づきましたか？　ゆっくりと、スローダウンして意識を内側に向けてみましょう。ほんのちょっとのニュアンスも感じ取れるように」

「上に上っていくエネルギーのようなものを感じます」。ボニーは、拳をぎゅっと握り締めました。私は、この動作にも気づいてほしいと思いました。これは意味のある動作だからです――衝動を伴う怒りが、彼女の拳を通して表現されているのです。

「その調子です……胃の中に燃える穴があるような感じ、そして、そこには上へ上るエネルギーがあると。そんな感じですか？」

「はい」と、ボニーは答えました。

「好奇心を持って、その感覚にとどまってみてください。その怒りを歓迎してあげましょう。そして、それは何をしたがっているのか、見てみましょう。この怒りはとっても大切です。手にも注意を向けてください。ぎゅっと握り締めているのを感じましょう。その拳は、私たちに何を伝えているのでしょうか？」

1　ハビブ・ダーバンルーは、モントリオールを中心に活動する精神分析家で、感情と体験的に向き合う技法を開発しました。彼はこれをポートレイアルと呼びました。ポートレイアルとは、感情が身体でどんなふうに感じられているかにクライエントが注意を向けられるよう手伝い、イメージを使って、その感情と関連した行動を十分に探索するというテクニックです。この分野におけるダーバンルーの最も注目すべき功績は、怒りを感じ切る方法と、その怒りが行動に移したがっていることをイメージの中で安全に探索し、その行動を作り出す身体の動きをイメージの中で探索する方法を示したことです。1980年代に、ダイアナ・フォーシャはダーバンルーと共同研究を行い、彼の発明をAEDPに取り入れました。私が怒りに向き合う際の歴史的なルーツは、ダーバンルーのワークからきており、これはボニー（第4章）、スペンサー（第5章）、マリオ（第6章）の癒やしにおいて、とても中心的な役割を果たしました。ベン・リプトンのスーパーヴィジョンで、私が特に学んだことでもあります。

【ボニーが怒りを感じ切るときの三角形】

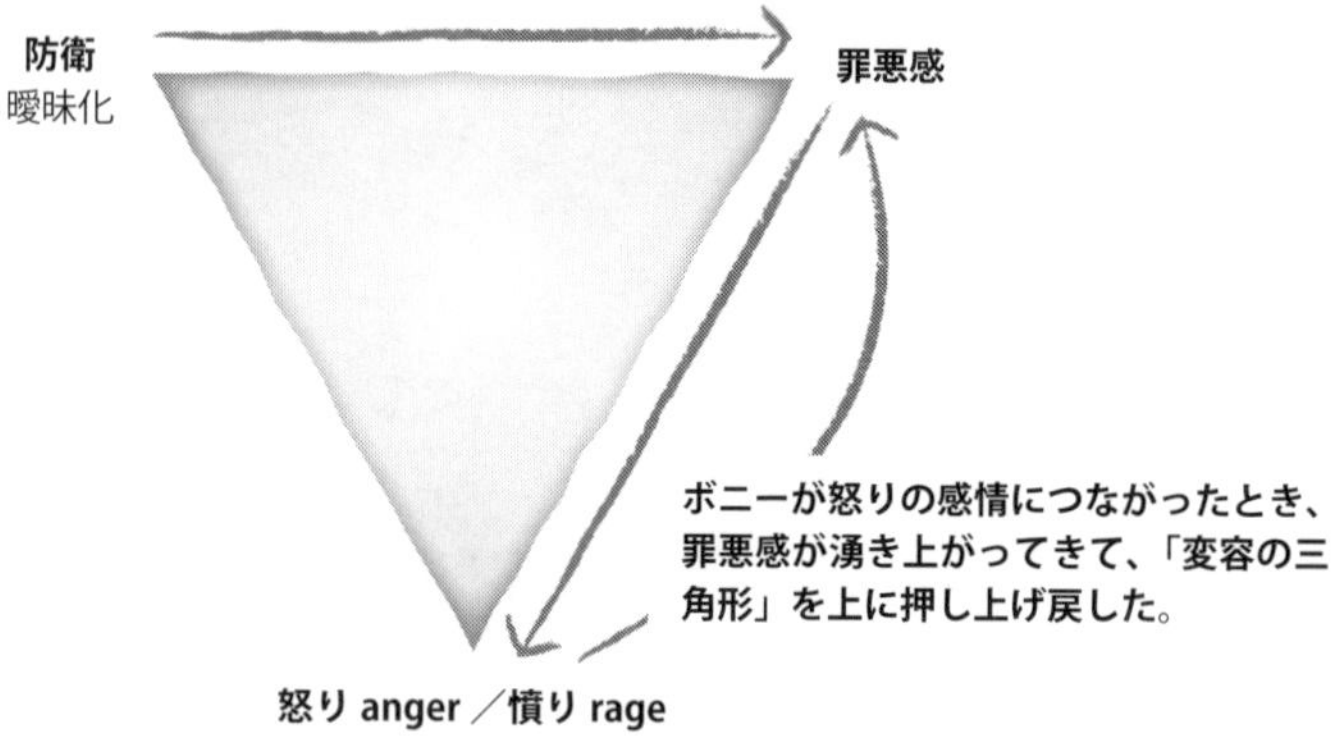
防衛
曖昧化
罪悪感
ボニーが怒りの感情につながったとき、罪悪感が湧き上がってきて、「変容の三角形」を上に押し上げ戻した。
怒り anger／憤り rage

曖昧化という防衛を脇においたことで、ボニーは「変容の三角形」の左上（防衛）コーナーから赤信号（抑制）感情に移動し、次いで罪悪感を脇にどけたことで、核心にあった父に対する怒りに達することができたものの、まだ彼女にとって怒りを経験することは安全に感じられなかったため、また右上の抑制感情に戻った。

集中が途切れたのか、ボニーは顔を上げて私を見ました。彼女は、「正しいことだと思えません」と言って、顔をしかめました。

ボニーは、コア感情の怒りを身体で体験していました。しかし、そうしていると、何かが変わりました。赤信号感情が生じたようです。なぜ、私にそれがわかったのでしょう。彼女が、正しいことだと思えないと言って、怒りにとどまれなくなったからです。

ボニーは「変容の三角形」の一番下にあるコア感情のコーナーから、右上の赤信号感情のコーナーへと跳ね上がりました。これは、一旦コア感情を感じるのをやめて、起こってきた感情に注意を向けるべきだというサインです。

隠れていたコア感情の怒りが、表に出ようとして押し上げられると、それを抑え込もうとする赤信号感情とぶつかります。父親への怒りを体験する中で、このぶつかり合いに気づく瞬間は、セラピーの鍵となります。この葛藤は、ボニーの中で長年、無意識のうちに起こり続け、隠れた影響を及ぼしてきました――曖昧化という防衛です。

「いいですよ、一旦ストップしましょう。ここまでよくやれました。自分の中の怒りについて、そして今、それをどんなふうに感じているかについて、たくさんの気づきがありましたね。さらに良かったのは、私たちがやっていることが正しいと思えないと教えてもらえたことです。率直に伝えてくれて感謝します。ありがとう」と、私は言いました。「怒ることを正しいと思えないパーツのことを、もう少し見ていきませんか？　そのパーツは、あなたに何と言っているでしょう？」

「嫌な気分になります。父を傷つけたくないんです」と、ボニーは説明しました。

「嫌な気分になる。それはどんな気持ちですか？　感情の言葉で言えそうですか？」

「罪悪感だと思います。人を叩くなんて良くないです！」

叩くなんて誰が言ったのかしら？　私は思いました。ここで、怒りが持っている衝動が明らかになってきました。怒りは、父親を引っ叩きたいのです。しかし、怒りに戻る前に、彼女の罪悪感をなんとかしなくてはなりません。

「変容の三角形」を、もう一度見てみましょう。私たちは曖昧化という防衛に気づき、彼女はそれを手放そうしました――短い間でも。そして、彼女はコア感情の怒りにアクセスすることできました。その怒りが強くなりすぎるか、ボニーが怒りに近づきすぎると、父親を引っ叩きたいという衝動が意識に上り始め、ボニーは罪悪感でそれをブロックしたのです。ここからの目標は、彼女が罪悪感を脇に置けるように助けることです。そうすれば、彼女は、怒りが自然に収まるまで、しっかりとそれを体験できるようになります。怒りをしっかり体験すると、次のようなことが起こります。

1．ブロックされている怒りのエネルギーが解放され、彼女の脳がその神経回路を統合しやすくなります。そうすると、彼女はもはやこの記憶から、ほとんど、もしくはまったく影響を受けなくなります

2．神経回路が再びつながるので、これから先、彼女は怒りを感じられるようになります――さらに、怒りを表現する際、罪悪感を過剰に感じることなく、自由に境界を設定しつつ、健全な自己主張を行うために、怒りを使うことができるようになります

私は続けました。「その通りです！　**実際に**人を叩くのは、良くないことです。今はただ、そのふりをするんです。これからすることは、実際に外の世界でやるためのリハーサルでは**なく**、ここだけでやることです。イメージの中でやってみるんです。今、お父さんはどこにいますか？」

「職場にいると思います」と、彼女は笑いました。

「お父さんを引っ叩くところを**想像する**と、お父さんを本当に傷つけてしまうと思いますか？」私はこう質問して、彼女の現実検討力をチェックしました。

「いいえ」と彼女ははっきりと言い切りました。

「よかった！　罪悪感は罪を犯したときに感じるものです。お父さんを引っ叩くところを想像するのは、罪になるでしょうか？」

彼女は、数分以上考えました。「罪にはならないと思います。でも、良くないことだと思います」

「ほかにも言いたいことはありますか？　引っ叩くところを想像するのは、何が良くないのでしょうか？」

「良くないことを考えるのは、悪いことじゃないんですか？」

「どこで悪いことだと教わったんですか？」

「わかりません。たまに、弟のことを嫌いだと言ったら、母から叱られました。母はこう言いました。『弟を嫌っちゃダメでしょ。好きにならなきゃ』って」

「なるほど！　バレエは嫌だと思ったり、その気持ちを言ったりするのを許してもらえなかったのとよく似て

いますね。『良くない』ことを考えるのは危険だと、あなたが思うようになったのも納得です。私が、あなたの中の怒りにけしかけているみたいに、お父さんを引っ叩くところをリアルにイメージするなんて、『良くない』ですよね」

「そんな感じだと思います」

「私は、それが最終的に建設的なのか・非建設的なのかという観点で考えます。つまり、それで目の前の問題を解決できそうなのか、それとも、余計に悪くなってしまうのか？　私たちがやろうとしている方法で、怒りの体験を進めていくのは、多くの面で建設的です。内側に怒りを抱えなくてすむので、気持ちが楽になります。それに、お母さんやお父さんに対する怒りが和らいで、ご両親との関係を良くすることにもつながります。イメージを使って、ここで怒りを安全に表すことができます。ここでは、ひどい言葉や暴力で実際に傷つく人はいないのです。要は、怒りを身体の外に出してしまいたいんです。怒りが外に出てしまえば、身体も楽になります。身体が楽になれば、今よりも合理的で、思慮深く、優しくなれますよ。自分が感じていることを思い切って、ご両親に打ち明けようとするときにもね。私たちの脳は、自分の気持ちに建設的に対処する方法を見つけて、問題をうまく解決することができるんです。私たちが感情を押し殺したり、その渦中にいたりさえしなければ。

イメージを使えば、怒りが持っているエネルギーを安全なやり方で解放することができます。感情を感じ切ることについて言えば、脳はイメージと現実をはっきり区別できないんです（Pally, 2000）。これって、私たちがやろうとしているワークにはうってつけだと思いませんか？　ピンときますか？」

「ええ、わかります。でも、まだ自分が悪い人間に思えてしまいます。父を引っ叩くとしたら」

「そうですよね。なので、実際にはやりません。もしよかったら、罪悪感を感じているパーツに、脇にどいてもらえるどうか、聞いてみませんか？　子どもの頃、お父さんから叩かれたことに正しい怒りを覚えた、あなたの中のパーツがよく見えるように。罪悪感のパーツは、少しの間、私たちを信じてくれるでしょうか？　もし、罪悪感のパーツが私たちのすることに動揺し始めたら、そのパーツはすぐに戻ってこられるし、私たちのしたことがどんなに大変なことなのか、教えてくれると思います。やってみませんか？」

「やってみます」と、ボニーは言いました。私は彼女の意志を汲み取り、それに寄り沿いました。私には、彼女の背中を押せる自信がありました。これまで何度もやってきたことでしたし、怒りを十分に表すことができたら、彼女はすぐに変容し、安心感を覚えるはずだとわかっていたからです。

「馬鹿げた感じがするかもしれませんが、罪悪感を感じているパーツに、もしよかったら、待合室で待っていてくれないかとお願いしてみましょう。その答えに耳をすませてください」。内側の安心感を作るためには、パーツを尊重したやりとりをすることが大切です。内側で安心を感じられることは、友人や両親との関係の中で、安全と安心を感じることと同じです。ジャッジされたり、批判されたり、見捨てられることがないのだとわかると、内側にいるパーツたちは気分が良くなり、もっとやりとりをして、よく理解してほしいと思ってくれるようになります。

数秒待ってから、私はボニーに尋ねました。「罪悪感のパーツは何と言っていますか？」

「待合室で待っていてくれると言っています。でも、何か良くないことが起こりそうになったら、すぐに戻ってくるって」

「十分です」と、私は言いました。「そのパーツに、信じてくれてありがとうと言えそうですか？」

ボニーはそのパーツに感謝を伝え、私たちは、彼女の怒りに戻ることにしました。

初めてこのワークに取り組むとき、クライエントが怒りを自由に表わすことや、身体で怒りの感覚や衝動を感じ取れることは、ほとんどありません。私たちの誰もが、社会化の過程で、怒りは悪いもの・破壊的なものと考えるようになりますし、ほかの人よりも、怒りやその他の感情を危険で怖いものだと感じやすい人たちもいます。何はともあれ、ボニーの準備は整いました。

ボニーは、罪悪感のパーツを脇に置くことができたので、私は、今でも身体の中に怒りを見つけられそうかどうか、尋ねました。怒りをただ覚えているのではなく、身体で感じる怒りにアクセスできることが重要です。怒りの体験は、それを身体で感じることから始まります。そして、怒りの体験は、怒りを解放する最初の一歩となるのです。

「お父さんに叩かれた後のキッチンの場面に戻ってみましょう。子どもの頃のあなたの代わりに、今も強い怒りを感じますか?」

「はい。胃が緊張しているのを感じます。そこから、さっきと同じエネルギーがこみ上げてくるのも」

「素晴らしい。その感覚にとどまりましょう。とどまりながら、その感覚の中にお父さんに対する衝動があるかどうか、感じてみましょう」。彼女は再び拳を握りました。

数秒経ってから、私は、彼女の内側で何が起こっているのか、聞いてみました。

「怒りが何をしたがっているか、感じられましたか?」

「父を叩きたがっています!」

「そうするところをイメージできますか? 怒りがやりたがっていることを尊重しましょう。あなたが、お父さんを実際に引っ叩いたことは一度もないし、お父さんを大切に思っているのも知っています。でも、その怒りの衝動は、行動するためのものです。怒りにはやりたいことがあります。仕返しをしたいんです。それはあなたを守る強い力です。どんなイメージですか?」

「父をグーで殴ってやりたいです」

「いいですね! やってみましょう。怒りは、お父さんの身体のどこを殴りたがっていますか?」ボニーに心を揺さぶられ、私は椅子から身を乗り出していました。私の声は力強く、エネルギーに満ちていました。彼女の怒りに波長を合わせていたのです。

「眉間です。父を叩きのめすような、素早いパンチを」

「いいですよ。お父さんの顔に、あなたの拳が迫っていくのを感じてください。映画のように、リアルに」。私は間を置いて、彼女がそうするのを待ちました。「今、お父さんはどこにいますか？　殴ってやりましたか？」

「はい。父は床に倒れています」

「お父さんを見てください。何が見えますか？　お父さんは今、何をしていますか？」私は、彼女に、イメージの中を一歩一歩確かめながら、最後まで歩いてみてほしいと思いました。この段階では、私もボニーも、これからどうなっていくのか、見えていませんでした。この新しい体験は、感情によって導かれて、ここまできたのです。

ボニーは言いました。「父は唖然として、私を見上げています」

「身体の中の怒りに戻ってみましょう。どんなことに気づきますか？」

「胸のあたりに、何かがこみ上げてきます」と、ボニーは言いました。

「その感覚にとどまって、そこに衝動がありそうか、見てみましょう」

「えぇ！　怒りは、怒鳴りたがっています」

「素晴らしい！」と、私はボニーを励まし、肯定しました。

感情体験にとどまることを学ぶと、止まっている感情を解放しやすくなります。そして、これから先も、怒りやその他のコア感情を十分に感じ切る力を育むことができます。ボニーは、自分の怒りを賢い自己主張のために使い、健全な人間関係を作るために制限や境界を設けることができるようになりました。感情体験にとどまることは、ものすごく彼女の役に立ったのです。

「もし、胸のあたりの感覚にマイクを当てることができて、それが話してくれるとしたら、お父さんになんて言いたがっていますか？[2]」

「あら、一体どうしたの？　って」

「いいですね！　もし、その怒りが質問ではなく、胸のあたりの感覚にしっくりくる力強いセリフで言うとしたら、何て言いますか？」質問では、怒りを若干なりとも回避することになってしまいます。私は、ボニーにもっとストレートな表現をしてほしいと思いました。[3]

彼女は「**このクソジジイ！**　8歳のとき、私はただバレエを辞めたかった**だけ**。何も悪いことはしてない。ごく普通の望みだろうが。私があんたに、ああしろこうしろと命令したらどんな気持ちになんのよ？」と叫びました。ボニーは顔を上げて、私を見ました。自分が大声を出す姿を目の当たりにしても、私が動揺していないのを確かめているようでした。

「よくできていますよ！　もう一度、身体の中の怒りを感じてください。ほかにも言いたいことがあるか、確かめてみましょう」

「あんなこと、すべきじゃなかった！」と、ボニーは父親に怒鳴りました。「あんなの間違ってる！」

「お父さんはどうしていますか？」と、私は尋ねました。

「父はうなだれています。自分を恥じているようです」。彼女の声に悲しみが混じりました。怒りが変容しようとしています。

「その姿を見て、どう感じますか？」

「父がかわいそうです。どれだけ自分が情けない姿なのか、父もわかったみたいです。父にはかわいそうなことをしたけど、わかってもらえて気分がいいです」

2　感情に話をさせてあげるために、「マイクを近づけて」という具体的な介入を教えてくれたベン・リプトンに感謝します。

3　クライエントが自分のニーズや願望をしっかりと持つのを助けるために、疑問文を宣言に言い換えるという介入を教えてくれたベン・リプトンに、もう一度ここでお礼を言いたいです。

「もう一度、内側の感じを確かめてみましょう。もっと怒りがあることに気づくかもしれません。何に気づきますか？」

「怒りはなくなりました」と、ボニーは答えました。

「その先には何がありそうですか？　頭から爪先まで、身体全体をスキャンするような感じで。どんなことに気づきますか？」

「落ち着きました」

このような形で怒りを感じ切ると、彼女はコア感情を通り抜け、次の7つのCで特徴づけられる心を開いた状態へと至ります（第1章18〜20ページ参照）。7つのCワードとは、穏やかさ、好奇心、つながりの感覚、思いやり、自信、勇気、明晰さのことです。コア感情がとても大切なのは、コア感情が、ありのままの自分で心を開いた状態になるための入り口になるからです。

「その落ち着きは、身体の中でどんなふうに感じられますか？　かすかな感覚かもしれませんが、言葉で表せそうでしょうか？」私は尋ねました。

「軽くなりました」。それに気づいて、ボニーは深く息を吸い、溜め息をつきました。

私は、彼女にもう一度、身体の感覚に戻ってもらおうと思いました。「今の大きな溜め息は、私たちに何を伝えてくれているのでしょう？　それに波長を合わせてみると」

「ほっとしたと言っています。何か大きなものを手放したような。それで内側が軽くなったんだと思います」

「その内側の軽い感じにとどまってみましょう。……それをもっと知りたいと思いながら、その感じと一緒にいると、何が起こってきますか？」

「心が静かになってきます。離婚のことで、私は両親にものすごく怒っていたんだと気づきました。私にとっては、すべてが台無しになる出来事だったんです。私は、両親が一緒にいる姿を見るのが好きなんです。いつもそうでしたから。でも、死ぬ前にもっと冒険してみたいという両親の思いも、理解できます」

「ふたつの気持ちがあるんですね。何もかも台無しにされたという怒りと、ご両親の望みを理解する気持ちと」

「そうです!」ボニーは大きく頷いて、自分の深いところにあった真実を知ることができたようだと、私に教えてくれました。

「それを知って、どんな感じがしますか?」

「いい気分です。両親の離婚が不満なのは変わらないけど、今はもう窮屈じゃないし、心を閉ざす感じもありません」

「わぁ! すごいですね。今日ここへ来たときは、私に気持ちを話すのも難しいと思っていたのに。曖昧な話し方であなたを守っていたパーツを、ふたりで脇に置くことができて、あなたを引き留めるものがなくなったんですね。次に、昔の記憶にもアクセスしましたね。あなたが、自分の気持ちを伝えるのは危険だと学んだ出来事の記憶です。そして、当時は持つことができなかった感情を、今日、私と一緒に体験しましたね。お父さんへの怒りを安全に、誰も傷つけることなく、感じ切ることもできました。それから、お父さんへの思いやりと悲しみも感じることもできましたね。すると、落ち着きと軽さが感じられて、素晴らしい気づきも得ました。ご両親の離婚には怒りもあるけれど、理解もできると。たくさんのことをやり遂げましたね! 本当に素晴らしい。今日やり遂げたこと、あなたにとってはどうですか?」

「**盛りだくさん**でした。すごかった。満足しています」

「その満足感って、どんな感じですか?」

ボニーは笑いました。「疲れもあります」

「そうですよね。一生懸命やったから。今日はこのあたりでやめにしますか? それとも、あと1分だけ、その満足感が内側でどう感じられるか、やってみましょうか? その満足感は、あなたが一生懸命やって手にしたものです。そういう幸せな感情は、疲れた脳のビタミンになると思うんです」

彼女は、その気持ちをこんなふうに表現してくれました。「この満足感は、穏やかで平和な感じです。胸や胃のあたりが開いているのを感じます」

ボニーと私は、それからさらに1年間かけて、彼女の中で止まっていたほかのさまざまな場面のワークをしていきました。彼女は、自分の感情を歓迎するという、身につけたばかりの力を使えるようになりました。たとえば、離婚について両親と話すことができ、これまでよりも世界とつながっているような感じがするということも、打ち明けてくれました。さらに、仕事でもプライベートでも、以前より人間関係に満足できるようになりました。他者と対立することへの恐怖は大きく減り、自分の感情にも他者の感情にも、持ちこたえられるという自信を感じるようになりました。「感情って、ただの感情なんですよね」と、セラピーの最後の数週間で、彼女は言いました。うつ気分も治りました。

コア感情を感じ切るプロセスでは、次のような作業を繰り返します。身体全体に注意を向けて、さまざまな感覚に気づき、その感覚が持つ衝動に耳を傾け、その衝動が何をしたがっているのかを知り、イメージの中でそれを実行させてあげる。そして再び、身体全体に注意を向ける……。感情のエネルギーを解放し、主観的な落ち着きを感じられるまで、このステップを必要なだけ何度も繰り返します。理屈としてはシンプルですが、私たちの自己が体験を感じ切るプロセスは、最初はシンプルにはいかないものです。このプロセスを進めるには、クライエントが自分自身とセラピストの両方を信頼していること、勇気を持つこと、そして、ジャッジするのではなく、感情の流れのままに進んでみようと決意することが必要です。

怒りはなぜ必要なのか、怒りの適応的な使い方

ボニーは、自己主張がうまくできませんでした。子ども時代を生き延びるために、自分の怒りを否定しなければならなかったからです。幼い頃は、父親とのつながりを保つほうが大切です。しかし、大人になっても（コア感情としての）怒りを使わずにいることは彼女の脆さになっていました。怒りを体験できないと、私たちは、正しく適応的な行動を取って自分を守ることができなくなってしまいます。自分と関わる人たちに対して、ノーと言ったり、制限や境界を設けたりすることができなくなるのです。

最も効果的なのは、怒りにアクセスして、怒りを建設的に味わう方法を学ぶことです。そのためには、怒りと健全な関係を築くことが大切です。私たちは、怒りを持つことへの恐怖と向き合い、その恐怖がどこからきているのかを知る必要があります。怒りについての葛藤があるなら、それも解決する必要があるでしょう。最終的には、他者に対してうまく自己主張する方法を学びます。そうすれば、対人場面でリスクを取ることに自信がつき、落ち着いていられるようになるはずです。

私のクライエントの中には、怒りをコントロールできなくなるのではと心配する人もいます。こうした心配は大切なものです。この心配に対処するためには、この不安が、いつ・どこからやって来たのかを振り返ってみるといいでしょう。私は、たまにこんな質問をします。「実際に、自分をコントロールできなくなって、自分を傷つけるか、ほかの人に暴力を振るったことはありますか?」滅多にないことですが、クライエントがこの質問にイエスと答えたら、慎重に進めることが大切です。クライエントが、行動を**伴うことなく**怒りを安全に体験できるようになるまで、まずは衝動をコントロールすることから始めます。反対に、クライエントが怒りで自分をコントロールできなくなったことは一度もないと答えたら、この先もコントロールを失う可能性は低いでしょう。

クライエントが恐怖を感じているのは事実ですが、多くの場合、その恐怖は、幼い子どものパーツに由来しているのです。

成人のクライエントでも2歳児のような強い怒りを体験するのは、子どもの頃の神経回路が活性化するからです。怒った自分をコントロールできなくなると感じるのもこのためです——子どもの頃に感じたままの形で、怒りは長い間、凍結されているのです。

すべての怒りが、子ども時代に由来するわけではありません。日常生活には試練や苦難が溢れており、頭に血が上るのは日常茶飯事でしょう。怒りの原因が何であれ、人は自分の怒りを恐れるあまり、それを隠してしまうことがあります。私が、サリーに初めて会ったとき、彼女はうつ病でセラピーを受けていたのですが、背の高い女性であるにもかかわらず、私は、彼女がおとなしく、小さく見えることに気づきました。彼女は、人は皆、自分をいいように使うのだと訴えました。彼女は、相手が怒ることを恐れて、ノーと言えずにいたのです。自分の話をするにつれて、水が足りずにしおれた花のように、彼女は元気をなくしていきました。自分の話について、何か思うところがあるのかと尋ねると、彼女は「どうせこんなものです」と言って、大きな溜め息をつきました。彼女の消極性と諦めは印象的でした。友人や家族が、彼女の優しさをどれほど利用してきたかを聞いていると、私は自分の血が沸騰するのを感じるのでした。私は、この怒りは彼女のもので、自分は、彼女の代わりに怒っているのではないかと思いました——この怒りは、一体どこにあるのでしょうか?

サリーは、自分の怒りとコンタクトを取れなくなっていました。しかし、彼女には怒りが必要でした。自分が人から利用され、相手にされていないと教えてくれるのは、怒りだからです。私たちに、何かが間違っている、変える必要があるという事実を知らせてくれるのが、怒りです。暴力を受けることから私たちを守ってくれるのが、怒りなのです。正しいと思えないことや、傷つけられそうなことが起きていると知るために、私たちは皆、怒りを必要とします。コア感情の怒りにアクセスできなくなると、私たちは圧倒的に不利な立場に立たされてし

【サリーの変容の三角形】

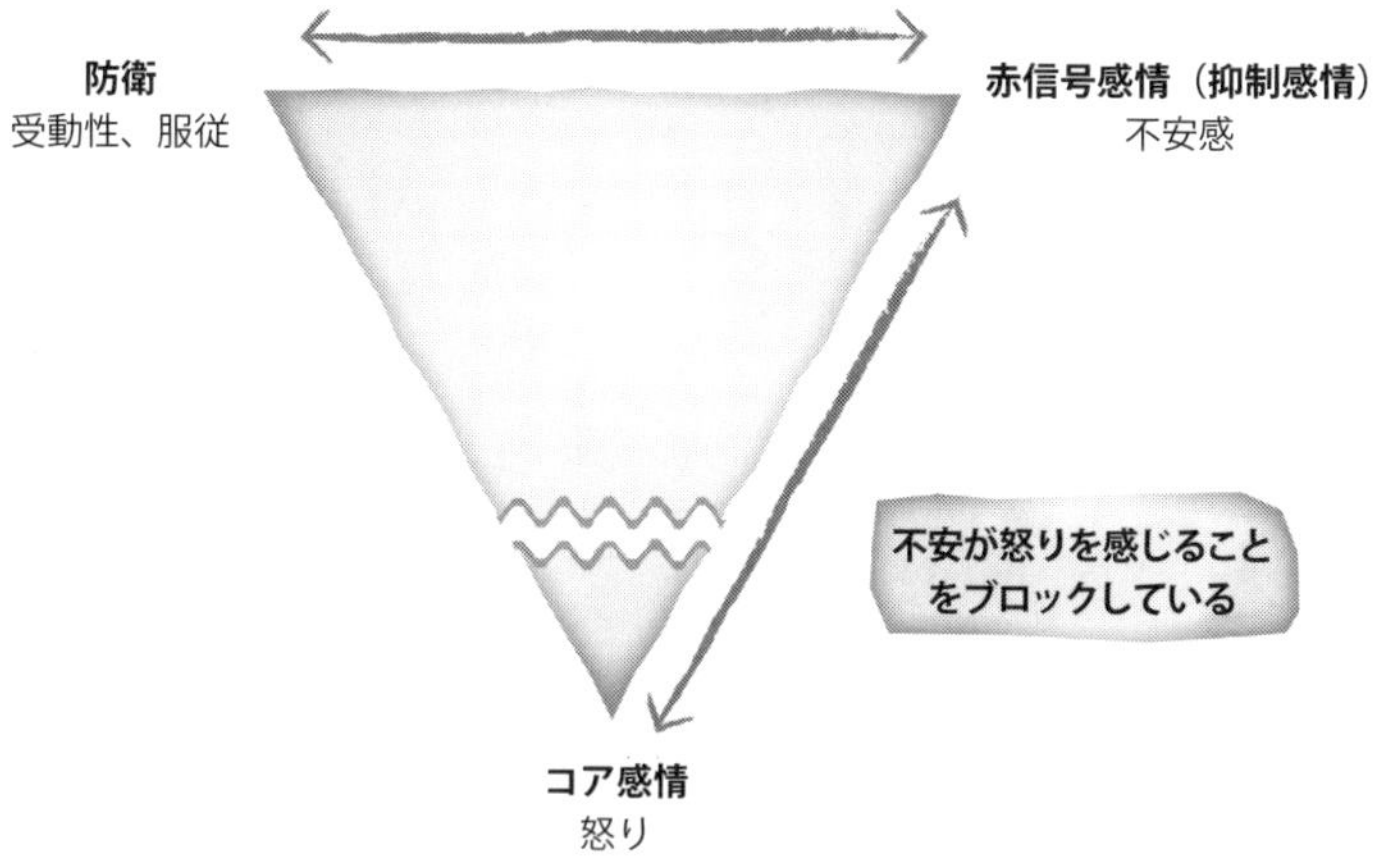

怒りは不安によってブロックされている。怒りと不安の両方を回避するため、サリーは受動性と服従を防衛として用いている。

まうのです。

サリーは再び、自分の怒りとつながらなくてはなりません。怒りの衝動に気づけるようになり、人間関係や人生をより良いものにするために、怒りの衝動を使えるようになる必要があります。怒りの衝動を満たすためには、これまでのやり方に代わる非破壊的な方法を見つける必要もあるでしょう。健全な自己主張として怒りを働かせる方法を、学ぶのもよいかもしれません。

私はサリーに、自分の気持ちに気づけるようになってほしいと思いました。しかし、友人から夕食の約束をドタキャンされたときに、どんな感情が湧いたか尋ねても、彼女は悲しかったと言うだけでした。それでも、彼女のボディー・ランゲージは、それ以上の気持ちがあることを物語っていました。私は、彼女が怒りを認識できるように促してみましたが、サリーは自分の怒りをはっきりと否定するのでした。

「身体全体をスキャンしてみましょう。頭から爪先まで。どんなに小さな感覚でもいいので、見つけられそうでしょうか。あなたに、怒っているよと知らせようとしている感覚を……」

彼女はしばらく間を置いてから、ようやく、横隔膜のあたりに何かを感じると言いました。ただ座って、しばらくその感覚を観察してみると、サリーは、それはフラストレーションのようだと言いました。フラストレーションは、意識に上ってきたけれど、どう扱ったらいいのかわからない怒りを弱めたり押さえ込んだりするときに、よく使われる方法です。

それから数分かけて、サリーは怒りを身体で感じられるようになりました。さらに練習を繰り返すうちに、安心して怒りを感じられるようになりました。私のクライエントの多くが、同じような体験をしています。

あなたも、怒りとつながれるようになれます。怒りを、自分の背骨のあたりに移動させるところをイメージしてみましょう。このイメージは、自分のニーズを主張するときや、相手に自分を傷つけようとする意図があるのか尋ねたいとき、または制限や境界を設定する必要があるときに役立ちます。攻撃ではなく、主張が持つ力や強みを活かすことで、しっかりとした、優しいやりとりができるようになります。あなたは自分の望みやニーズを落ち着いて伝えられるようになり、きちんと耳を傾けてもらえると感じられるでしょう。

私は、これとは反対のスペクトラムに属するクライエントも見てきました。怒りの衝動を、もっとコントロールできるようにならなくてはいけない人たちです。

ボブが育った家庭では、しょっちゅう怒鳴り声が聞こえ、壁を殴る音やテーブルがひっくり返る音がして、誰かが平手打ちをされたり、お尻を打たれたりしていました。ボブは、「怒り」は「怒りを行動に移すこと」と同じだと思っていました。

私が、ボブに怒りの衝動を表すことと、ただそれに気づくことは違うと伝えると、彼は興味を持った様子でこう言いました。「つまり、2段階になっているということですか？　父は、その感情を持っていたと思います。いわゆる、怒りってやつを。でも、その怒りを家具や家族にぶつけていましたよ」

「その通りです」と、私は肯定しました。「ちょっとしたことですが、その区別はとても大切です。怒りは、あ

怒りを体験することと、怒りを行動に移すことを区別する

多くの人が、怒りを**体験する**ことと、怒りを**行動に移す**ことを混同しています。怒りを体験するというのは、怒りをただ内側で感じることです。これは、怒りを行動に移すこととは正反対です。怒りを行動に移すというのは、怒りを他者に対して爆発させることです。怒りは、あなたを怒らせた相手に直接ぶつけられることもあれば、運悪く、たまたまそこに居合わせてしまった人にぶつけられることもあるでしょう。

怒りを行動に移すと、たいてい他者を傷つけ、関係を悪化させてしまいます。暴力的な環境で育った子どもや、怒鳴られて育った子どもは、怒り＝破壊的な行為であると間違って学習します。そのため、私は、怒りは叩くことでも、殴ることでも、怒鳴ることでもないと、はっきり区別して伝えるようにしています。怒りとはコア感情のひとつであり、行動するための衝動と身体感覚を持つのが特徴です。怒りは意地悪をしたがって、時には、誰かを叩いたり、殴ったり、突き飛ばしたり、言い負かしたり、何かを叩きつけたり、突き刺したり、壊したり、銃を突きつけたりします。私たちがイメージを使って、それが持つ衝動を受け止め、怒りを行動に移すことなく安全に発散することを学べば、怒りの衝動はコントロールできるのだと思えるようになります。怒りはコントロールできるとわかると、私たちは、人としての誠実さを保ちながら、節度を持ったやり方で争いを解決することができるでしょう。

なたや周りの人を傷つけるものではありません。でも、怒りを行動に移したり、その怒りを自分に向けてしまったりすると、問題になるんです」

これまで一緒にセラピーをやってきた人たちのほとんどが、怒りに関する葛藤を抱えていました。彼らは、自分の怒りが他者に向かうことや、対人関係に与える影響を恐れていたし、同様に、他者の怒りが自分に向かうこともまた、怖いと感じていました。怒りを感じたときに起こる内側の感覚は、不快なものです。たとえば、身体の緊張や、へそのあたりが燃えるような感覚、上半身にエネルギーが湧き上がってくるような感覚です。彼らは、こうした怒りのエネルギーや衝動にどう働きかけたらよいか、わからないのです。「変容の三角形」を使えば、自分の怒りとの関係を変えることができます。怒りが持つ強さや、自分を守るためのエネルギーをうまく使うことができるようになります。いつでも簡単に、怒りとうまくやれるとは限りませんが、常にその努力をする価値はあるのです。

コア感情について知っておくべきすべてのこと

笑顔が自然とこぼれるのは真の喜びがあるから。自然に涙がこぼれるのは悲しみがあるから。こうした現象を可能にする脳の部位は、脳幹の深いところにある。……私たちは、この部位で起こる神経プロセスを、直接的かつ自発的にコントロールする術を持たない。私たちが感情をストップさせようとしたところで、くしゃみを我慢しようとするくらいの効果しかないのだ。

——アントニオ・ダマシオ

子どもの頃、私は、自分を支配する感情の力に戸惑ったのを覚えています。心と身体が、怒りや恐怖、悲しみ、罪悪感、さらには恥といった感情にさらわれたとき、どれだけ無力に感じたかもよく覚えています。苦しいほどの怒りを覚えたとき、多くの場合、それは恋人や両親に対してでしたが、私は、自分ではどうすることもできない行動や振る舞い方をする自分を見ていた記憶があります。私は、時に、嫌な女や泣き虫になってしまう自分が、本当に嫌でした。しかし、そんな自分を救うこともできませんでした。

この、ものすごい感情の力とは何なのでしょう？　この瞬間、私は何者になっているのでしょう？　好きだと思える自分、これが私だと思える自分に、一体何が起こったのでしょう？　これが自分だと思えるとは、安定していて思慮深く、穏やかで自信に満ち、優しい私のことです。両親もまた、不安やゆううつといった気持ちに、支配されることがあると言いました。私たちが感情に振り回されてしまうとき、自己は、脳をハイジャックしている感情の嵐や暗い気分の下に埋もれてしまいます。時には、自分の中に感情以外の部分があることを、ほとんど覚えていられなくなるほどです。感情、気分、状態は、それらが魔法のように過ぎ去るまで、すべてを飲み込んでしまいます。

変化に富んだ感情の地形を理解するためには、感情に関する基本的な知識を学ぶ必要があります。基本となるコア感情は、怒り、悲しみ、恐怖、嫌悪、喜び、ワクワク、そして性的興奮です。私たちはすべてのコア感情を少しずつ違った形で体験しますが、コア感情には共通する性質も多くあります。

感情は、ただ在る

私たちは皆、7つのコア感情を持っていて、これらは脳と固く結びついています。私たちは、感情をコントロールすることもできなければ、感情が心や身体に引き起こす反応を阻むこともできません。まるで危険と快感の両方を知らせる警報機のように、感情は無意識のうちに発動し、私たちがその瞬間を生き延びることができるように、身体的・精神的反応に着火します。感情には緊急性があるのです。

感情は、ただ、在る！ これは、感情を持つべきではないと考える両親に対して、私が繰り返してきたマントラです。多くの人が、感情とは弱い人が持つものだと考えていますが、これは間違いです。大脳辺縁系に生じたコア感情を、誰も止めることはできません。大脳辺縁系は、コア感情が生まれる場所です。[4]「あなたの悲しみが、そこに在りますね」と、私は、自分の悲しみを批判してしまうクライエントに伝えます。「良いとか悪いとかではないんです」とも。ボニーの怒りもただ、そこに在りました。感情は良い・悪いでジャッジされるものではないし、記憶に対する正しい反応・間違った反応というものもありません。感情を根こそぎなくすことはできず、せいぜい一瞬止めることができるくらいだと受け入れることが大切です。そうすれば、あなたは、できるだけ健全な形で感情と向き合おうとするでしょう。感情はただ、そこに在るということがわかれば、感情を持っているからといって自己や他者を非難することに、もはや意味を見出せなくなります。しかし、大人になるにつれて、自分の感情を建設的に調節する術を身につけていく必要はあるでしょう。

コア感情はオン・オフのスイッチのように働く

危険や快感を察知すると、脳の中の感情のスイッチがオンになり、いずれかのコア感情がポンっと動き出します。恐怖、怒り、悲しみ、嫌悪、ワクワク、喜び、性的興奮のうちのどれかです。ハイイログマがあなたに襲いかかってきたところを想像してみてください。どの感情のスイッチが入ると思いますか？　恐怖です。恐怖が脳の中で発動すると、考える間もなく、あなたの身体はそれに反応します。逃げるために考えないといけなかったら、走ると決める前にやられてしまうでしょう。恐怖の力に感謝です。誰かがあなたを驚かせて、思わず飛び上がってしまった場面を思い浮かべてみましょう。恐怖が、危険だと思ったものから、あなたを反射的に遠ざけていますね。安全だとわかれば、大脳新皮質が働き始めます。大脳新皮質は思考を司る部位で、ある状況において先の危険を予測し、危険を引き起こすものは何か、そして、危険が過ぎ去ったかどうかを見定めます。感情が、私たちに苦しみをもたらすというのは事実ですが、自動的かつ無意識に発動する感情によって、進化の歴史を生き延びてきたとも言えるのです。ボニーの父親は、ボニーを「恩知らず」となじりました。すると、**ほら！**　ある感情のスイッチが入りました。ボニーの怒りです。考えてみてください。私たちは、コア感情を持つべきではないのでしょうか。感情には意味などないのでしょうか。何の目的もなく、そんな気持ちになっても仕方ないのでしょうか。**感情は、ただ、在る。**そして、ある環境下で私たちの脳が感じたことに応じて、パッとスイッチを入れたり、消したりしているだけなのです。

感情の繊細さはさまざまに表れる特性である

ヒトはコア感情を持たずにはいられません。しかし、感情に対する繊細さには、あらゆるヒトの特性と同じく、スペクトラムがあります。感情をほんの少ししか感じない人もいれば、感じすぎる人もいます。そういうものなのです。友人や家族の中にも、繊細な人もいれば、そうでもない人もいるでしょう。何をどれだけ感じ取っているかという理由で、あなたが他者を批判することがあるなら、それは、他者の感情にどれだけ向き合えているかという、私たち自身の能力を物語っているのです。

4　感情の起源となる脳の部位の正確な位置はどこなのかということについては、議論があります。マクリーン（Maclean, 1952）やパンクセップ（Panksepp, 1998）をはじめとする多くの研究者は、大脳辺縁系と扁桃体を感情の生まれる場所だと主張しています。しかし、眼窩前頭皮質（Bechara, Damasio and Damasio, 2000）や島《とう》皮質といった他の部位も同様に、感情を情報として処理するプロセスに関連しています（Gu, Hof, Friston and Fan, 2013）。

感情は伝染する

赤ちゃんがたくさんいるところで、ひとりの赤ちゃんが泣き出したら何が起こるでしょうか。気づけば、全員が泣いているでしょう。または、映画館で誰かが笑ったところを想像してみてください。誰かが爆笑すれば、あなたも、もう笑いをこらえようとは思わなくなるはずです。

パートナーや子どもが怒っていると、あなたも嫌な気分になるのは、感情が伝染するからです。大切な人が怒ったり、悲しんだり、怖がったりしているのを見ると、あなたの中にもその感情が湧き起こります。あなたがそのことに気づかなかったり、その感情を不快に感じたりすると、相手に対して冷たくなったり、防衛的になったりするかもしれません。人は、他者によって引き起こされた感情を寄せつけたくないと思うものなのです。ミラーニューロンという特殊な脳細胞が、感情の伝染を引き起こし、私たちに共感を促すということが、いくつかの研究から明らかになっています（Rizzolatti and Craighero, 2004）。

コア感情は海の波のようなもの

コア感情は高まり、ピークを迎え、やがて落ち着いていきます。海の波にとてもよく似ています。これを知っておくと、コア感情をしっかりと体験する際の助けになります。最初は強いコア感情も、次第に落ち着いていくと予測できるからです。それから、コア感情を体験している間は、いつもより深い呼吸をしましょう。その波を乗りこなし、リラックスや安心といった変化が起きる前に、強い感情が和らぐのを数分待つことが大切です。これは、爪先をどこかにぶつけたときの感覚にも近いかもしれません。爪先をぶつけたときも、最初は痛みが強くても、次第に和らいでいくのを予測できます。深呼吸をして、痛みの波を乗り切ることもあるでしょう。感情の波を乗りこなすときも、同じことができるのです。

フランが悲しみを感じ切ったときのことを覚えていますか？　彼女は、数分ずつ続く感情の波をいくつか体験しました。そして、彼女は安心感に至りました。ほとんどのコア感情は、それが自然に流れていけば、数分以上続くことはありません。私たちはたいてい、その数分の不快感に耐えることができます。やがて安心できるとわかっているなら、なおさらです。

感情は名前をつけられ、存在を認められるのを好む

自分がどの感情を体験しているのかがわかると、主観的な気持ちの落ち着きを感じることができます。子どものうちに、自分の感情に名前をつけることを学べるのが理想的です。しかし時に、さまざまな事情で、自分の感情を認識することを学べないこともあります。感情に言葉を与えることによって、脳が変化し、脳の興奮を抑制できるということが、科学的に証明されています。[5]

5　「感情に言葉を与えるということ」というぴったりのタイトルがついたｆＭＲＩを用いたある研究は、被験者たちに、感情を顔で表している人の写真を見せました。写真に映し出された感情によって、協力者たちの扁桃体が活性化すると予想されていたのですが、その感情の名前を尋ねられると、被験者たちの前外側前頭皮質が活性化し、扁桃体の活動は抑えられました。要するに、意識して感情を認識することで、感情のインパクトを和らげることができるのです。(Karb, 2015)

クレイグは、25歳になる娘と素晴らしい週末を過ごしました。娘が帰った後で、彼は不安に襲われました。最初、クレイグは、自分がなぜ不安になるのか、わかりませんでした。娘との週末は最高だったからです。しかし、それから内側に集中し、そこにどんな感情があるのか見てみると、ふたつの感情を感じているのに気づきました。感謝と喜びです。これは、不安を高める感情の働きを説明するのに、とても良い例だと思います。感謝も喜びも素晴らしいものですが、一緒にあると、時には多くなりすぎてしまうのです――不安が高まると、私たちは、「変容の三角形」の上を、コア感情から赤信号感情の角へ移動します。クレイグが自分の感情に名前をつけると、その不安はなくなったのでした。

私がクライエント全員に教えているのは、感情に名前をつけると、気持ちが楽になるということです。感情に名前をつけ、存在を認めるだけで、身体と心をリラックスさせることができます。さらにこれは、「変容の三角形」を使ううえで鍵となる作業でもあるのです。

感情のルーツは身体にある

何百万もの感覚運動神経が、情動脳と身体のさまざまな部位をつないでいます。たとえば、心臓、肺、胃、皮膚、小腸、大腸、筋肉などです。何らかの気持ちを体験している最中に、ちょっと時間を取ってみると、身体でも何かを体験していることに気づくでしょう。たとえば、私は悲しいときに、心臓のあたりが重くなる感じがします。怒りを感じたときには、胸が締めつけられ、胃のあたりから頭に向かってエネルギーが上がっていくのを感じます。恐怖を感じると、身体が震えます。興奮するとエネルギーが湧いてきます。時には、うずうずして踊り出したくなったり、誰かとハイタッチをしたい衝動に駆られます。

コア感情は行動するためのプログラムであり、その瞬間に最適な行動を取るためにある

感情は、瞬間的に人を行動へと駆り立てます。私たちは、それを衝動として体験します。怒り、悲しみ、恐怖、嫌悪、喜び、ワクワク、性的興奮といったコア感情は、私たちに行動する準備をさせます。ある感情を体験したときに、自分の身体に波長を合わせることによって、私たちは、自分の中に起こる衝動を学んでいきます。感情に注意を向けると、それに伴う衝動が姿を現します。それぞれのコア感情には、衝動が伴うものなのです。

感情がブロックされると、どんな衝動が起こっているかを知る力も一緒にブロックされ、衝動に気づくことができなくなります。感情と衝動は、周りの環境や、その環境にどう反応すべきかに関する重要な情報を与えてくれます。感情にアクセスできなくなるというのは、生きるうえで欠かせないコンパスを失うようなものです。

今度、ある感情を感じたときは、自分にこう尋ねてみてください。**今、自分が感じている感情は何だろう。この感情は、私に何をさせたがっているんだろう？** そこで発見する情報によって、あなたは感情に基づく望みやニーズを知ることができ、その心の中のニーズや望みを、何かを決めるために使おうと決意することができるでしょう。

感情は増幅される

感情は、強まり、膨れ上がることがあります。そうなると、解離症状や、消えてしまいたいという気持ちが引き起こされ、感情は私たちの手に負えないものになります。感情は、心の内と外で起きたことに反応して、膨れ

【闘争－逃走反応】

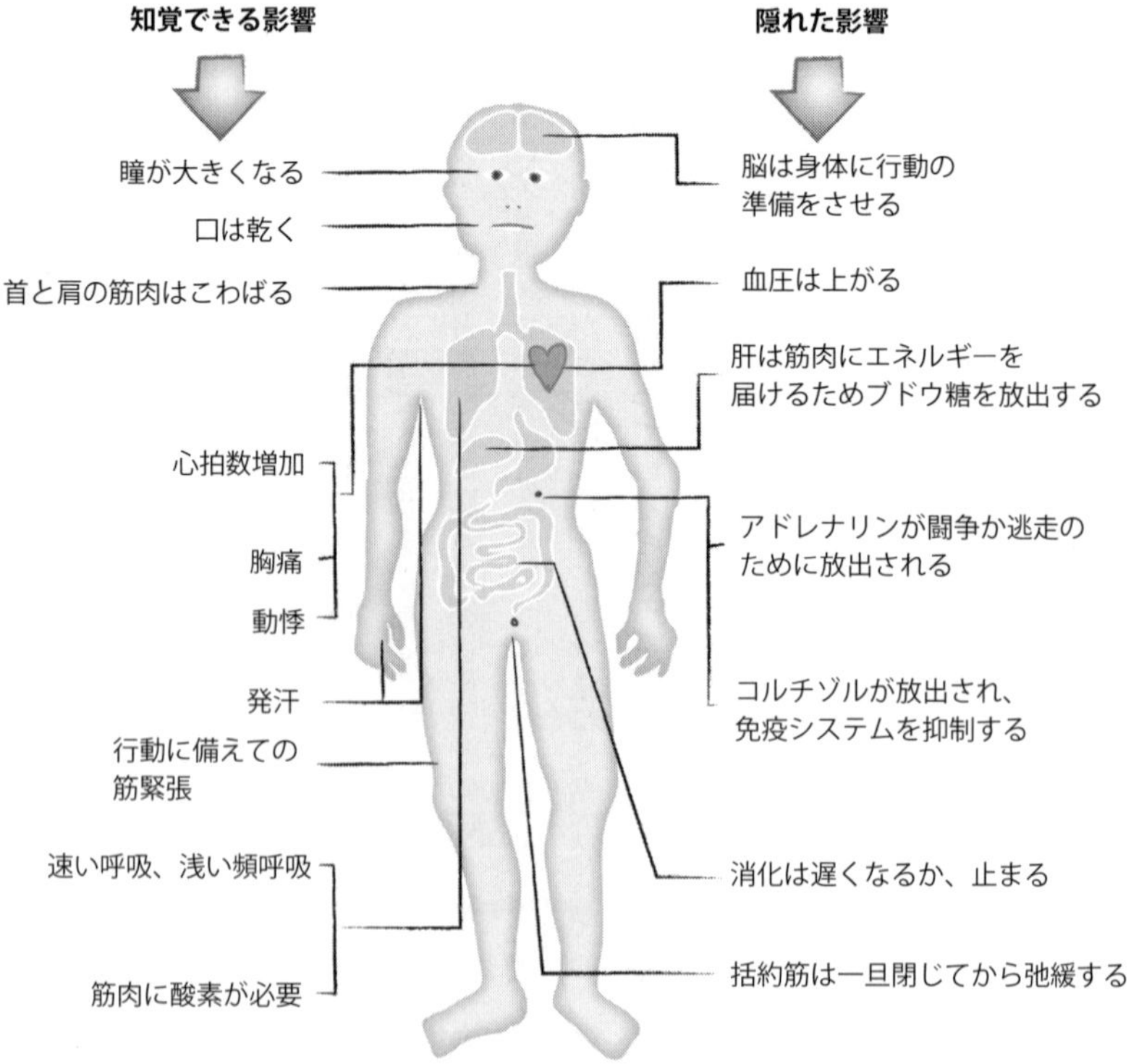
知覚できる影響
隠れた影響
瞳が大きくなる
口は乾く
首と肩の筋肉はこわばる
心拍数増加
胸痛
動悸
発汗
行動に備えての
筋緊張
速い呼吸、浅い頻呼吸
筋肉に酸素が必要
脳は身体に行動の
準備をさせる
血圧は上がる
肝は筋肉にエネルギーを
届けるためブドウ糖を放出する
アドレナリンが闘争か逃走の
ために放出される
コルチゾルが放出され、
免疫システムを抑制する
消化は遅くなるか、止まる
括約筋は一旦閉じてから弛緩する

・恐怖の衝動は、逃走、隠れる、時にフリーズを起こす
・怒りの衝動は、闘いの準備をさせ、攻撃性を惹起し、嫌なことを言わせ、相手を脅し、自分と仲間を守り、事態の変化を促す
・悲しみの衝動は、私たちをスローダウンさせ、安らぎとつながりを求めさせ、私たちを縮ませる
・喜びの衝動は、私たちを微笑ませ、大きく成長させ、感じている喜びを他者と分かち合おうとさせる
・ワクワクする高揚感の衝動は、私たちが目指すものに向かって進む力になる。私たちを飛躍させ、仲間や友人と興奮を分かち合わせる
・嫌悪の衝動は、嫌悪の対象から反射的に離れさせ、吐き気を催させる
・性的な興奮は、欲望の対象に向かわせ、性的エネルギーの解放に向かわせる

上がります。自分に対する厳しい評価や自己批判は、内側から感情を増幅させます。

私の体験をお話ししましょう。私は、授業中に、先生がすでに答えたことを質問してしまい、恥ずかしい思いをしたことがあります。心の中で、**自分はなんてバカなんだろう**と思いました。自分を恥じるこの考えによって、恥ずかしい気持ちがますます膨らみ、大きくなりました。この考えが大きくなるほど、自分自身が小さくなっていくようでした。悲惨な気持ちを増幅させたくなければ、この考えをピタッと止めることもできます。批判的なセルフ・トークを、思いやりのあるセルフ・トークに変えることができたら、すぐに気持ちが楽になるでしょう。たとえば、先ほどの教室の場面では、**私はみんなの前で恥をかいたわけじゃない**というふうに考えてみると、自分への思いやりを感じやすくなるかもしれません。

ほかの人に、感情を増幅させられることもあります。私は、休暇先へ向かう前日、飛行機が無事に飛ぶかどうか心配していると、母に話したことがあります。すると母は、それに対してこう言ったのです。「ちょっとやめて。そんなこと言わないでほしかったわ」。彼女の目は恐怖でいっぱいでした。この母の反応で、私は、ますます心配になりました。心配を通り越して、怖いほどでした。脈が速まり、腕が震え、呼吸も浅く速くなりました。

怒りは、増幅されやすい感情です。大切な人との諍いが、どんなふうにエスカレートしていくか、考えてみてください。あなたが相手に対して口火を切り、相手は責められていると感じて、自己正当化で応じます。すると、あなたは聞いてもらえない感じがして、ますます動揺します。あなたの動揺を怒りと解釈して、相手も怒り始めます。最初に侮辱されたと感じたときから、ふたりともどんどん腹を立て、ますます防衛的になっていきます。あなたは頑として譲らず、独りよがりな怒りに身を投じます。衝突した時点で、対立がエスカレートしないように気をつけないと——間を置いたり、休憩を挟んだりして、諍いにつながる怒りの強い衝動に負けないようにして——諍いはすぐ怒鳴り合いになり、さらにこじれてしまいます。

エスカレートした感情のエネルギーを、うまく調整できるレベルまで和らげるツールや能力が、自分にはないと思うと怖くなるものです。私たちがある出来事に対処しようとして、防衛を選ぶのはこのためです。サラが、怒りが生じるたびにそれを感じないようにしたり、私のオフィスから出て行きたくなったのもこのためです。彼女は、自分の気持ちをうまく調整するためのツールやスキルを持っていなかったのです。

一方で、私たちは、一緒に喜び、楽しんでくれる人たちと気持ちを分かち合うことで、喜びや興奮といったポジティブ感情を増幅させることができます。よく反応してくれる人と、ポジティブ感情を共有できると、いい気分が自分の中でも相手の中でも膨らんでいくのです。喜びや興奮が増幅されると、安全なアタッチメントが育まれます。実際に、パートナーと日々、喜びや興奮の瞬間を分かち合うことで、愛情や高揚感が高まり、絆が深まることがわかっています。

感情にはエネルギーがある

ヒトは生き物です。すべての生き物は、エネルギーのバランスが取れた状態を維持することによって、オーバーヒートに陥ったり、身体が冷え切ったりして、死に至るのを防いでいます。車が走るにはガソリンがいるのと同じように、私たちは食べ物を消費して、身体の機能を維持するためのエネルギーを作り出しています。呼吸と代謝によって、体内細胞のエネルギーが作り出されます。このエネルギーが心臓を動かし、肺での呼吸、胃での消化吸収、筋肉を動かすことに使われます。私たちは、エネルギーの生産と消費のバランスを取ることで、体内のホメオスタシスと調和を維持しているのです。

車のエンジンは熱くなりすぎると、オーバーヒートして動かなくなります。エンジンが熱を持ったら、その熱を逃がさなければなりません。コア感情にも同じことが言えます。コア感情はエネルギーを作り出すので、そのエネルギーを解放しなくてはなりません。私たちが、赤信号感情や防衛をたくさん使いすぎると、感情のエネルギーがブロックされ、問題を抱えることになります。

不安・罪悪感・恥は、エネルギーを下向きにかけて、コア感情の表出を妨げる3つの方法です。赤信号感情は、ある時点において、他者と私たちとのつながりを守ってくれますが、これには犠牲が伴います。感情のエネルギーが閉じ込められてしまうのです。

飼い犬の死を知ったとき、ジョナサンは、胃と心臓のあたりに、不意に沈みこむような悲しみの感覚を感じました。この感覚は彼の体内を駆け巡り、瞳にまで込み上げてきました。瞳は泣くことで悲しみを解放できる場所なのですが、悲しみが瞳に到達する前に、ジョナサンは喉の筋肉を締めつけて、それを止めました。喉の詰まりは、ほとんどの人が体験したことのある感覚です。ジョナサンは泣きたいのをこらえ、自分にこう言い聞かせました。**男らしくしろ！** 悲しみを感じようとしないことが、彼のうつの一因だったのです。

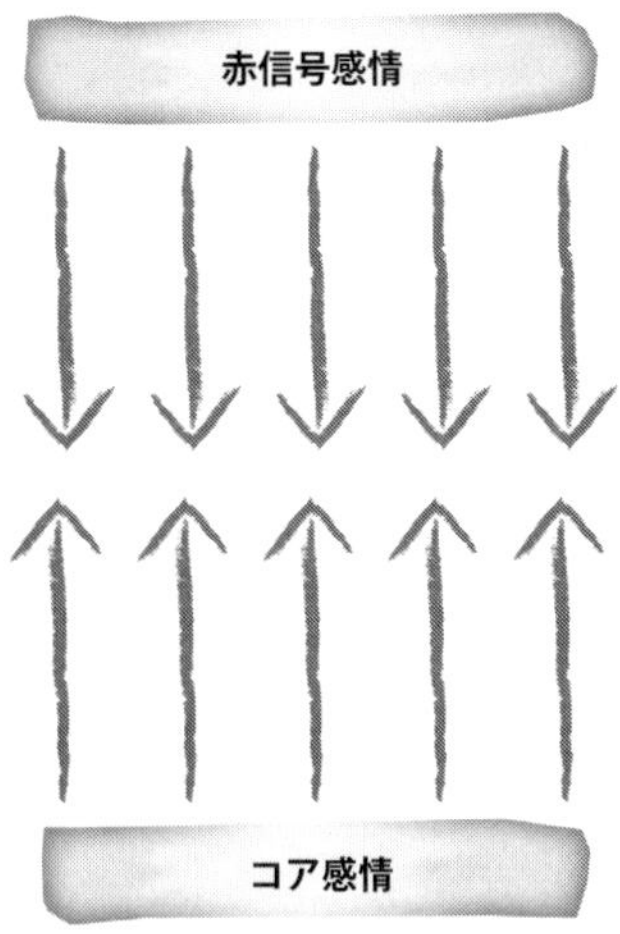

ピストンをイメージしてみる。コア感情は湧き上がってきて、エネルギーを解放しようとする。不安・恥・罪悪感は、コア感情が表現すべく突き上げてくるエネルギーを抑えつける役割をする。

人はたいてい、コア感情のエネルギーをブロックしています。コア感情のエネルギーがブロックされると、人は「変容の三角形」を赤信号感情や防衛へと向かいます。しかし、エネルギーが消えることはなく、心や身体がザワザワして、ストレスを感じます。そのままでいる必要はありません。私たちは、「変容の三角形」の下へと向かい、コア感情を体験し、健全なやり方で自分の気持ちをうまく調整すればいいのです。

やってみよう——内側の体験に気づく

次のエクササイズでは、内側の体験に気づき、名前をつけるという練習をします。あなたが気づいたことについて、正しい答えや間違った答えというものはないと覚えておいてください。これはとても大切なことです。あなたの主観的な感覚こそが頼りです。もし必要なら、巻末にある感覚と感情の言葉のリスト（付録Ａ・Ｂ）を使ってください。自分の感情や感覚に言葉を与える際の助けになるでしょう。

身体の感覚

そのままの状態で心をスローダウンしましょう。足の裏が床についているのを感じて、4、5回深呼吸をします——自分にとって心地よいペースで。そうすると、空腹や疲れといった感覚が思い出されるかもしれません。一番思い出しやすい体験を取り上げてみましょう。

空腹や疲れを伝えてくる感覚は、身体の中で、どんなふうに感じられますか？　少なくとも30秒は時間を取りましょう。身体の感覚を感じるには、思考を捉えるよりもずっと、時間がかかるものなのです。

空腹や疲れを伝えてくる身体の感覚を、ひとつかふたつ書き出してみましょう。

1.

2.

ボディ・スキャン

安定した呼吸を続けながら、頭頂から爪先まで、身体全体をスキャンしてみましょう。飛び込む前に、爪先を水につけていくような感じで——どんな感じがするか、ただ見ていきましょう。ある感覚に気づいたら、それを言葉にできるかどうか、やってみましょう。どんなにかすかなものでもかまいません。最初は、身体の中で何の感覚もしないかもしれませんが、しばらく心臓や胃のあたりに注意を向け、さらに10秒待ってみて、何が起こるか見てみましょう。たとえば、**身体は、落ち着いている感じがする**とか、**ジリジリする感じだ**と、わかってきます。

気づいた感覚を3つ書き留めましょう。

1.

2.

3.

怖いと感じるような感覚や、落ち着かない感覚が芽生えてきたら、一旦休憩してください。深呼吸をして、先ほど見つけた平和な場所をイメージします。エクササイズに再び取り組むのは、気持ちが落ち着き、感覚を言葉にする準備が整ってからにしましょう。

覚えておいてほしいのは、自分が気づいたことをジャッジしないということです。いつも、自分自身に対する好奇心と思いやりを持ち続けましょう。身体の感覚に波長を合わせたら、自分をジャッジするのをやめ、好奇心を持って、自分自身を思いやるスタンスを保ちます。難しい、できないと感じるなら、その気持ちも肯定しましょう。そして、何がそうさせているのだろうと、自分に問いかけましょう。その変な感じや、落ち着かない感じを言葉にすることができるかどうか、やってみましょう。それは、感覚そのものでしょうか？　馬鹿げているとか、甘えじゃないかと感じていませんか？　自分を批判したり、ひどい言葉で話しかけたりしていないでしょうか？　ただ、気づいてみましょう。

思考と感情をつなぐことで心の柔軟性を育む

ある時点において、自分が「変容の三角形」のどのコーナーにいるかを知るためには、思考と感情を区別することが重要です。思考は助けになることもあれば、役に立たないこともあります。私たちの頭の中では、反芻や強迫的な思考、心配事が渦巻いています。私たちは、自分の考えによって、ますます嫌な気分になっていることにさえ気づけていないのです。

考えるのをやめようと言っているのではありません。一日中、無防備で感情的な状態で過ごすのも、現実的ではないからです。ただ、ほとんどの人が思考にばかり注意を払い、感情を無視していることも確かです。大切なのは、思考と感情を自由に行き来できるような柔軟性を育むことです。

自分の思考に、注意を向けてみましょう。それにただ、気づいてください。あなたはこんなことを考えているかもしれません。**この情報は面白いな。**または、こんなことを考えているかもしれません。**こんなの馬鹿げている。**今夜の夕食は何にしようと考えている人もいるかもしれません。自分の思考をジャッジするのではなく、ただ、それに気づくのです。シンプルでしょう。今、どんな考えが浮かんでいますか?

気づいた考えを3つ書き出してみましょう。

1. ＿＿＿＿
2. ＿＿＿＿
3. ＿＿＿＿

次は、首の下から、身体の中心のあたりに注意を向けます。10秒ほどそのままでいましょう。息を止めないように気をつけて、深い呼吸を続けます。

感情か身体感覚に気づいたら、言葉にしてみましょう。落ち着いている、リラックスしている、緊張している、ストレスを感じる、あたたかい、冷たい、うれしい、悲しい、怒っている、怖い、興奮している、肌が泡立つ、麻痺している、ドキドキするなどと感じるかもしれません。

感情か感覚に気づいたら、3つ書き出してみましょう。

1. ＿＿＿＿
2. ＿＿＿＿
3. ＿＿＿＿

最後に、頭のほうへ注意を戻します。もう一度思考に集中し、自分にこう尋ねてみてください。**このエクササイズについてどう思いますか？**

今、考えたことを3つ書き留めてみましょう。

1. ＿＿＿＿＿＿＿＿＿＿
2. ＿＿＿＿＿＿＿＿＿＿
3. ＿＿＿＿＿＿＿＿＿＿

そうしたら、身体の中心にもう一度注意を向けて、何を体験しているか、感じましょう。前に感じたことを、今も感じていると決めつけないようにしましょう。

今、気づいた感情や身体の感覚を、3つ書き出してみましょう。

1. ＿＿＿＿＿＿＿＿＿＿
2. ＿＿＿＿＿＿＿＿＿＿
3. ＿＿＿＿＿＿＿＿＿＿

頭のほうへ上って考えるときと、身体のほうへ下りて、感情や身体の感覚を感じるときの違いを感じられたでしょうか？

自分の内側の状態をチェックする

「**自分の身体をチェックすること**」といったリマインドを、カレンダーに書き込んでおくのをお勧めします。こうすると、ペースを落として、自分の思考と感情に波長を合わせることを習慣化することができます。正しく感じられることや、いい感じがあるのに気づいたら、しばらくそれにとどまってみましょう。目的は、感覚をよく知ることです。好奇心を持って取り組みましょう。

緊張、ジリジリする感じ、悲しみ、痛みといった難しい感覚に気づいたら、その感情や感覚を表すのにぴったりな言葉を見つけられるかどうか、やってみましょう。そう感じている原因を見つけられそうですか？　**今、こんな感情や感覚をもたらしているものは何なのだろう？**　と、自分に聞いてみましょう。自分が感じているのが、コア感情なのか、赤信号感情なのかを区別できるかどうか、やってみましょう。そのうちに、自分が「変容の三角形」のどのコーナーにいるのかを、より正確に知ることができるようになり、ますます自分のために使えるようになるでしょう。

たとえば、フランは、悲しみをブロックしやすいという自分の傾向に気づいて、自分の状態を定期的にチェックするようになりました。彼女は、自分の脳が反射的に、悲しみを抑え、無視するということを学んだので、積極的に悲しみを見つけ、生み出すことが必要でした。自分の内側にある悲しみに気づいたら、彼女はそれを尊重するようにしました。「尊重する」とは、最優先にするという意味です。彼女は、身体の感覚に波長を合わせ、それが悲しみを伝えてきたら、その悲しみの感覚が変化するか、彼女に話しかけてくるまで、それに集中し続けました。彼女は、悲しみが起こったときに、自分の内側や外の世界で、何が起きているのかを知ろうとしました。彼女は、自分の悲しみに思いやりを持って向き合うようになったのです。

ほとんどの人が、不快な体験を言葉で表すほうが簡単だと思っています。私たちは、ポジティブな体験を表すために使う言葉よりも、ネガティブな体験を表す言葉のほうを、より身近に感じているようです。たとえば、冷静になりなさい、という言葉もそうです。多くの人が、冷静になるとは、何も感じないことだと言います。しかし、冷静さという体験には、柔和な、じっとした、顔を輝かせて、優しいといった言葉を使うこともあります。心地よい感情や感覚を見つけたら、その感覚にしばらくとどまって、ぴったりな言葉を与えてみましょう。比喩のようなものでもかまいません。感情や感覚に言葉を与えると、それが目印となり、その良い体験を脳に焼きつけることができます。そうすれば、あなたはこの実り豊かな体験に、簡単に戻ってくることができるでしょう。

日課にすると良いこと

・ペースを落とし、心と身体の中で起きていることに気づく
・防衛的な考えや行動に気づき、それが起きている理由を尋ねる
・頭から離れて、防衛を脇に置き、身体の感じを確かめる
・体験していることを、言葉で言い表す
・気持ちを肯定する

これらを続けていくと、脳にポジティブな変化を起こすことができます。

やってみよう――コア感情を見つける

頭頂から爪先まで、身体全体をゆっくりとスキャンしながら、どんな感情があるか探してみましょう。どんなに小さくてかすかなものでもかまいません。何らかの気持ちを見つけたら、自分に以下の質問をして、一番ぴったりなコア感情を見つけましょう。ペースを落とすのを忘れないでください。一度に確認する感情は、ひとつにしましょう。**十分に時間**を取ってください（それぞれの感情に30秒ずつかけて、身体をスキャンします。とても長い時間に思えるかもしれません）。

以下の質問にひとつひとつ答え、今見つけた感情の横にチェックマークをつけましょう。気づいたことをただ受け入れて、その気持ちを**感じるべきか否か**評価しようとする誘惑に負けないようにしましょう。

・私は、怒りを感じている？
・私は、悲しみを感じている？
・私は、恐怖を感じている？
・私は、嫌悪を感じている？
・私は、喜びを感じている？
・私は、ワクワクしている？

・私は、性的な興奮を感じている？

感じているコア感情を**ひとつ**、取り上げます。そして、感情そのものに波長を合わせてみましょう。感情について考えるのではありません。ただ感じるだけです。深呼吸をしながら、30秒ほどその感情にとどまってみましょう。もっと長く、その感情にとどまってみると何が起こるでしょうか。気づいたことを3つ書き出しましょう。

1. ＿＿＿＿＿＿＿＿＿＿
2. ＿＿＿＿＿＿＿＿＿＿
3. ＿＿＿＿＿＿＿＿＿＿

あなたが最近、体験した感情について、以下の文章を完成させてみましょう。ジャッジしたり考えたりせずに、身体で感情を感じて、その感情から答えを教えてもらうのです。

・私は＿＿＿＿＿＿に怒っています。
なぜなら＿＿＿＿＿＿だからです。

・私は＿＿＿＿＿＿を悲しく思いました。
なぜなら＿＿＿＿＿＿だからです。

・私は____に恐怖を感じました。
なぜなら____だからです。

・私は____に嫌悪感を覚えました。
なぜなら____だからです。

・私は____に喜びを感じました。
この気持ちを____と分かち合いたいです。

・私は____にワクワクしました。
この気持ちを____と分かち合いたいです。

・私は____に性的な興奮を感じました。
私が想像したのは____です。

5

赤信号感情

スペンサーの社会不安

スペンサーは、冷たい雰囲気の家庭で育ちました。彼の父親は傲慢で、友人も少なく、他者は「鬱陶しくて」「馬鹿ばかり」と考える人でした。スペンサーの母親は消極的でおとなしい人で、緊張感に満ちた家庭の険悪な雰囲気を和らげようともしませんでした。スペンサーの心が安らぐのは、自室にこもってひとりで絵を描いているときだけでした。

大人になったスペンサーは、本当は彼の情熱は絵を描くことにあったものの、グラフィック・デザインの仕事に就きました。画家としての才能があるのに、引っ込み思案な性格のせいで、自分の作品を売り込むのに苦労していました。スペンサーは、私にこう言いました。「社会不安を克服したいんです。そうすれば、知らない人に会って自分の作品を紹介するとき、もっと安心していられるんじゃないかって」。社交の場で、スペンサーは尻込みしてしまい、「間違ったこと」を言ってしまうのではないかという恐怖を感じるのです。

最初の頃のあるセッションで、私は彼に尋ねました。「『間違ったこと』とは、どんなことですか？」

「馬鹿なことを言ってしまうんじゃないかと心配なんです。人から鬱陶しがられるようなこととか」と、彼は答えました。

「そういうことを言ってしまったら、どうなりますか？」

「すごくマズいと思います！」スペンサーの身体に恐怖が走りました。

「マズいと言うと？」

「馬鹿な奴だと思われたくないんです。人から怒られるのも嫌ですし」

私は、彼の左足が貧乏ゆすりをしているのに気がつきました。「左足のその動きは、私たちに何と言っているのでしょう？」

「人から怒られるのが怖い。どうしたらいいか、わからない」と、彼は言いました。

「そのことを私に話しながら、何か心に浮んできたイメージはありますか？」

「僕は、ひとりぼっちで、みんなが僕を見ていて、馬鹿な奴だと批難して、僕に腹を立てています」と、スペンサーは言いました。社交の場へ出て行こうとするたびに、このイメージが彼の頭をよぎるのです。行きたくないと彼が思うのも、無理のないことでした。

初めて会ったときから、私は、彼の振る舞いに感銘を受けていました。彼は容姿端麗で、物腰も柔らかく、紳士的でした。常に礼儀正しくて、思慮深く、セッションのときにはいつも、自分の分だけでなく、私にもコーヒーを買ってきてくれました。赤信号（抑圧）感情の下には、すごく魅力的な彼がいて、いくらでも誘いが舞い込むに違いない。もっと自分に自信を持てたらいいのに。私は、スペンサーにそんな印象を持っていました。不幸なことに、彼は他者から怒りや批判を向けられることを恐れていました。人との関わりを制限して、軽い付き合いだけにとどめることで、自分を守っていたのです。

スペンサーは、何かミスをして人を怒らせてしまうのではないかと、常に気にしていました。そうすることで、他者と一緒にいるときに生まれる、耐え難い不安を感じないようにしていたのです。もし、彼の防衛が話せたら、こう言うでしょう。**ほかの人から求められていることを正確に知ることさえできれば、それを相手に与えて、怒りから逃れ、安心できるのになぁ。**空想の中で他者からの批判や怒りに対して、自分を守る方法を考え出そうと、彼は常に頭をフル回転させているのでした。

彼は解決できない問題を解決しようとしているのです。誰も人の心を読むことはできません。相手の望みを探ろうとするには、膨大なエネルギーがいりますし、そのエネルギーは本来、楽しみや他者とのつながりに回すべきなのです。

スペンサーの防衛は、彼の頭の中に棲みついています。この防衛によって、彼は、不安による身体症状——吐き気、胃の下のあたりの締めつけ、身体の芯がジリジリする感覚、動悸——を自覚することもなく、自分が剝き出しになるような感覚を避けることもできました。しかし、長い目で見ると、このようなやり方は彼の社会不安を解決することにはなりません。

防衛によって、私たちは痛みを避けるのです。この場合の痛みとは、不安や恥、罪悪感、コア感情などの対処できないほど強い感情のことです。しかし、防衛には犠牲がつきものです。スペンサーは、防衛によって、周りの人とリラックスして関わることを犠牲にしています。強迫的な堂々巡り（反芻とも言う）や心配し続けることには何の意味もなく、ただ苦しいだけなのは言うまでもありません。彼は心の中で、こんな呟きを何度も繰り返しているのです。**僕は誰からも好かれない……僕はひどい人間だ……きっとミスをしてしまう……みんなを怒らせる……僕は誰からも好かれない……僕はひどい人間だから……きっとミスをしてしまう……みんなを怒らせる……僕は誰からも好かれない……ひどい人間だから……きっとミスをする……そして、みんなを怒らせてしまうんだ……。**

人から怒りを買わないように反芻を繰り返すことで、犠牲になっているものはたくさんあります。たとえば、

・反芻によって、仕事を効率的にこなし、楽しみ、クリエイティブになり、外の世界に興味を持つためのエネルギーが奪われます

・反芻によって、闘争－逃走反応に関わる脳の部位が、危険を知らせる状態になります。ストレス・ホルモ

ンが分泌され、そのうち、健康に害が及ぶことになります

・反芻によって、その人の問題解決能力が損なわれます。不安なとき、人の心は正しく働きません。反芻や心配をしていると、問題に対処しているような気持ちになるものですが、効率が悪いくらいならまだしも、時には、問題が実際には存在していないことすらあるのです

セラピーを始めてから3か月後、スペンサーは10代の頃の自分について話し始めました。「父は僕が言ったことが気に入らないと、まるで僕が父を刺したかのように、とんでもなくひどい人間だと思わせました。僕だって、時には気に障ることを言う普通の10代の若者だということを、父は理解できていなかったのだと思います。父は、僕の言葉を真に受けて、こう言いました。『俺のことが嫌いなんだろう。俺よりも、ペットの犬にばかり良くしやがって』。父はいつも、僕が悪いと言っていました」

「ひどい話ですね」。私は、彼の父親にも母親にも、怒りを覚えました。彼らには、子どもに共感し、ケアしようとする気持ちが欠けています。見下すようなタイプのネグレクトは、子どもに大きなダメージを与えます。

「そうですか?」と、スペンサーは言いました。

「ええ。あなたは、どう感じていたのですか?」と、私は尋ねました。

「嫌でした。でも、自分のせいだと思っていました」

「ひどいのはお父さんだと聞いて、どんな気持ちになりますか?」。私は尋ねました。

「ほっとしました。ありがとうございます」と、スペンサーはそう言って、目を伏せました。

「それに、あなたは、ご両親とはまったく違っていますね」。私は、彼がペットの犬をどんなふうに育てていたかを思い出していました。彼の両親がしたことでよかったのは、彼に犬を買ってあげたことです。彼は13年間、その犬を育て、可愛がりました。愛情深くその犬を世話した彼の話は、私の涙を誘いました。

私は、彼とペットの犬、ウェズリーとの関係を、セッションの中でたびたび取り上げました。恐怖を感じることなく、愛情だけを感じられる例を説明するとき、ウェズリーといて、どんな気持ちになれたか思い出してほしいと、私は彼に伝えました。愛され、受け入れられていると感じられたときのことを思い出してもらいたいときにも、私は、ウェズリーは彼をどう思っていて、彼はウェズリーをどう思っていたか、思い出してみてほしいと言いました。私は、彼に、両親との違いを感じてもらうために、自分のウェズリーに対する接し方と、両親の自分に対する接し方とを、比べてみてほしいと思いました。

スペンサーは、ほかの人には共感しても、自分に共感することができません。私は、彼にも、このダブル・スタンダードな状態に関心を持ってもらいたかったのです。彼は、ほかの人の気持ちになって考え、ほかの人の失敗を大目に見てあげるのに、なぜ自分は人から同じようにしてもらえないと思うのでしょう?

私は、彼の中のあるパーツが、父親との過去の記憶にとらわれていて、無意識のうちに、それが今に反映され繰り返されているのかもしれないと考えました。別の言い方をすれば、彼の脳は、それが過去の記憶の再現だとは気づいていません。スペンサーは、彼の中の幼いパーツの目から世界を見ています。彼は、父親に反応したように、周りの人たちに反応してしまっているのです。子どもの頃の父親に対するコア感情を感じ切り、彼の中の傷ついた幼いパーツを安心させてあげることができれば、彼は、もっと自分に自信が持てるようになり、今ある現実や、周りにいる人たちを、もっとしっかりと見つめることができるはずです。

大人になるにつれて、私たちは、卑劣なことをする人たちから、自分を守る力を身につけていきます。弱かった子どもの頃とは違うのです。しかし、スペンサーは今でも、誰もが父親のように自分を扱い、自分はそれに対してなす術がないと思い込んでいます。

セラピーを始めて数か月が経った頃、スペンサーはとても大切なことに気づきました。

「自分には生まれつき、欠陥があるような気がしていたんです。これはたぶん、意地悪で、ひどい父親のせい

【セラピーの初期におけるスペンサーの変容の三角形】

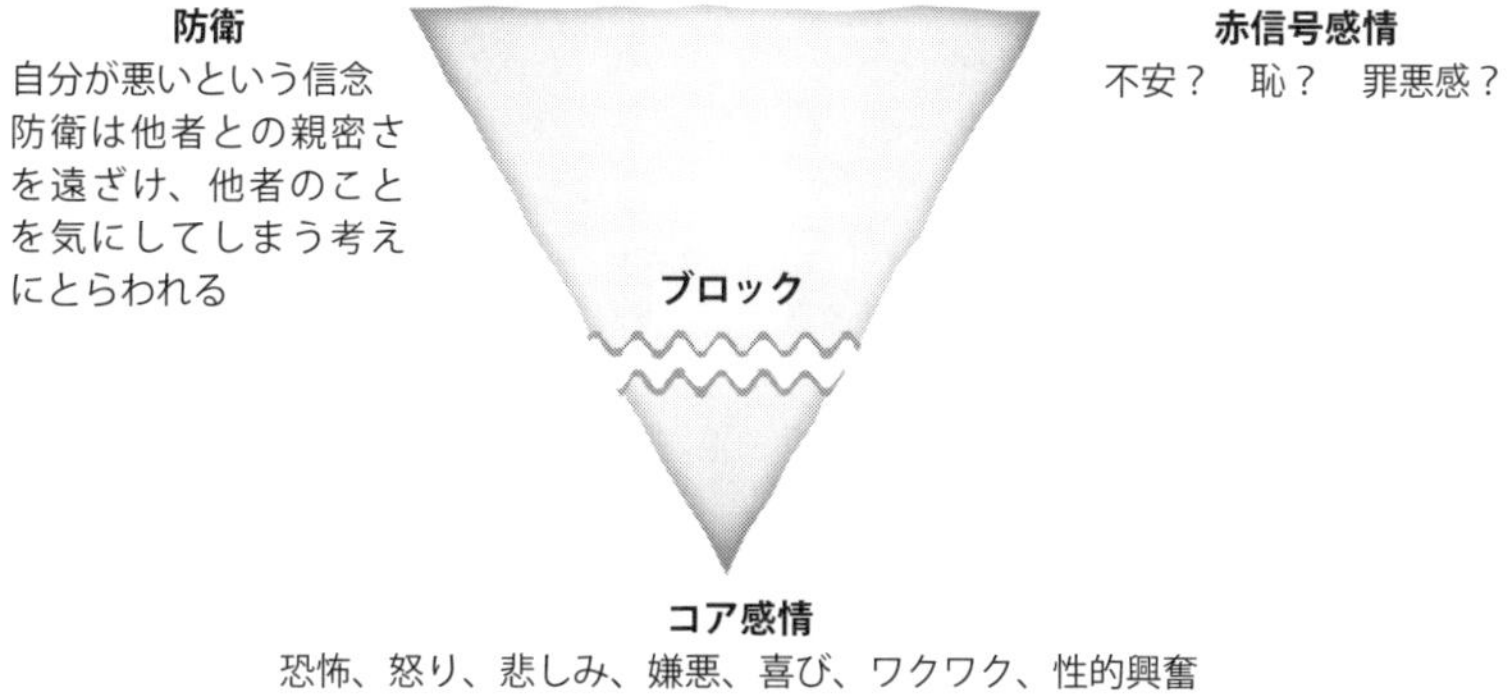

じゃないかと」

「子どもの頃は、とても大変でしたね。本当につらく当たられて。お父さんがあなたにひどい接し方をして、つらく当たったのは、あなたのせいではありません。きっと、あなたが生まれるずっと前から、そういう人だったのではないでしょうか。お父さんの子ども時代のことで、何か知っていることはありますか？」私は尋ねました。

「少しだけ。あまり良くはなかったようです。あるとき、母が叔母に話していたのを聞いたのですが、祖父にはアルコールの問題があったようです。お酒を飲んで暴れて、刑務所に入っていたこともあったと思います。バーで乱闘になり、人を殺しかけたという話もあります」

「そんなことが。お父さんも、怒りっぽい父親に育てられたということですね。お父さんが怒りっぽいのは、そのせいでしょう。あなたのせいじゃない。そう思いませんか？」

「頭ではわかっているのですが」

「ここではわかっている」と、私は頭を指して言い、「でも、ここに落ちてこないんですね」と、胸に手を当てました。

「そんな感じです」と、彼は頷きました。

トラウマを癒やすというのは、脳の「ソフトウェア」を現在の状態にアップデートするということです。私たちは、過去の出来事を、記憶として脳内に保存しておきたいのです。本当に身の危険が迫っているなら、サバイバル用の感情発動が必要です。しかし、安全な状況なら、落ち着いた気持ちでいたいものです。そうすればエネルギーを日々の暮らしに使えます。セラピーでは、スペンサーの脳の回路をつなぎ直し、子どもの頃、自分の身に起こったことはもう終わったことなのだと、彼に学んでもらえるようにします。スペンサーは、対人関係のスキルも身につける必要があります。たとえば、思いやりを持ちながら、境界や制限を設けるスキルです。幼い頃、彼にはそうしたモデルを示してくれる人が誰もいなかったのです。

セラピーが進むにつれ、スペンサーは少しずつ、自分に自信を持つようになりました。父親との間で起きていたことは虐待だったと認識し、彼は、自分が小さいトラウマを生き抜いたことを実感し始めました。そして、虐待されたのは自分のせいではないと、心の底から感じられるようになりました。その責任は、親である彼の父親にあるのです。彼の中で自信が育ってきたのが見て取れました。気に入らないことも、前よりはっきりと話すようになりました。すくめていた肩の力が抜けて、姿勢も良くなりました。声は深みを増し、よく通るようになりました。外に対してどんなふうに自分を見せていくかを考え、自分をケアするようになったのか、身なりも少し垢抜けてきました。

セラピーを始めて半年ほど経った頃、スペンサーは、暖房がついているのに窓を開けっ放しにしたと、父親から濡れ衣を着せられた出来事を話してくれました。父親は電気代が上がると言って怒ったのですが、スペンサーには、窓を開けたままにしたのは自分ではないという確信がありました。

「父は、僕を、無責任でダメなやつだと言いました」

「アンフェアだし、意地悪ですね」と、私は肯定しました。「この出来事にとらわれて、お父さんからされたことを思い出すのは、今日で終わりにしませんか?」

「ええ、そうですね」と、彼はそう言って、私の言葉を待っていました。

「まずは、一番自信を持った自分になれるようにお手伝いしますね」と、私は微笑みながら言いました。「最近、自分を一番誇りに思った出来事を思い出してみてください」

私は、今ここにいる彼に、強さと有能さをできるだけしっかりと感じてもらおうと思いました。自分に自信を持っているときの記憶にアクセスできれば、ポジティブな気持ちが、彼の心の前面に浮かび上がってきます。こうすると、自分の中の傷ついた幼いパーツとやりとりしやすくなるのです。

「仕事で表彰されたときのことかな。その年の最優秀社員に選ばれたんです。社内のクリスマス・パーティーで発表されました。社員全員が見守る中、賞金を受け取りました。でも、一番心に残っているのは、ほかの社員のスピーチです。みんな、僕をチームプレーヤーだと言ってくれました。いつも手を差し伸べてくれるって」

私は胸を打たれました。彼がこんな話をしてくれるのは、これまでなかったことでした。

「すごい！　それを思い出してみて、身体はどんな感じがしていますか？」

「強くなったような感じがします。背筋が伸びて、姿勢が良くなるような」。彼は椅子の上で座り直し、背筋を伸ばしました。

「姿勢の変化に気づいていますか？」彼にも姿勢の変化に気づいてもらいたくて、私は尋ねました。

「姿勢が良くなりました」

「ええ。今、自分の中の強さや背筋の伸びを感じながら、私ともつながっていてくださいね。そのまま、お父さんとの記憶に戻ってみましょう。そのときの出来事を、できるだけはっきりと思い出してみてください。画像が粗い昔のテレビの映像を、ここに見ているような感じにできますか？[1]」。私は、彼から6フィートほど離れた

1　ある記憶を、画像の粗い古いテレビに映し出すようにして視覚化するというアイデアは、ニューヨークを中心に活動するヒプノセラピスト、メリッサ・ティアーズによるものです。私は、ニューヨークで開催された、無意識の統合的コーチングに関する彼女のワークショップでこの手法を学びました。

ところに自分の手のひらをかざして、テレビのスクリーン代わりにしました。彼が、幼いパーツから少し離れられるように、そして、そのパーツが抱えている感情で彼の自己感が支配されないようにするために、私は、彼の脳とその記憶の間に距離を取ったのです。

「はい」と、彼は言いました。

「何が見えてきますか?」と、私は尋ねました。

「父と僕がバスルームにいるのが見えます。窓が開いていて、父がその窓を指して怒鳴っています。僕はうなだれています」

「今、あなたは私と一緒に座っていて、一番自信を持った、強いあなたになっています。その場面を見て、どんな気持ちが湧いてきますか?」

「自分がかわいそうだし、父に対して腹が立ちます。このクソ野郎と言ってやりたい気分です」と、スペンサーは厳しい声で言いました。彼は片足を現在に、もう一方の足を過去に踏み入れています。これがトラウマを安全に扱う方法です。

「何かの衝動を感じますか?」と、私は尋ねました。

「その子を守ってあげたいです。そして、父にはこう言いたいです。子どもをそんなふうに扱うなんて悪い奴だって」。スペンサーは、自分の言葉に自信を持っているようでした。私は、彼の脳が変化したのを感じました。古い神経回路と新しい神経回路が分離して、過去と現実を区別できるようになったのです。彼の声は力強く、安定していました。

「強くて自信に満ちた大人のあなたをその場面に登場させて、正しいと思うことをするイメージができますか?」

スペンサーは、私の手をじっと見つめました。顔の表情から怒りが感じられました。唇をとがらせ、眉をひそめました。

「何が起こっていますか?」1分ほど経って、私は尋ねました。

彼は想像上のテレビから、私のほうに視線を移しました。「バスルームに怒鳴り込んで、父にこのクソ野郎と言い、彼の顔面を殴りつけました。それから、男の子の手を取って、こう伝えました。もう誰もきみにこんな言い方をしたりしないよって」

私たちの間に静寂が流れました。彼は、自分に対して強い愛情と守ろうとする気持ちを示すという、素晴らしい瞬間をやり切ったのです。

彼は深い息をついて、私を見て、それから上を見上げ、再び私に視線を戻しました。私は、彼が話し始めるのを待ちました。「いい気分です」と、彼は言いました。

「その内側の感じにとどまってみましょう」

「少し震えています。全身が疼いているようです」

「我慢できますか? その感じにとどまれそうでしょうか?」

彼は頷いて、さらに30秒ほどしてから、こう付け加えました。「震えが収まってきました。何か軽くなった感じ、いや、もっと固まった感じと、重い感じが一緒にあるような。おぉ!」

「おぉ!」私は反復しました。

スペンサーは続けました。「つまり、彼は僕の父親だし、僕は彼を愛しています。でも、我慢ならないこともあるんです。父は、本当に嫌な奴です。こんなふうに、父に立ち向かえるなんて思ってもみませんでした。しかも、そんなに難しいことじゃなかった。父は、戦おうとさえしませんでした。父はその場に崩れ落ちて、僕はその子と一緒に立ち去りました。つまり、僕と」

「内側で感じていることすべてに、とどまってみましょう」

「震えはずいぶん収まりました。強さを感じます」

「その強さは、身体のどのあたりにありますか？」私は尋ねました。

「固い感じで、背中から頭にかけて行ったり来たりしています。でも、前に開いていくような感じもあります。意味があるのかどうかわからないけど、そんな感じです」。彼は姿勢良く、背筋を伸ばして座りました。表情も落ち着いたものになりました。私の目には、今までとは違う彼が映っています。何か、大きな成長が起きたようでした。

「とてもよくわかりますよ。身体で感じていることにとどまって、次に何が起きるか、見てみましょう」

「こんなことができたなんて信じられません！」

「できたんですよ！　どんな感情がありますか？」

「よくわかりません。自慢できそうな感じですかね」

私は、思わず顔をほころばせました。「それってどんな感じなのか、注意を向けてみてください。新しくて、素晴らしい感覚ですね」

「全身が大きくなったような感じです。気持ちも高ぶってくるけど、不安ではありません。いい感じです。でも、ちょっと変な感じもします」

「変な感じ？　その変な感じ、私もなんとなくわかる気がしますが、あなたの中ではどんな感覚ですか？」

「いい感じなんですが、たぶん、ちょっと怖くもあります」

「なるほど。いい感じだけど、ちょっと怖い」と、私はそう繰り返して、彼の体験に寄り添いました。彼が、自分の中で起こっている新しい感情をすべてしっかりと感じられるように、私は、ここで時間を取ろうと思いました。時間を取ることで、彼の脳と身体に、新しい感情を取り込むためのスペースを作り出し、体験を統合して、新しい状態を作っていくのです。１分ほど、時間が経ちました。

「穏やかな気持ちになってきました」。スペンサーは、私の目を見ました。「ありがとうございます」と、彼は言いました。「励ましてくれたことに感謝しています」

「どういたしまして」と、私は、幸せな気持ちで言いました。私たちは、しばらく黙って座っていました。そして、私はいつものようにこう尋ねました。「今日、こうして一緒にやってみて、どうでしたか?」

「素晴らしいです。希望が持てました。イメージの中で、父に立ち向かうことができたので、現実でも、ほかの人に立ち向かえそうです。萎縮しなくて済むかもしれません。堂々と胸を張って、リスクを取ることができそうです」

「きっとできますよ。今日がその始まりですね」

スペンサーの自己は、しっかりと心を開いた状態になりました。彼が自信に満ち、冷静で、聡明なのが見て取れました。私は、彼とのつながりも感じていました。そして、何より重要なのは、彼が自分に思いやりを向けたことでした。

翌週、私は、このとても大きくて重要だったセッションの後で、感じたことがあったかどうか、スペンサーに尋ねてみました。「何か、私とシェアしたいことはありますか?」

「はい。子どもの頃のことをかなり考えました。記憶がどんどん出てきたんです。いつも恐怖でいっぱいだったことや、やってしまったことを隠すために、たくさんの時間を無駄にしたことも。もう、あんなことはしたくありません。この気持ちがいつまで続くかわからないけど、違いをはっきりと感じています。ギャラリーのオーナーに連絡をしてみました。画家の友人から、電話してみたらと言われていたんです。留守電にメッセージを残しただけですが、やってみてよかったです。本当にうれしいです!」

「そのことをどう思っていますか?」私は、彼が先週から体験し続けてきた内面の変化を、もっと言葉にしてほしいと思いました。

「父に立ち向かったことが、自分を変えたと思っています。イメージの中であっても、自分の力を感じることができました。うまく説明できないけど。前より怖くなくなったんです。クソ野郎だったのは、彼らであって、僕じゃなかった」

スペンサーとのセラピーは、さらに2年ほど続きました。彼の母親に対する気持ちも感じ切り、そのワークが進む中で、彼と母親との関係は改善していきました。スペンサーは、母親のネグレクトが、彼女自身の子どもの頃のトラウマと恐怖によるものだったことを知りました――彼女は、トラウマによる恐怖のために、彼の父親に逆らうことができなかったのです。母親の責任を問う気持ちは消えませんでしたが、彼は思いやりや許しも感じるようになりました。父親のことはさておき、彼は母親と新しく親密な関係を育んでいきました。スペンサーは、グラフィック・デザイナーとして日々の仕事で活躍し、なかなか実現されない昇格や、より責任のあるポジションを要求できるようになりました。友人関係にも、喜びや満足感を感じるようになりました。彼にとてもお似合いの可愛らしい女性と交際を始め、ニューヨーク北部のギャラリーで個展を開催することも決まったのでした。

さまざまな局面で、私はスペンサーのために「変容の三角形」を描き、いつでも見られるように彼にその紙を渡しました。彼は、財布の中に入れて持ち歩いていると教えてくれました。彼は、時折それを見返し、コア感情の怒りとのつながりを思い出しました。特に、恐怖や恥に引っ張られるのを感じるときに、よく使っていました。幼いパーツがこうした感情を引き起こしそうになるのを感じたら、彼はすぐにそのパーツをイメージして、パーツが求めていることを確認し、それを与えてあげるようにしました。彼が言うには、そのパーツは、意地悪な人から守ってあげるよ、といった安心する言葉を聞きたがることもありました。背中を撫でてほしいと言うこともありました。また別のときには、彼が恐る恐るそのパーツに注意を向けると、しっかり抱きしめてほしいと言われたそうです。

私は、スペンサーが自分の中の幼いパーツに、軽蔑ではなく思いやりを感じられるように手伝いました。最終的に、止まっていたコア感情をすべて感じ切ると、彼は、自分の感情を自分でコントロールできるという安心感と自信を手に入れました。心を開いた状態にとどまれる時間も、どんどん長くなっていったのです。

不安や恥、罪悪感に向き合う

私たちは過去の経験から、どのコア感情が他者から受け入れられないかを学びます。そして、現在においてそのコア感情が喚起されると、無意識のうちに、不安やほかの赤信号感情が引き起こされます。赤信号感情は、**止まれ。その感情を感じるな！** というサインを送る赤信号のように働きます。体験する感情が、コア感情から赤信号感情に変わってしまうのです。コア感情を妨げるのは、次の3つです。不安、恥や罪悪感です。

不安とのワーク

心理療法士になるずっと前から、私は不安とは何か知っていました。思春期、青年期にかけて、私は日曜日になると、月曜日のことを考えて嫌な気持ちになり、その嫌な気持ちの正体が不安だとわかっていました。「明日からの学校、不安だなぁ」と、口に出せることもありましたし、両親は「どんなことを考えて、不安になるの？」と、よく尋ねてくれました。何が不安なのか、わかることもありました。しかし、不安をやり過ごし、もうすぐ終わると自分に言い聞かせることはできても、積極的に自分の気持ちを楽にする方法は、「変容の三角形」を学ぶまでずっと知らないままでした。

初めて参加したAEDPのワークショップで、講師たちは、体験的エクササイズと呼ばれるものに私たちを参加させました。感情を身体のレベルで体験し、その感情を感じ切ることによって、学んだばかりのことを実践してみるのです。講義の後、私たちは3人組になりました。ひとりがセラピスト役、もうひとりがクライエント役、3人目は、タイムキープを行い、必要に応じて講師のサポートを求める観察者の役です。観察者には、助けが必要なときに講師を呼びに行くという役割もありました。クライエント役をしたとき、私はこう尋ねられました。「今、何を感じていますか？」

「今」という言葉が重要でした。感情の作業に入る前に、私は自分を今この瞬間に戻し、それから、カタツムリのようにペースを落とす必要がありました。そうすると、リアルタイムで生じる感情や身体の感覚を感じ取れるようになりました。

セラピスト役をしている学生から、今、何を感じているかと聞かれたとき、私は初めての技法を使おうとして緊張していました。そこで、こう答えました。「緊張しています！」

すると、彼女は私にこう尋ねました。「その緊張は、身体のどこで感じられますか？」

不安という名の緊張を、身体でどんなふうに体験しているかですって？　今までにない質問ね！　私は深呼吸をして、身体の内側の感覚に注意を向け、頭から爪先まで、自分の身体をスキャンしてみました。

「胸元で、鼓動が速くなっているのを感じます。身体全体が震えるような感じもします」と、私は言いました。

すると、相手はこんな提案をしてくれました。「その内側の感じに、しばらくとどまれますか？　呼吸をしながら、注意を向けてください。何か変化が起こったら教えてくださいね。私たちがすることは、ただ、注意を向けるだけです」

私は言われた通りに、自分の身体の感覚にとどまりました。正直なところ、私は怯えていました。バクバクしている心臓に注意を向けたりしたら、鼓動がもっと速くなるに違いないと思ったのを覚えています。そんなことになったら、もっと不安になって、自分をコントロールできなくなると思いました。人前で、無防備な状態を晒すなんて――仲間の目の前で、自分をコントロールできなくなるのは嫌でした。怖がりながらも、私は勇気と信頼をかき集めて、胸の鼓動に注意を向け続けました。すると驚くべきことに、鼓動は落ち着いていきました。内側に注意を向けるにつれ、震えの感覚は収まり、リラックスできたのです。これは貴重な体験でした。

それ以来、不安になっているのを自覚すると、私はすぐに自分の身体に意識を向けるようにしています。ほとんどの人が自然に取る反射的な行動は、頭や考えのほうに引っ張られそうになることですが、私はそれをぐっとこらえます。こうして、自分の身体を感じる力を磨いているのです。自分自身を批判せず、自分にプレッシャーをかけないようにします。不安からくる身体の感覚に、ただ注意を向け、何か変化が起こるまで、ゆっくりと深い呼吸を続けます。すると、ワークショップのときと同じように、私は落ち着くのです。こんなふうに自分の不安と向き合えると、自分をコントロールできるようになった感じがします。また、こうして不安が和らぐと、コア感情を見つけやすくなります。

不安の感じ方は人それぞれ

不安はいろいろな形で起こります。私のクライエントの中でも、目眩や、幽体離脱体験をする人もいます。胃の締めつけや胸のつかえを感じる人もいます。またある人は、脈が速まり、呼吸が浅くなるのを感じます。ほかにも、手足にしびれや痛みが出る人もいます。不安は創造性が豊かなので、さまざまな症状に姿を変えて現れるのです。

・目眩
・ぼーっとする

・離人感
・混乱
・耳鳴り
・目のかすみ
・胃の締めつけ
・消化器症状――下痢、むかつき、嘔吐
・ホットフラッシュ、身体の冷え
・頻尿
・発汗
・片頭痛
・頻脈、動悸
・浅い呼吸
・息切れ
・胸痛
・手足のしびれ・痛み
・レストレスレッグス症候群（貧乏ゆすり）
・震え

「変容の三角形」の不安のコーナーに、自分がいるのがわかったら、次のステップは不安を和らげることです。身体の感覚に波長を合わせ、深呼吸やグラウンディングをすると不安を和らげやすくなります。それができたら、次の課題は、その下にあるコア感情を見つけることです。自分が感じているのがどの感情なのか、いつもはっきりとわかるわけではありません。そうだとしても、コア感情を探すこと自体が役に立ちます。そうすることで、自分自身と内側の体験との間に距離が取れ、客観的になれるからです。

コア感情と不安

不安は心地よいものではありませんが、コア感情を体験しようとしていることを伝える、役に立つサインと見なすべきです。不安を感じていると気づけることが、とても大切なのです。それを手掛かりにして、その下にあるコア感情を見つけ、名前をつけ、肯定し、体験するために、「変容の三角形」に取り組みましょう。コア感情そのものが重要であるだけではなく、不安からコア感情へと移行することで、私たちの不安も和らぐのです。

たくさんの感情と不安

周りの環境で何が起きているかにもよりますが、コア感情と赤信号感情（抑圧感情）が組み合わさって、同時に生じることもあります。たくさんの感情を同時に感じるとき、私たちは感情に圧倒されて、不安になります。感情に圧倒される感覚を和らげるには、それぞれのコア感情をひとつずつ特定するのです。「怒り」や「悲しみ」といったように名前をつけることで、自分が感じていることを、扱いやすく、体験しやすい単位に分解するのです。「変容の三角形」的に言えば、一度に向き合うのはひとつの感情だけにすべきです。いくつかの感情に気づいたときは、そのひとつひとつにスペースをあげると、不安が和らぎます。それぞれのコア感情をざっと見て、自分の内側にもそれがあるか、探してみましょう。**ワクワクしている、それから恐怖も、同時に喜びも、それに……**。コア感情に名前をつけ、区別していくときは、こんなふうに「でも（but）」の代わりに、「そして（and）」を使うようにすると、あなたの脳が感情を区別しやすくなります。「でも」を使うと、その前に感じた感情を打

複数の感情がぶつかり合うと
不安が生じる

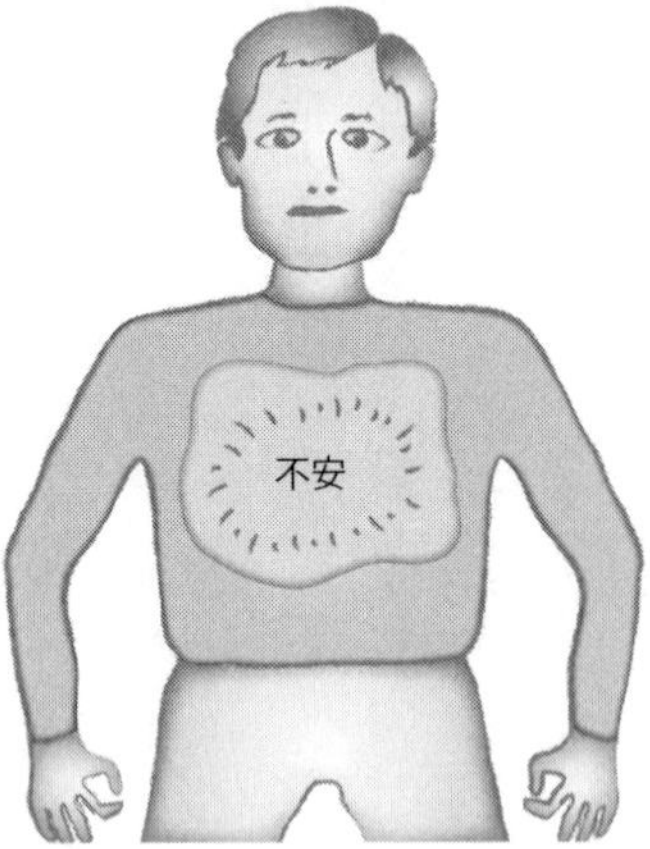

ひとつひとつのコア感情を特定して
それぞれを別々に自分の中においておこう

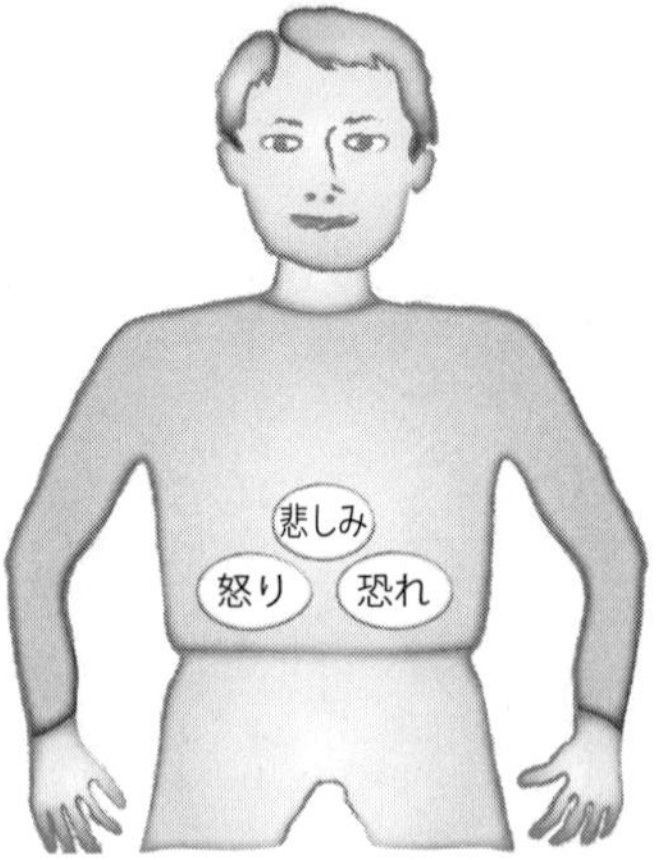

ち消したり、弱めたりすることになってしまうのです。たとえば、**悲しいな。でも、うれしい感じもする**と言うと、悲しみが弱まります。**悲しみ、そして、喜びの両方を**、それぞれしっかりと感じることが大切です。私たちは、複数のコア感情をまとめてひとつの感情として捉えがちです。複数ある場合は、別々にして、自分の中にひとつひとつのコア感情をしまっておくスペースを作りましょう。ある感情に気づいたら、それぞれの感情に注意を向け、感情を特定し、その存在を認め、感じ切りましょう。それが済んだら、ほかにも存在を認めるべき感情があるかどうか、もう一度確認しましょう。

相反する感情と不安

私たちが相反する感情を同時に感じることがあると知ったのは、私にとって新しい発見でした。たとえば、ある人のことが好きなのに、その人から傷つけられるような場合、**大好きと嫌い**を同時に感じるのは、おかしなことではありません。この感情は愛と怒りです。[2] 愛と怒りという、相反するふたつの衝動を持つ、相反するふたつの気持ちが同時に心の中にあると苦労します。相容れない感情が対立することで生まれる不安は、両方の感情の存在を肯定するのを認めるだけでも大

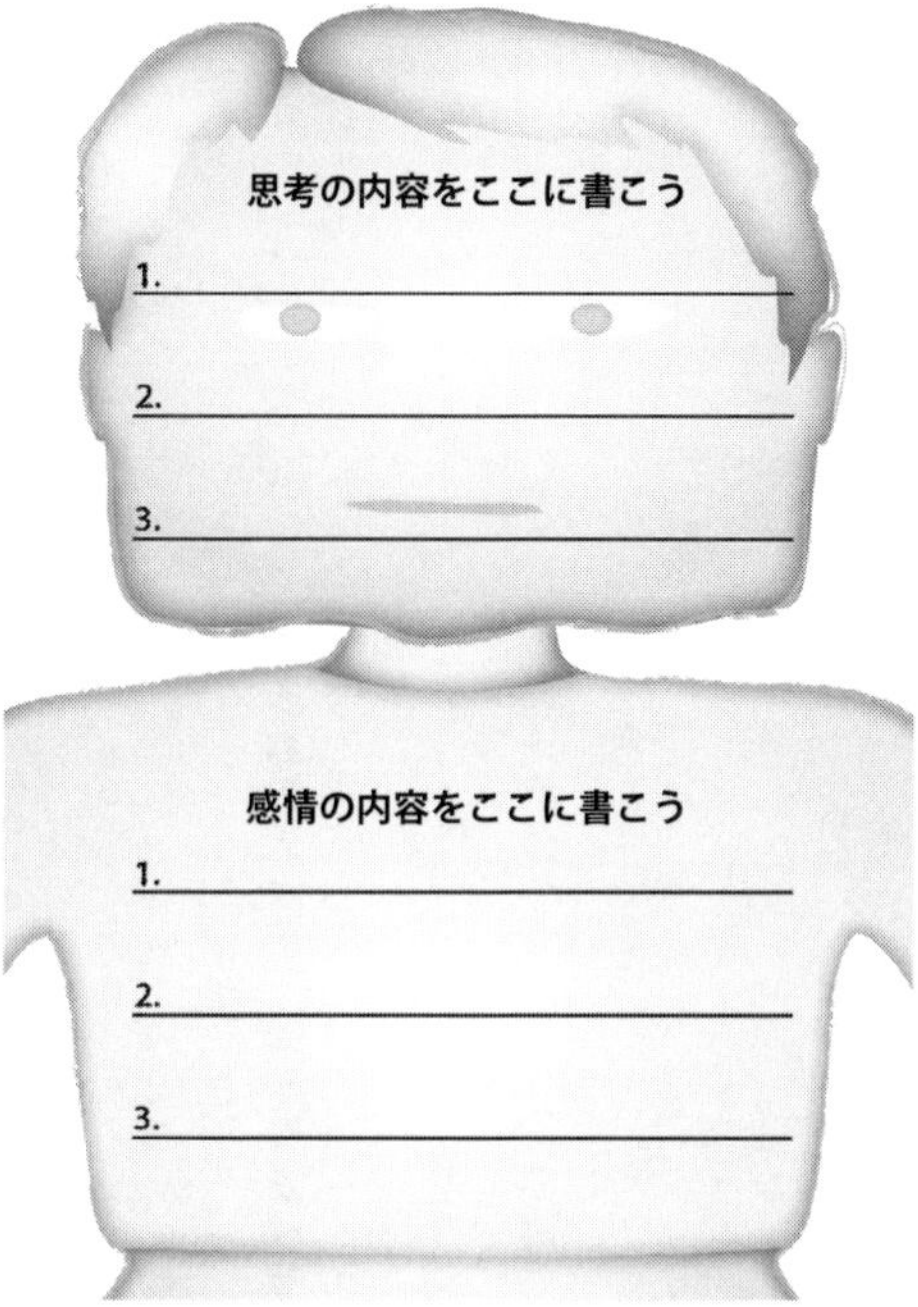

きく和らぎます。心の中で、自分に対して、こんなふうに言ってみるといいでしょう。**パートナーのことが大好き。そして、今は嫌いでもあるし、彼または彼女に対して怒ってもいる。**こんなふうにちょっと言い直してみるだけで、気持ちが楽になり、自分の気持ちをコントロールしやすくなるはずです。

ここでひとつ、エクササイズを紹介します。今度、不安を感じたら、上のような絵を描いてみてください。頭と身体のところに、書き込めるスペースを取っておきます。不安な考えが頭に浮かんでいるのに気づいたら、その考えを書き込みます。次に、首から下の部分でどんな体験が起こっているかに、意識を向けてみます。不安の下のコア感情をすべて見つけたら、そのひとつひとつに名前をつけましょう。一度にひ

2 「変容の三角形」に関するコア感情の中に愛を挙げていませんが、私は、愛もコア感情的な体験だと考えています。愛がふたりの人の間で起こることから、私は愛を関係的な感情という別のカテゴリーに含めています。

とつずつ、コア感情の名前をざっと挙げてみます。悲しいのかな？　怖いのかな？　怒っているのかな？　ワクワクしているのかな？　といった具合に。絵の中の身体の部分で、あなたが感じていると思うコア感情を、すべてリストアップしましょう。

このエクササイズを繰り返しやるのが大変でも、不安になることはありません。続けてやってみましょう。やってみるだけで、脳に良い影響があります。練習するうちに、うまくできるようになるはずです。

恥と向き合う

大多数の人々が、静かなる絶望を生きている。

——ヘンリー・デイヴィッド・ソロー

魂に一歩近づくたびに、悪魔たちが私を嘲笑う。彼らは卑劣な言葉を囁き、その毒で私を蝕む。

——C・G・ユング

「変容の三角形」のワークに取り組むと、防衛が緩み、恥を感じることがあります。恥はよくある感情ですが、複雑で、耐え難い痛みをもたらすものです。恥が強い痛みをもたらすのは、恥を感じていると自覚することから自分を守ろうとして、あらゆる方法（防衛）で心を歪めるからです。少しの勇気と気力があれば、私たちは恥から自由になることができます。恥についてできる限りよく知ることが、その最初のステップです。[3]

恥は、誰もが感じる感情です。誰ひとり、例外ではありません。素っ気なくされたり、拒絶されたり、無視されたり、本当に助けが必要なときに「ノー」と言われたり、信頼していた人から非難されたりした経験は、誰にでもあるものです。

恥について語りたがる人は、まずいません。理由は明らかです。恥について語るのは、不快なことだからです。恥について語ること自体が、恥を喚起します――恥という言葉を聞いただけで、身体が反応するのがわかるでしょう。しかし、恥について知ることで、恥の影響力を最小限に抑えることができます。

そもそも、恥とは何なのでしょう？　恥はどうやって作られるのでしょう？　私たちは、恥をどうやって認識するのでしょう？　そして、どうすれば、恥を変容させることができるのでしょうか？　まずは、恥をふたつのカテゴリーに分けて理解するとよいです。ひとつは、私たちの役に立つ**健全な恥**、もうひとつは、私たちに悪影響を及ぼす**有害な恥**です。

健全な恥によって、私たちはこの世界の良き市民であることができます。協力的な集団を作るために、私たちは生まれ持った自己保存本能を抑制しなくてはなりません。集団が提供してくれる、生存のためのメリットはたくさんあります。支援、協働、庇護などです。恥があることで、私たちは、強欲になりすぎたり、嫉妬深くなったり、攻撃的になりすぎたり、他者に対する虐待やネグレクトをしないでいられるのです。健全な恥によって、私たちは良い人間でいられます。所属する集団の価値観に沿った行動を取っているとき、私たちは楽な気持ちで過ごせます。そうでないときに、自分を恥じるのです。

共感とは、他者の立場になる能力のことで、相手の気持ちを理解したり、共有したりする助けになります。共

3　恥について共有した内容に加えて、恥をより深く学ぶための本を3冊おすすめします。*The gifts of Imperfection* by Brené Brown. *The Psychology of Shame* by Gershen Kaufman. *Shame and Pride* by Donald Nathanson.

感することで、私たちは、レイプや殺人、他者の権利の侵害といった非人道的な振る舞いをせずにいられます。私たちは、本当は、他者を傷つけると嫌な気分になるようにできているのです。受け取る側の気持ちになって考えることができるので、そんな思いを相手にさせたくないと思えるのです。健全な恥と共感は、他者の気持ちになって感じ、互いをケアする本能的な手段です。健全な恥と共感によって、私たちは種として生き延びることができたのです。

有害な恥とは、「自分はダメな人間で、欠点だらけで、誰からも愛されない」という根深い感覚のことです。有害な恥は、私たちの種としての生存には必要ありません――ないほうが、私たちはきっとうまくやれます。しかし、悲しいことに、それは存在し、多くの精神的な苦しみの原因になっています。有害な恥は、うつや依存症、摂食障害、自己愛性人格障害や境界性人格障害などの原因になると考えられています。恥は、完璧主義、軽蔑、傲慢さ、仰々しさ、そして、偏見を生み出します――これらはすべて、私たちが安心感を感じられないときに使う防衛です。恥を感じると、私たちは、ありのままの自分を見せることができなくなります。恥は、私たちに、隠さなくてはいけないものがある、と言ってきます。恥は、私たちが欠点だらけで、不完全で、変わっていると言ってくるのです。さらに恥は、そんな恥ずべきことを誰かに知られたら、拒絶されると言い出しますが、幸いにも有害な恥が起こるのを防ぎ、それを癒やすために私たちができることはたくさんあります。まずは、何が有害な恥を引き起こすのかを学び、それが引き起こす症状について知り、スティグマを取り除いていきましょう。そうすれば、私たちは、有害な恥について率直に話し合えるようになるはずです。

ある時点までは、私も、恥とは何か知りませんでした。ときどき感じる羞恥心くらいのものかと思っていたのです。生理学や心理学の観点から恥について学び、恥が気づかないような形で、ひそかに私たちに影響を及ぼしていることを知ったのです。私は、そこかしこにある恥に気づくようになりました。人々が自分の生活や自分の気持ち、また、自分の体験について率直に打ち明けようとしないことに気づいたのです。友人の中にも、私が自

恥は罪悪感ではない

恥は、よく罪悪感と混同されます。罪悪感は、自分が**何か悪いことをした**ときに感じる感情で、恥は、**自分が悪い**という感情です。罪悪感は悪い行いに対して感じるもので、恥は悪い自分に対して感じます。私たちの中の恥を感じるパーツは、次のように思い込んでいます。

自分は不完全だ
自分はバカだ
自分は価値のない人間だ
自分は出来損ないだ
自分は醜い
自分は愛されない
自分には欠陥がある
自分は受け入れてもらえない
自分は失敗作だ
自分は悪い人間だ

分の苦労話をするか、友人の近況を根掘り葉掘り聞き出そうすると、居心地悪そうにする人がいました。私は、ありのままの自分を出さないようにしているのに気づくと、なぜ出さないようにしているのか、自分に尋ねるようになりました。そして、自分の恥を見つけ、それを自分に言ったり、ほかの人と分かち合ったりして外に出してみると、恥が和らぐことを発見しました。このとき、私が感じた安心感はとても大きなものでした。

「変容の三角形」のワークに取り組むことは、有害な恥を変える助けになります。「変容の三角形」は、次のようなさまざまな形で、恥の変容に役立ちます。

・恥があることを私たちに思い出させ、恥が私たちを防衛の中に留め置いていることに気づかせてくれる
・恥を感じているパーツを積極的に探し、見つけ出すことができるよう、私たちを導いてくれる
・ありのままの自分を受け入れられるよう導いてくれる
・恥を感じさせられたときの記憶を思い出せるよう導いてくれる。そうすることで、私がスペンサーとしたように、そのとき感じていたコア感情を解放することができる

私たちの使命は、恥に関する誤解を解き、私たちが経験してきた、自分に対する信念の元となる小さなトラウマや大きなトラウマを理解し、私たちの中核にある自己感が侮辱され、攻撃されたことに対して生じたコア感情を体験することです。このプロセスの最後には、安心感が待っています。私たちは、ありのままの自分としっかりつながることができます。他者にも心を開くことができます。とても解放的なプロセスなのです！[4]

スペンサーのことを考えてみましょう。彼がセラピーに来たのは、社会不安の症状を和らげたかったからですが、父親のことに話題が及ぶと、スペンサーは強い恥を感じました。スペンサーは、父親から言われた通り、自分は恩知らずで、意地が悪く、不完全でダメな息子だと思い込んでいたのです。彼は、自分が悪いから、父親につらく当たられるのだと思っていました。それどころか、スペンサーはとても思いやりがあり（私にコーヒーを買って来てくれる）、協力的で（チームプレーヤーとして、最優秀社員に選ばれる）、他者に感謝の気持ちを表せる人物（私に、助けになったと感謝してくれた）なのに、彼の中の恥がそれを否定し、父親の虐待を、虐待と認識させないようにしていたのです。

恥はどのように生じるのか

私たちは、生まれながらに恥を感じるわけではありません。他者から学んでいくのです。ほかの誰かとつながりを持とうとして、それを拒絶されると、恥が引き起こされます。恥は、拒絶に対する精神的・身体的反応なのです。

恥は、私たちの人生における特定の体験と結びついています。私たちは皆、恥の苦しさを知っていますが、何を恥ずかしいと感じ、なぜ恥に苦しむのかは、人ぞれぞれです。大人になると、自分の恥がどんなふうに発展してきたか、覚えていないことが多いものです。しかし、恥はいつもある特定の出来事と結びついていて、その出来事のせいで、私たちは自分を抑え、隠そうとするのです。また、恥を生み出す出来事の多くは、私たちが喋れるようになる前、つまり赤ちゃんの頃に起こります。たとえば、ニコニコとご機嫌な1歳半の赤ちゃんが、両手を広げて母親に駆け寄っていくところを想像してみてください。赤ちゃんは自分をさらけ出し、無防備な状態です。この子の神経システムは、自分の感情と波長の合った母親が、自分と同じようにご機嫌でニコニコして、歓迎してくれると想定しています。しかし、母親の元にたどり着いたとき、その子は、母親がほかのことに気を取られているのを察知します。母親が、長い一日に疲れているのは当然です。もしかすると母親はうつ気味かもしれません。あるいは年老いた両親の介護をしているか、その他の苦労を抱えているかもしれません。こんな状況では母親は子どもの感情に応えることができないのも当然でしょう。母親は無表情で赤ちゃんに応えるか、あるいは、失望の表情すら浮かべるかもしれません。このように、子どもの感情をうまく受け取れない母を、誰も責めるべきではありません。母親は、できることを精一杯やっています。ただ、母親が子どもの感情に波長を合わせて、受け止められない結果、子どもの恥を喚起してしまうのです。子どもと養育者の間で、感情の高まりのミスマッチが起こると、子どもはそれを拒絶として体験し、浮かれるのは良くないことだという感覚を内在化してしまいます。さらに、拒絶されると、怒りや悲しみといったコア感情も発生します。私たちは誰も、大切な人から拒絶されたくありません。拒絶されると、怒りや、抗議の気持ちが引き起こされ、それから、自分に恥をかかせた愛する人と、自分とのつながりが失われたという悲しみが湧いてくるのも、当然のことです。

怒りや悲しみは、ちょっとした拒絶に対する反応として、ごく自然に生じます。幼い頃ならなおさらです。この悲しみや怒りを、認めて受け止める反応が返ってくれれば、神経システムが静まり、私たちの気持ちも落ち着きます。コア感情に対する他者からの共感的な反応がなく、養育者から関心を持ってもらえなかったり――もっと

4　有害な恥の問題に取り組んだ他の事例については、私がニューヨークタイムズ紙へ寄稿した"It's Not Always Depression"（2015年3月10日）という記事をご覧ください。

悪いことに仕返しをされたりすると――恥は、私たちを守るために内に引きこもらせようとします。何度も拒絶されると、幼い心は、自分が悪いからこうなるのだという凝り固まった信念を形成してしまいます。そうすると、恥が、庇護するために私たちを隠すようになり、怒りや悲しみに対する気づきが、以後ブロックされてしまうのです。

もちろん、「最高の」子ども時代だったとしても、恥をかかされることはあります。しつけの中で、親はやむを得ず、子どもの感情表現を抑制することがあります。感情を剝き出しにするのが、単純に不適切な場合があるからです。公共の場で子どもが笑い声を上げたり、癇癪を起こしたりしたときに、「シーッ」と言ったことは誰にでもあるでしょう。しかし、こうして何度も注意され、子どもとの関係を修復しようとする親の努力が伴わない場合、子どもは「Aをすると、恥をかく」と学びます。そして、私たちはAという行為をやめてしまうのです。

有害な恥は、主に次のふたつによって引き起こされます。

1. **愛されたい、心身の調子をケアしてほしい、受け入れられたいという努力に対して、いつも求めているものとは違うものが与えられる。もしくは、拒絶されたり、ネグレクトされたり、仕返しをされたりする**
2. **自分らしくあることや自分のニーズ、自分が感じていることを批判されたり、拒絶されているという主観的な感覚を持つ**

虐待やネグレクトは、常に慢性的な恥の原因になります。虐待されている子どもは、自分のせいだと思い込みます。まるで、きっと**自分が**悪いんだと思い込めば、それほど嫌な気持ちを**感じない**かのようです。自分の養育者に落ち度があると考えるには、子どもは幼すぎるのです。

責任を負うのは誰か？

私の経験から言えば、ほとんどの人は、親や家族のほかのメンバーを非難したいとは思っていません。彼らに傷つけられたり、彼らが間違いを犯した場合でさえもです。非難は役に立ちません。ひとりの親として、私もたくさん失敗し、そのツケを子どもに払わせています。世間の親たちを恥じ入らせるようなことは、もうやめにしたいと思っています。ただ、私は、誰に責任があったかという観点で話をするのは好きです。親は大人なので、心身共に子どもを健康に育てる責任があります。親として、私たちは、自分の間違いに責任を負わなくてはならないし、そうできるはずです。私たちはまた、自分自身を許すこともできます。そのためには、恥（自分が悪い）から罪悪感（私は悪いことをした）へのシフトを起こすというのも、ひとつの方法です。つまり、私たちは自分に対してこんなふうに言うことができます。悪気はなかったのだから、自分が悪い人間だというわけじゃない。それでも、間違いを犯したり、後悔するようなやり方で誰かを傷つけてしまうことがあるんだと。そうすれば、間違いを犯したことや、意図せずやってしまっていたことを認めて謝るなどして、償うことができるでしょう。

サラの母親が、どんなふうにサラを恥じ入らせたか、覚えていますか？　彼女は、基本的な欲求や感情を持つサラが悪いと感じさせました。子どもの頃、サラが病気になり、ケアが必要なときも、母親はサラを怒鳴りつけました。おもちゃを取り上げられたことにサラが抗議しても、母親は声を荒げたでしょう。もし、サラの母親が、娘を恥じ入らせることの影響力をもう少し自覚していれば、自分の感情的な反応を必死に抑えようとしたかもしれません。

ボニーの父親は、バレエ教室を嫌がったボニーを恥じ入らせました。恥が娘の人生に与える影響を少しでも知っていたら、ボニーの父親は、娘に反応する前に一呼吸置こうとしたかもしれません。ボニーの言葉によって、自分の怒りが引き起こされたのはなぜなのか、彼自身が関心を持つことができたかもしれません。彼女は、ただの小さな女の子でしかありませんでした。そんなボニーのバレエが嫌いだというなんということもない発言が、父親の強い反応を引き出したのです。このような過剰な反応は、その人の怒りの下に恥が隠れているというヒントになります。彼女の父親は、バレエ教室を続ける必要はないし、好きになる必要もないのだと、穏やかに彼女に伝えることもできたはずです。怒りが引き起こされたという事実は、ボニーよりも、ボニーの父親について多くを語っています。彼がもっと自覚的であれば、ボニーは、恥やトラウマによる症状を経験せずに済んだかもしれません。

恥を植えつけるようなコミュニケーションは、悪いのは自分だというメッセージを子どもに伝えます。恥を植えつけないように話すには、決断に関する責任は親が持ち、子どものせいにしないことが大切です。スペンサーの父親は、子どもの頃に身体的な虐待を受けたことによる未解決の恥を抱えていました。彼は、自分のニーズや感情を表したスペンサーを侮辱し、スペンサーにも恥を受け継がせたのです。恥とは、厄介事のようなものです――人々は自動的かつ無意識に、それをほかの人に回そうとします。「悪いのはお前だ！　おかしいのはお前だ！　間違っているのはお前だ！」というふうに。こうして、恥とトラウマはある世代から次の世代へと引き継がれます。私たちだけではなく、子どもたち、そして、その次の世代のためにも、恥について話し、恥について学び合い、最終的に恥を**癒やし**、変容させることが重要です。

有害な恥は、社会的な孤立や周りの人との違いを感じることからも生じる

社会やその制度からも、恥を植えつけられることがあります。私たちの文化や信仰、教育システム、コミュニティには、どんな人間であるべきかを規定するルールがたくさんあります。明示されているものもあれば、そうでないものもあるでしょう。そのルールに自分が見合わないと思い込むと、私たちは当然、恥を感じます。愛情深くサポーティブな家庭で育った人でも、貧しいことや有色人種であること、クリスチャンではないこと、トランスジェンダーや同性愛者であること、あるいは、病気や障害を抱えていることに恥を感じます。今でも、不平等やスティグマに苦しむ人たちがいます。たとえば、多くの親は一生懸命、娘たちに、自分の身体を愛し、受け入れられるようになってもらおうとしています。しかし、私たちの文化の影響に逆らうことは、ほぼ不可能でしょう。修正加工された、体毛もなく痩せすぎの女性が雑誌の表紙を飾ると、そういうプロポーションではない

自分に対する恥が作り出されます。前にも触れましたが、摂食障害の症状は、その人の中のあるパーツが有害な恥に苦しんでいることを示しています。良くなるためには、恥の問題に取り組まなくてはなりません。

恥が作り出されるもうひとつの場所は、学校です。勉強ができない子はたくさんいます。子どもたちには、学んだことを実体験する場が必要なのです。先生の授業を聞いただけでは、勉強ができない子は多いのです。オレンジがふたつあるところに、さらにふたつ持って来て4つになることを知るのは、黒板で2足す2を計算するのとはまったく別の体験です。授業を聞くだけで勉強ができるようになる子どもは、いろいろな意味で有利です。彼らは勉強ができるようになるだけでなく、恥を感じる機会も少なくなります。現行のシステムにおいて勉強ができないとされる子どもたちは、いい点数が取れないのは知力が足りないためと誤解されています――彼らは自分を責めていることでしょう。しかし、うまくいかないのはシステムのせいであり、真の意味で知性が欠如しているからではありません。

文化が規定する男らしさ・女らしさというものも、私たちが有害な恥を感じる要因のひとつです。たとえば、マルボロの広告戦略は、男はタフであれという文化を作り上げました。男らしさとは、怒りと攻撃性です。悲しみや恐怖といった繊細な感情を表す男性は、他者と支え合うことができるにもかかわらず、「弱虫」「臆病者」というレッテルを貼られました。これらは人を辱める呼び方です。一方、女性は、怒りを表さないよう求められます。実際、怒りを露わにする女性は「ビッチ」と呼ばれます。これも恥を植えつける呼び方です。一般的に、男性は繊細な感情を表すことが恥とされ、女性は「淫乱」「尻軽」などという呼び方があるように、怒りや性的な欲求を表すことが恥とされます。

ジェニーは生まれつき、性的に興奮しやすいタイプでした。性的な興奮もコア感情のひとつであり、コア感情にはスペクトラムがあって、その感情をたくさん持って生まれてくる人もいれば、あまり持たない人もいることを思い出してください。ジェニーがセックスをしたいと思うのは、彼女の自尊心が低いせいでもなければ、ほかのネガティブな理由のためでもありません。彼女はただ、セックスを好むタイプなのです。しかし、私たちの文化や信仰では（彼女はカトリックの信者ではありません）、彼女の生まれつきの傾向も、欲求をコントロールする力のなさになり、恥ずべきこととされます。**感情は、ただ在るのです！** かわいそうなことに、ジェニーは自分を恥ずかしいと感じました。高校で、ジェニーは淫乱、尻軽、ふしだらなどと言われ、その言葉はどれも彼女の自尊心を傷つけました。本当は、こうしたあだ名を使う人たちも、「変容の三角形」を使って、ジェニーのセクシャリティによって引き起こされた防衛（あだ名で呼ぶという攻撃）の下に、どの感情（恐怖？ 性的興奮？ 嫌悪？ 恥？ 不安？）があるのか、知る必要があるのです。

セックスや人間関係を非現実的に描いた映画も、恥を喚起します。私たちは、映画の中で観たことを普通だと思い込み、自分を映画に当てはめようとします。そして、自分のセックスや人間関係がその基準に達していないと、恥を感じます。虚勢を張ってしまうというのもよくあることですが。

「普通」という言葉はこうした問題の一部であり、助けになるよりも恥を作り出します。「普通」とは何でしょう？ なぜ「普通」が大事なのでしょう？ この概念自体が、恥を作り出す温床になっています。もし、「普通」があなたにとって重要なことであるなら、その理由を自分に尋ねてみましょう。出てきた答えによって、恥に光を当てることができるはずです。

これらの文化的な期待を、私たちの生物学的な身体とコア感情によってつくられる現実とに、どう折り合いをつけていけばいいのでしょうか？ 現実的に私たちに向けられた期待に応えることができないという事実に対して、私たちはどんなふうに向き合えばいいのでしょうか？ ありのままの自己を恥じることも、成長の一部として受け入れるべきなのでしょうか？ 自分らしくいることや、自然な気持ちを感じること、誰かを愛すること、自分の好みや自分のニーズに対して、恥を感じるのは仕方がないことと黙認すべきでしょうか？

あなたが目を開くほどに、基準を作り出している恥がよく見えてくるはずです。私たちの多くが、気まぐれで馬鹿げた基準を満たそうとして、あるいは満たしているふりをして、自分を隠していても、まったく不思議では

完璧主義という神話

私のクライエントにも、完璧を求める人がたくさんいます。完璧になりたいと言われたら、私はこう尋ねることにしています。「完璧になりたいのは誰のためですか？」完璧な人などいません！　誰にでも欠点があります。私たちは皆、主観というレンズを通してものを見ているのだとわかれば、完璧という概念には何の意味もなくなります。ある人にとっての完璧は、おそらく、ほかの人にとっての完璧ではないでしょう。**私にはかつて、大切な人から認めてもらい、恥を感じなくて済むように、ある具体的な方法が必要でした。そのシナリオに出てくる元の人物が誰なのかがわかれば、完璧であるための基準を手放すことができます。**

ありません。恥とその対抗手段について知らない限り、私たちは自分を隠し、自分を抑え、防衛がもたらす結果に苦しみ続けることになります。

恥の引き金は何か？

以下の空欄を埋めてみましょう。

もし、僕が・私が＿＿＿＿＿＿＿＿＿＿だと知られてしまったら、みんなに二度と顔向けできないだろう。

隠している秘密が暴かれるかもしれないという恐怖は、脳内で危険信号を発します。恥と恐怖が一緒になり、私たちは不安になります。自分が恥ずかしく思っていることをほかの人から指摘されるか、近づいてきた人にそれを知られそうになると、私たちの中で恥が高まります。

例を挙げましょう。クライエントのマーサは、要求が多いと思われるのを恐れていました。子どもの頃から、「マーサは欲張りだ」と、よく言われたからです。大人になっても、彼女はニーズを持つことに恥を感じました。マーサは、ニーズを持つのは良くないことだという家族の信念を内在化したのです。彼女を安心させようとして、友人やパートナーが、欲張りだなんて思わないと伝えても、マーサはどうしても自分を悪く思ってしまうのでした。恥のせいで、彼女は、自分を大切にしてくれる人たちと距離を取っていただけではなく、自分のニーズが満たされないことに腹を立てていました。彼女はニーズに応えようとしてくれなかった両親に対する軽蔑を、友人やパートナーに投影していたのです。恥が、彼女の現実認識を歪め、友人やパートナーは両親ではないと認める妨げになっていました――友人やパートナーは、実に気前が良く、寛大な人たちなのです。違いを感じることも、恥を引き起こす大きな要因です。**私はこれが好きだけど、あなたが好きなのはあれ。私はこれがほしいけど、あなたはあれがほしい。私はこうだけど、あなたはそう。私はこう感じるけど、あなたはそう感じる。**違いが恥を引き起こすのはなぜでしょうか？　私たちの脳にとって、違いは難しいものなのです。私たちは、こうした違いが何を意味するのか、よくわからないと感じます。私たちの中の誰かが悪いということなのでしょうか？　私たちの中の誰かが良いということでしょうか？　私を脅かすものなのでしょうか？　私が「普通」だということなのでしょうか？

・僕は精神疾患を抱えている。人からどう思われるだろう？
・私の子どもは同性愛者だ。人からどう思われるだろう？
・僕はがん患者だ。自分は今、どう見られているのだろう？
・私は依存症に悩んでいる。非難されるだろうか？
・不安でたまらない。誰かに言うべきだろうか？　もしそうしたら、彼らは僕を批判するだろうか、それとも理解してくれるだろうか？
・自分の悩みを、人はどう思うだろう？
・僕の性的な空想や好みを知ったら、人はどう思うだろう？
・母も父も、きょうだいも友人も、みんな結婚しているのに、私だけ結婚していないなんて、人が知ったらどう思うだろう？

・子どもはほしくない、子どもはいらないと思っているのを知られたら、どう思われるだろう？
・離婚したのを知られたら、どう思われるだろう？
・私が大して稼げていないのを、人はどう思うだろう？
・裕福だから働かなくてもいいのだけど、そんな自分を人はどう思うだろう？
・大学を出てないと知られたら、どう思われるだろう？
・障害があるのを知られたら、どう思われるだろう？　人からどんな目で見られるだろう？
・訛りがあること、または、移民であることを知られたら、人は私をどう思うだろう？

他者と違っていて、不安に思っていることがあれば、ここに書いてみましょう。

恥が引き起こされると、何が起こるのか

進化とは、よくできたものです。進化の過程で、恥という感情は、こらえ難い痛みを伴うようになりました。そうすれば、私たちはなんとかして恥を避けようとするからです。集団のニーズに合わせるために、本能的な欲求や利己的な欲求を否定させるような感情が、恥のほかにあるでしょうか？

恥が生じるとき、どんなことが起きているのでしょう？　隠れたい、逃げ出したい、自分を隠してしまいたい。こんな体験に、共感を覚える人もいるかもしれません。自分には価値がない、自分が悪い、欠陥がある、恥ずかしい、場違いだ。こんな気持ちに、共感する人もいるかもしれません。ひとりぼっちだ、孤立している、誰ともつながれない。こんな気持ちに共感する人もいるでしょう。恥の表れ方はさまざまです。ネガティブな反応が

返ってきそうな言動をしようとすると、赤信号感情の恥（あるいは、これが弱まった形の羞恥心）が、神経システムにシャットダウンの信号を送ります。これにより、コア感情へのアクセスと、他者とのつながりが遮断されてしまうのです。恥ずかしさに襲われると、私たちは、自分自身を内側へと押し込み、縮こまって、何もないところに消えていくような感覚を覚えます。恥を感じると、目を伏せることに気づいている人は多いでしょう。ネガティブな目で見られることに耐えられなくて、私たちはアイコンタクトを避けてしまうのです。恥をかくと、私たちの顔は赤くなります。なんてひどいことでしょう。

恥は、私たちを小さくし、縮こまらせます。本当の自分をさらけ出して、何度も火傷したことのある人は、心の中でこう言っているはずです。**できるだけ、自己を小さくして、隠していなくちゃ。誰にも傷つけられないように。新しいことを求めて、外の世界に出て行くようなことがあったら、きっとまた叩きのめされる。小さくなって隠れていれば安全だ。**そして私たちはそうするのです。

慢性的な恥への心理的な反応には、傲慢さや攻撃性によって、小さくなろうとする気持ちを隠すというものもあります。たとえば、他者をいじめている子どもや大人の中には、深く恥じ入ったパーツがあります。恥は耐え難いものなので、彼らはそれを強く否認し、攻撃という防衛を使って、恥を感じないようにしているのです。いじめは共感性の欠如でもあります。いじめる側が一度も共感された経験がないか、または、共感することによる痛みが強すぎるせいで、共感をブロックしているのです。有害な恥の主な原因のひとつは、養育者が子どもに共感せず、子どもの感情を蔑ろにしたり、否定したり、はねつけたりすることであるというのを思い出してください。

恥のかけらは、ほとんどの人の中に、至るところにあります。まだ見つかっていないだけなのです。ボニーやスペンサーのように、私たちの感じ方やこの世界でのあり方にも、恥の影響が及んでいます。虚しさ、誰ともつながっていない感じ、孤独、自分は悪い人間だという思いがあっても、私たちはそれを言葉にしません。物をたくさん持ち、成果を上げることで、それらを埋めようとする生活を虚しいと感じる人もいるでしょう。しかし、虚しさは内側からくるものなので、結局それもうまくはいかないのです。私たちは秘密を抱え、自分ではない何かになったつもりでいます。良くないことを習慣にして、恥を感じないようにすることもあります。傲慢さや攻撃性という性格の鎧をまとって、痛みを感じないようにすることもあるでしょう。恥の痛みから自分を守るために、心はさまざまな手段を作り出すのです。

恥と良い感情を取り入れることの関係

今この瞬間の自分の内側の世界に、波長を合わせることを思い出すために、「変容の三角形」を使ってみましょう。そうすると、自分が（恥を感じて）縮こまろうとしているのか、または、心を開いた自分になり、ありのままの自分でのびのびとしているのか、気づくことができます。どんなときも、私たちは、自分の内側に注意を向けて、こんなふうに尋ねることができます。**自分を抑えていないかな？　自分のことを話しているかな？　健全なリスクを取って、ほかの人に自分の話をしているかな？　小さくなった感じがする？　それとも、大きくなる感じ？　自分のためにスペースを作れているかな？　褒め言葉、愛情、喜び、その他のいろいろなうれしい気持ちをしっかり受け取っているかな？**　いつも無条件に本当の自分を抑えてしまう。ほかの人に自分の本当の気持ちを話せない。他者とつながるためのリスクを一度も取ったことがない。自分が小さくなっているのを感じる。ポジティブな体験に気づいているときでさえ、自分の中にそれを取り入れようとしない。そんなことが起きているなら、「変容の三角形」の上の部分に自分を置いてみましょう。

恥があると、私たちは、自分を守るために身体を小さくしておこうとして、良い気分をはねつけてしまうようになります（良い気分は、自分の身体が広がっていくような感覚を伴います）。私たちが、小さくなっていようとする理由は、次のふたつです。

文化的なメッセージ

健全なプライドと傲慢さやうぬぼれとの違いを教える教育は、ほとんど行われていません。自信や良い気分を表すには、守るべき法則があります。私たちは、**うぬぼれるな、思い上がるな**といったメッセージを受け取っています。学校では、良い気分を取り込むことの大切さも、褒められる体験を身体でどんなふうに感じたらよいのかも教えてもらえません。良い気分を取り込むことをはっきり良しとされ、励ましてもらえることもありません。自分に対する肯定的な言葉を聞いても、ほとんどの人は、その喜びを身体の中で広げていったりはしないでしょう。自己を小さくしておけば、うぬぼれや自信を持っているという理由で、他者から批判され、恥をかくことから自分を守ることができます。しかし、良い気分を身体で感じたとしても、他者に対する謙虚さと思いやりが損なわれることはありません。だんだんと、自分に自信が持てなくなってしまうのは、肯定を受け取らなかったことのツケなのです。

小さくなっていることで感じる主観的安全感

縮こまるという本能的な防衛を使っていると、私たちは、褒め言葉や賞賛、その他の承認をしっかりと受け取ることができなくなります。良い気分を身体で感じることで、私たちは大きくなったように感じ、防衛することなく、他者に対して無防備になることができます。もっと大きくなっていけるように、良い気分を感じるのか、それとも、恥を感じて小さくなっているのか。この葛藤はなかなか解消できません。大きくなると同時に小さくなることなど、できないからです。自分を守ることのほうが優先です。それでも、私たちは防衛を手放して、恥を癒やし、プライドや喜び、その他の良い気分を感じる方法を、再び学び始めることができます。そうすることで、自分に自信が持てるようになるのです。

「変容の三角形」と恥

私たちは、気持ちを楽にするには、「変容の三角形」の一番下に行くことが大切だと知りました。恥がブロックになっているなら、恥を手放さなくてはなりません。そうすれば、私たちはコア感情へと下りていき、最終的に心を開いた状態に戻ることができます。恥を癒やすには、恥と自分を分離させなくてはいけません。恥が言ってくることは信用しないようにしましょう。恥が、私たちを支配することはできません。恥のパーツを自分から切り離したつもりで、理解していきましょう。少しでも恥と自分を分けることができれば、健全で、癒やされるやり方で、自分の中の恥と関わることができます。

スペンサーは、友人とつながりたい・ネットワークを広げたいと強く願っていたにもかかわらず、恥のせいで、周りの人から距離を置いていました。友人たちと親密になりたいと深く願い、たくさんのつながりを持っていたにもかかわらずです。恥を認識し、生まれながらに自分を恥じてきたわけではないと気づくと、スペンサーは、自分が何を恥じているのかということに、関心を持つようになりました。関心を持ったことで、恥を感じるパーツとの分離が始まりました。今では、彼は、自分の中の恥と対話できるようになり、恥を和らげられるようになりました。

恥を克服するためには、そのルーツを明らかにしなくてはなりません。大人になる中で得てきた、人の心の働きに関する知識や常識をもとに、自分の生い立ちを振り返ってみましょう。時には、自分より前の世代に遡ってみることも役に立ちます。私たちは、前の世代の恥を受け継ぐこともあるからです。

クライエントのジョージの家族は、離婚は恥ずかしいことだと考えていました。結婚生活に絶望し、この生活から離れたいと思ったとき、ジョージは何があっても離婚はできないと考えて、追い詰められた気分になりました。価値判断とは主観的なもので、客観的な事実とは異なります。私たちは、自分の価値判断に向き合い、それについて考え抜かなくてはなりません。

離婚するのは、ジョージがもともと悪い人だからでしょうか？　いいえ！　ジョージは、自分の家族がなぜ離婚を恥ずべきことと捉えるようになったのか、知る必要があります。彼の両親は、どういう経緯で離婚を恥だと思うようになったのでしょうか？　彼の家族は、離婚すると、人から何と言われると思っているのでしょうか？ジョージは、離婚について何を内在化したのでしょうか？　ジョージが離婚したら両親は何をどう思うのかとジョージが両親に尋ねたとき、両親は、ジョージが神から厳しく裁かれるのを恐れているのだと、彼に言いました。家族の中の離婚に関する恥の起源を知って、ジョージの恥は和らぎました。彼は悩んでいる自分の中のパーツとのワークを通して、自分の価値観に合った決断をする自由を感じられるようになりました。

恥は真実ではない（たとえ、それがもっともらしく感じられたとしても）と受け入れられるようになったら、次の目標は、恥を抱えて苦しんでいる自分の中のパーツと、新しく安全な関係を作ることです。私たちは、苦しんでいるパーツに理解や思いやり、安心感を与えることを学びました。それ自体が、パーツを癒やすプロセスとなります。

批判しない他者と話し合うことも、恥の変容をもたらします。恥は孤独を餌にするため、つながりが恥を癒やすのです。嫌な気持ちになったことがあったら、誰かに打ち明けてみましょう。相手が共感的に応えてくれたり、相手の恥の体験を打ち明けてくれたりすると、孤独感が和らぐはずです。無防備さと無防備さが出会うと、安心感とつながりが生まれます。あなたが自分は愛されてなどいないと思っていたとしても、あなたの自己と恥を感じているパーツとのつながりや、愛され、受け入れられていると感じさせてくれる[5]他者との**つながりは、恥に対する解毒剤になります**。

恥を弱めるような過去の思い出にアクセスすることも、恥を和らげるのに役立ちます。愛され、つながっていて、安心で、褒められたときのことを思い出してください。それらをはねつける代わりに、その隣にそっと座ってみましょう。労力や心のエネルギーを使うかもしれませんが、ポジティブで肯定的な記憶と一緒にいると、恥が癒やされていきます。脳は、いいことをすぐに忘れてしまうので、意識してそれを思い出さなくてはなりません。あらゆるコア感情にとどまるときのように、良い気分にもとどまってみましょう。不安が高まって、それが変化していく間も、ずっと呼吸を続けておきましょう。身体が大きくなっていくのを感じると、変な感じがして、怖いとすら感じることもあるかもしれません。それでも、しばらくそのまま呼吸とワークを続けていると、その体験に耐えられるようになります。最終的には、身体が広がっていくような感覚を伴う感情を、感じ切る力がついていくでしょう。実際に、身体が大きくなったような感じがするので、自分の周りにもっとスペースが必要だと感じ始めたことに、気づくかもしれません。

自分の盲点――何が現実で、過去が現在に投影されたものは何なのか、わかりにくい状況を知ることにも役に立ちます。自分が感じているのが健全な恥なのか、有害な恥なのか、見分けられないことがあるかもしれません。このようなときには、状況を見極めるために、ほかの人からフィードバックをもらうのが一番です。

たとえば、私は、自分の話ばかりしていたら、ほかの人から自己中心的な人間だと思われるのではないかと心配しています。私にとっては、自分のことを話しすぎないように、小さくなっているのがデフォルトなのです。この怖さを友人に打ち明け、自分語りが足りないくらいだという彼らからのフィードバックを聞くと、私の中の恥は和らぎます。それでもまだ、悩みは続くのですが。これが私にとっての盲点であり、このルーツをたどると、子どもの頃の体験に行き着きます。

5 恥や無防備さについて詳しく知りたい方には、恥の研究をしているブレネー・ブラウンの著書とTEDトークをお勧めします。

「変容の三角形」を見ると、赤信号感情に隠れたコア感情を探し出そうという気持ちが湧いてきます。恥を感じるときはいつでも、自分が誰かから恥を感じさせられた経験からくる、コア感情を見つけ出す必要があります。恥を感じると嫌な気分になるので、私たちは恥を感じさせた相手に怒り、激怒することさえあります。この怒りを感じることが必要です。怒りを安全な形で体験すると、恥を消すこともできるのです。

大人になるにつれて、私たちは、恥を感じた瞬間に引きこもったり、カッとなったりすることなく、対処する方法を身につけます。自分の無防備さや、恥の引き金になるものを知れば、「変容の三角形」を効果的に使えるようになるのです。

最近、私は、トリーシャと食事に出かけました。彼女は、私がもっと仲良くなりたいと思っている知人のひとりです。私は、彼女に「最近の仕事について、どう感じている?」と尋ねました。彼女の会社は大きな変化のさなかにあり、彼女の仕事も大変になっているようでした。

彼女は、私の質問にこう答えました。「セラピストって感じの質問ね」

最初、私は唖然としました。それから、とんでもなく恥ずかしくなりました。顔から火が出そうになり、身体が内向きに引っ張られました。私は、赤信号感情の恥を感じたのです。セラピストっぽく質問したこと、つまり、自分の在り方を恥じたのです。セラピストのような振る舞いだと非難されたことが、私にとって引き金になったのです。何度も言われてきたことなので、私自身、こうした批判に敏感になっていました。今思えば、トリーシャはおそらく、私が受け止めたほど辛辣な意味で言ってはいないのですが、私は侮辱され、馬鹿にされたと感じてしまったのです。

気持ちを立て直し、ディナーを台無しにしないように、私はトイレに立ちました。そこで、「変容の三角形」を使い、自分の恥の反応を客観的に眺めてみました。

まず、そして、おそらく一番大切なのは、自分に思いやりを向けることでした。私は自分に「ひどい目に遭っ

【三角形を上にのぼる】

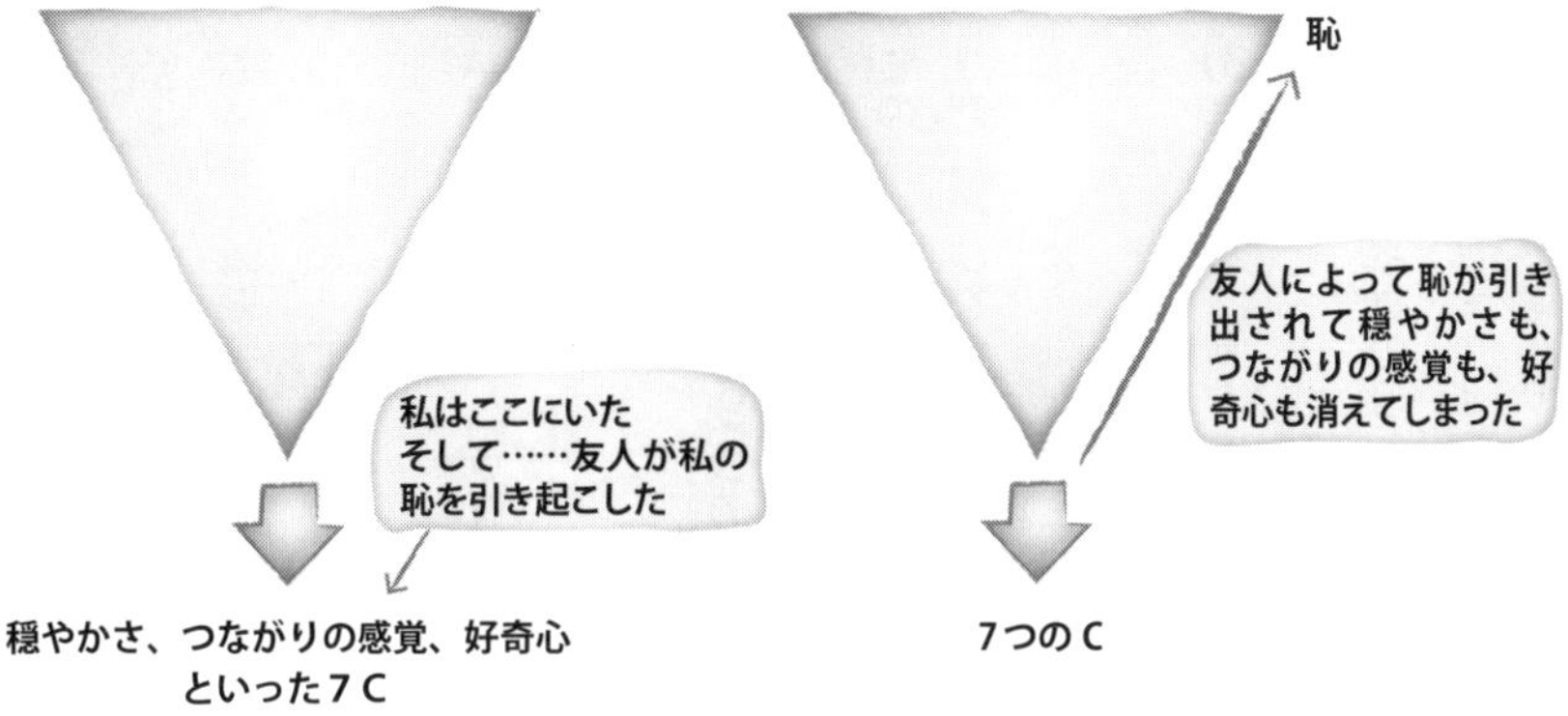
私はここにいた
そして……友人が私の
恥を引き起こした
穏やかさ、つながりの感覚、好奇心
といった7C
恥
友人によって恥が引き出されて穏やかさも、つながりの感覚も、好奇心も消えてしまった
7つのC

【三角形を下に戻る】

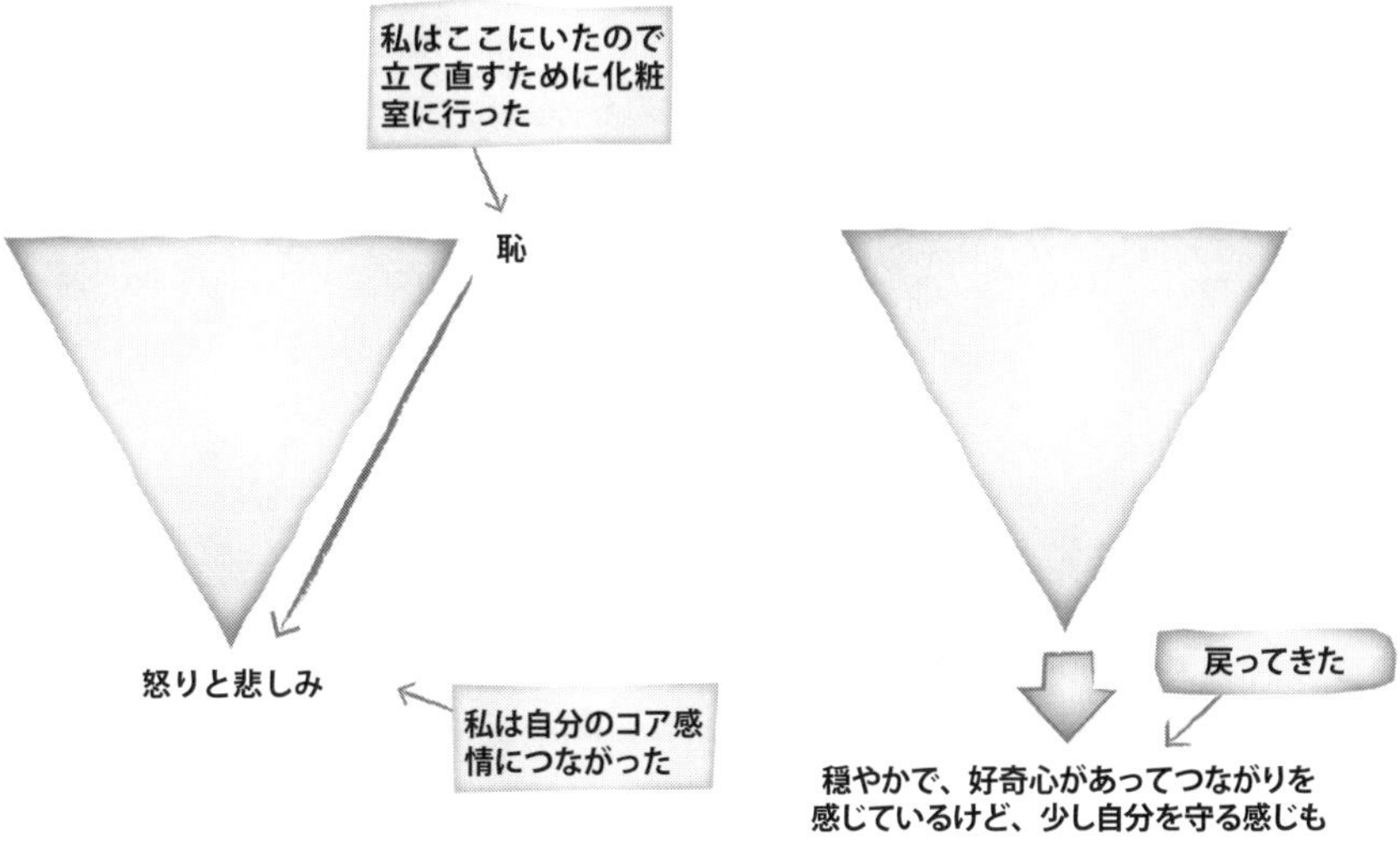
私はここにいたので
立て直すために化粧
室に行った
恥
怒りと悲しみ
私は自分のコア感
情につながった
戻ってきた
穏やかで、好奇心があってつながりを
感じているけど、少し自分を守る感じも

たわね。あんな辛口なコメント、真に受けることないわ。今あなたがやるべきなのは、自分に優しくして、自分とつながることよ」と言いました。自分への思いやりには即効性があり、大いに助けになります。

それから、私は自分にこう聞いてみました。「恥にブロックされているコア感情は何かしら？」と聞いてみました。自分にこんな質問をするだけで、恥のスパイラルを止めることができます。私はコア感情へと移っていきながら、自分にこう尋ねました。「怒っているの？」そうだ！　嫌な気持ちにさせないでほしかった。私は親切に接したいと思っていたのだから。「恐かったのかな？」違う！「悲しいの？」そうだ！　トリーシャが私を傷つけた。それが悲しかった。「嫌悪感がある？」少し。私に対する彼女の態度は気に入らない。失礼だ！　コア感情に名前をつけると、気持ちが落ち着きました。私は気持ちを立て直し、食事を続けることができたのです。

恥と関わり始めるための９つの方法

1. あなたは、生まれつき自分を恥じていたわけではありません。その恥は学習したものだと知りましょう
2. 恥があるのは、あなたのせいではないと知りましょう。もしその恥が、そうだと言ってきたとしても
3. ひとりの大人として、私たちは、拒絶されることへの対処を学ぶなど、恥に対処するためのスキルを学び、助けを得られるようになると知りましょう。私たちはチャンスをものにし、隠れたところから出ていける自信を持っています。いつも希望はあります
4. あなたの周りには、あなたを受け入れ、愛してくれる友人やパートナーがいると知りましょう。あなたには、達成したことも失敗も、安心して分かち合える人たちがいます。喜びや興奮を分かち合える人たちもいるでしょう。本当の自分でいること、ありのままでいることへの関心を分かち合える人たちを、見つけることもできるはずです
5. 反射的に縮こまり、隠れてしまう習慣を変える練習をしましょう。喜びやプライド、好奇心、興奮といっ

た身体が大きくなるような感情が湧き起こってきたら、それを認識するというエクササイズから、徐々に始めてみましょう。自分が良い気分をすぐにはねつけていることに気づくかもしれません

6. 傲慢さや軽蔑、完璧主義、言いわけ、いじめ、攻撃性は、一般的に恥を隠すためのよくある反応だと知りましょう

7. 苦しみが深いときほど、恥や嫌な気持ちを感じている自分の中のパーツに、思いやりを向ける練習をしましょう

8. 恥を感じているパーツと向き合う練習をしましょう。自分の話し相手になったつもりで、恥を感じているパーツにこう聞いてみるのです。「どうやって恥ずかしいと思うようになったの？ どこで、誰から、そのメッセージを受け取ったの？」。そうしたら、恥を感じているパーツの声に辛抱強く耳を傾けましょう。そのパーツが、あなたに新しいことを教えてくれるかもしれません

9. 現在、または過去に、恥の結果として感じたコア感情を見つけ、認める練習をしましょう

罪悪感と向き合う

恥は、私たちに**自分が悪い**と感じさせますが、罪悪感は、私たちが**悪いことをしてしまった**と言ってきます。私たちが、ほかの人を傷つけないようにするのは、罪悪感があるからです。ほかの人たちと調和した暮らしが送れるように、罪悪感は、私たちを抑制します。しかし、時には、何も悪いことをしていなくても、別の感情が起こらずに、罪悪感を感じることがあります。

罪悪感と向き合うときにも、「変容の三角形」を使ってみましょう。罪悪感をふたつのカテゴリーに分けることが役に立ちます。本当に悪いことをしてしまったときに感じる罪悪感と、客観的には何も悪いことをしていないのに、悪いことをしたと感じるか、ほかの人からそう感じさせられる罪悪感です。たとえば、ある特定のニー

ズや好み、考え、感情を持つことに罪悪感を抱くような場合です。自分が感じている罪悪感が、どちらのタイプなのか知ることは、最初は難しいでしょう。私たちは、それぞれの罪悪感に対して、別々のやり方で向き合っています。

他者のニーズより自分のニーズを優先させると、多くの人が罪悪感を感じます。他者のニーズを優先させるのが正しい場合もあるでしょう。ほとんどの人は、そうするようにしつけられてきたはずです。しかし、時には自分のニーズを優先することが、自分のウェルビーイングにとっても、他者との健全な関係を保つうえでも、最も賢明な場合もあります。常に他者のニーズを優先し続けると、恨みが募り、あなたの心の健康にも良くないばかりか、他者との関係にも良い影響を与えないものです。

私が夫のジョンに初めて会ったのは、2002年のことでした。その頃の私は完全に、自分のニーズより他者のニーズを優先する世話焼きでした。自分でもそう思っていました。世話焼きであることは、私の自尊心と固く結びついていたのです。付き合い始めの頃の会話で、私は「与えてばかり」だと思うとジョンに言いました。すると、彼はこう言いました。「いいね。だって、僕はもらう専門だから！」私は、彼が冗談を言っているのだろうと思って笑いました。しかし、困ったことに、これは冗談ではないとだんだんわかってきました。実際、今まで好きになった人の中で、彼ほど、私が与えられる以上のことを求め、ほしがり、それを得ることで安心する人はいませんでした。私はどんどん消耗し、彼への恨みを募らせました。私は、自分の中にもニーズがあることに気づいたのです。それを認めたり、ましてや伝えたりするのは、私にとって簡単なことではありませんでした。

カップル・セラピーで、私は、自分で思っているほど、すべてを与えられる人間ではないという事実を、受け入れなくてはなりませんでした。与え続けられると信じていたかったのですが。彼は半分冗談で、私が餌をまいて、彼のスイッチを入れるのだと言いました。私の与える能力に限界がきたことで、私たちはやむなく、自分自身を見つめ直すことになりました。彼が求めるすべてに応えられないことで、私は罪悪感を覚え、自分の限界を恥ずかしく思いました。罪悪感で体調を崩してしまうほどだったのです。

自分の限界を受け入れるプロセスは、最初は耐え難いものでしたが、次第に解放感を感じるようになりました。振り返ると、自分の限界を受け入れ、ノーと言って境界線を引くという全体のプロセスを通して、私はより愛情深い、相手とのつながりを持てる妻になれたと思います。私に限界があっても、本当に愛してもらえるのだと感じられて、ジョンに対する感謝の気持ちが日に日に大きくなりました。私が自分の罪悪感を受け入れていく中で、ジョンも私も、自分の中の基準をリセットすることができました。彼はもはや、もらうだけの人間ではなくなりました。私ももはや、与えるばかりの人間ではありません。私たちは、ふたりの関係を維持するために、ちょうど良いバランスを見つけたのです。

私のクライエントにも、自分の能力以上のことを求められてもノーと言えず、自分のために主張し、他者との間に境界線を引くことに罪悪感を覚える人がたくさんいます。彼らは、子どもやパートナー、両親から非難され、つらく当たられ、能力の限界を指摘され、つながりを断たれるのです。あるいは、罪悪感を感じさせたという理由で、相手を非難する人もいます。境界線を引くときに感じる恐怖のようなコア感情に向き合うのではなく、罪悪感を感じ「させた」と言って、相手を責めるというのはよくあることです。境界線を引くときには、**ノーと言われた相手が、**怒りや悲しみなどの感情を感じることも許容する勇気が必要です。自分の気持ちを感じる権利は、誰にでもあります。しかし、相手に対して暴言を吐いたり、意地悪なやり方やその他の破壊的なやり方で振る舞う権利はありません。

ほかの人から非難されると、私たちは、自分の感情や考えを悪いものだと思い、そう認識するようになります。直接的あるいは間接的に、こんなメッセージを受け取ってしまうのです。**あなた**（**非難されている自分**）**が悲しむと私**（**非難している相手のこと**）**もつらい。きみ**（**非難されている自分**）**が怒ると私**（**非難している相手のこと**）**が悪いように感じてしまう。あなた**（**非難されている自分**）**が喜ぶと、私**（**非難している相手のこと**）**は自分が恥**

ずかしくなる。きみが高揚すると、僕は白けてしまう。こうしたメッセージが繰り返されると、私たちは最終的に、自分が感じていることに対して罪悪感を持つようになってしまいます。サバイバーズ・ギルトのように、存在していることにさえ、罪悪感を抱く人もいます。彼らは、自分が生きているだけで、誰かが嫌な思いをするという考えにとらわれます。

私たちが感じた罪悪感が、不合理で役に立ちそうにない場合、それを変化させる方法はあるのでしょうか？罪悪感を抱いているパーツの言葉に耳を傾け、それが犯したと思っている「罪」は何なのかを明らかにしてみましょう。そして、その罪は本当に良くないことだったのか、もしくは、単に自分を守るために主張しようとしただけなのか、考えましょう。もし、自分を守ったことに罪悪感を覚えているのなら、今度は、その罪悪感のルーツや、境界線を引いたり、制限を設けたりすることができない理由を知る必要があるでしょう。罪悪感は恥と結びつくこともあります。罪悪感と恥が結びつくのは、ありのままの自分でいることで、誰かをがっかりさせてしまうような場合です。罪悪感によって、ほかの感情を感じないようにブロックしていることもあります。たとえば、私たちは怒ることに対して罪悪感を覚えます。

罪悪感を抱いているパーツに、あなたがどんな悪いことをしたと思っているのか、尋ねてみましょう。何の答えも得られないとき、その罪悪感は、コア感情を抑制する感情ではないかと疑ってみましょう。見当違いの罪悪感を和らげる方法は、その下に隠れているコア感情を探すことです。私に質問をしたときのサラの罪悪感について考えてみてください。サラの罪悪感は、自己主張が強すぎると感じていました。サラが自己主張すると、母親が不安定になっていたからです。母親がサラに怒鳴ると、サラの中にコア感情の怒りが引き起こされました。しかし、サラにとって、母親に怒りを向けるのは危険なことだったため、その怒りは罪悪感（または恥）によって押しつぶされました。その結果、サラは大人になっても、自分のニーズを他者に伝えようと考えるだけで、悪いことをしている気分になりました。彼女は、自己主張は良くないことだという感じ方を内在化したのです。そのため、自分のニーズを伝えることを考えただけで、サラは耐え難い罪悪感に襲われ、自分を恥じていました。

自分の状態を「変容の三角形」に照らし合わせてみて、罪悪感に苦しんでいることがわかったら、自分にこう尋ねてみましょう。**もし罪悪感のコーナーに行かなかったら、罪悪感を感じさせた相手にどんな気持ちが湧いてくるだろう？** 罪悪感は、コア感情につながろうとすると高まります。それがどのコア感情かは、子どもの頃にどんな体験をしたかによって決まります。怒りを抑えるためだったかもしれないし、悲しみ、ワクワク、恐怖、性的興奮、嫌悪、あるいは喜びを感じないようにするためかもしれません。

大人になっても、自分のニーズより相手のニーズを優先し続けていたら、私たちは消耗し、うつや不安を感じ、さまざまなストレス関連疾患を抱えることになります。私たちは生き延びることを前提に進化してきました。生き延びるとは、自分で自分をケアするということです。コア感情は、まさにこのために進化してきたのです。コア感情の声に耳を傾け、それを尊重することで、罪悪感の下で何が起こっているのかが明らかになり、気持ちを楽にするためのバランスや妥協点を見出すことができます。自分のニーズを優先し始めると、罪悪感が和らぐまで（きっと和らぎます）、それに耐えなくてはなりませんが、その新しい状態が普通なのだとわかるでしょう。

ボニーとのセラピーでは、父親に怒りを向けることに対する罪悪感が起こりました。**感情はただ在るだけ**だと、ボニーは学んでいましたし、自分が怒りを体験しても誰も傷つかないとわかっていました。しかし、イメージの中であっても、彼女は怒りの衝動を出すのは良くないと感じました。罪悪感に耐えるプロセスを進めるうちに、彼女は自分のコア感情を感じられるようになりました。そして、感情は悪いものではないと理解するようになったのです。ほとんどの人と同様に、イメージの中で感情を感じ切る方法があることを、ボニーに教えてくれた人はいませんでした。考えも感情も、私たちの内側で起こるプロセスでしかありません。行動に移さない限り、それが他者に影響を及ぼすことはないのです。

私たちはうまいやり方で、社交的に、相手に対する境界や制限を設けることもできますし、相手に不安や身の危険を感じさせるような方法を取ることもあります。これは、相手に自分の限界を伝えるときに、どんな言い方をするかによって違ってくるでしょう。自分のニーズをはっきりと伝える前に、相手の言い分もわかっていると知らせたりして、相手を気遣うことも役に立ちます。境界や制限を設け、優しくかつはっきりとそのラインを保つ練習すればするほど、今より簡単に、境界や制限を設けられるようになるはずです。

人は誰でも、他者を傷つけるようなことをします。時に意図的に、時には無自覚に。もし誰かが、あなたに傷つけられたと言ったら、それを否定することはできません。傷つきは主観的なものであるため、傷つきが起きたかどうかを決めるのは被害者側です。たとえば、あなたが、パートナーが仕事に時間をかけすぎて傷ついていたとします。この場合、仮にパートナーの収入で、ふたりの生活が成り立っているとしても、パートナーはあなたの傷つきに耳を傾ける必要があります。そして、理想的なのは、ふたりでこの問題にどう対処できるかを話し合うことです。時には、変化が必要なこともあります。話を聞いて理解してもらえれば、解決する場合もあるでしょう。謝罪や埋め合わせが必要な場合もあるかもしれません。

私のクライエントのマーラとジャックは、1年ほど同棲をしています。部屋の掃除をしているときに、マーラはうっかり、ガラス細工のトロフィーを床に落として割ってしまいました。運の悪いことに、それはジャックが広告の仕事で賞を取ったときのトロフィーでした。マーラは最初、その事実を隠してしまおうという衝動に駆られました。ジャックがどんな反応をするかと思うと、彼女はパニックになりました。マーラは、トロフィーを壊したことへの怒りやその他の感情を、ジャックから向けられずに済むように、逃げ出すところをイメージしました。マーラが次に感じた衝動は、この不運な出来事は大したことではないのだと、ジャックと自分の罪の意識を説得しようというものでした。**物は物でしかないじゃない**。彼女はそう自分に言い聞かせました。**誰かを殺したわけじゃあるまいし！**　もちろん、その通りです。しかし、こうした態度はジャックとの関係において、決してプラスに働くことはないでしょう。

本当のところ、マーラは申しわけなさでいっぱいでした。マーラの3度目の衝動は、勇気と強さをかき集め、ジャックの目を見て、こう伝えるというものでした。「あなたのガラスのトロフィーを壊してしまったの。このトロフィーがあなたにとってどんなに大切だったか、よくわかっているわ。かけがえのないものよね。壊してしまって本当にごめんなさい。お気に入りだったのにって、あなたがすごく怒るのもわかる。もし埋め合わせができるなら、何でも言って。あなたの怒りはもっともだし、謝るから」

悪いことをしてしまったと認められるのは、謙虚であるということです。謙虚であるためには、自分のエゴを通したいという誘惑に耐える強さが必要です。多くの人は、失敗しないことを誇りに思っています。中には、子どもの頃に失敗をひどく責められた人もいます。そうした体験があると、大人になっても、かつて誰かからされたように自分自身を責め続けることになります。完璧でいるなんてありえないと頭では理解できても、自分の失敗を認めるのは、難しくて、苦しくて、怖いことなのです。

いつ、どんなふうに謝ればいいかを知るスキルがあれば、自分のためにも、相手との大切な関係のためにも役立つでしょう。気持ちが伝わる謝罪とはどんなものなのでしょうか？　故ランディ・パウシュは、その素晴らしい著書『最後の授業（The Last Lecture）』の中で、気持ちが伝わる謝罪の3原則を示しました。

1. 謝罪の気持ちを声に出して伝える。その際、何を悪いと思っているのかを伝える
2. 自分の行動がどのような損害をもたらしたのかについて、自分の理解を述べる
3. 償いをする。どうすればよいかわからない場合は、どのようにすれば償えるかを尋ねる

謝罪の気持ちを伝える方法を学ぶことは、あなたの人間関係にとって、最も良いことのひとつです。自分の行動が及ぼした影響・結果に対して責任を持つのです。自分の行動によって誰かを傷つけたら、私たちは罪悪感を

覚えます。誰かに損害を与えてしまったら、それがわざとであれ、アクシデントであれ、罪悪感がメッセージを送ってきます。**自分のエゴやプライドよりも、相手の存在を大切にしよう**、と。大切な人を悲しい気持ちにさせてしまっても、それを心から償うことができたら、愛情と信頼はより一層深まります。もちろん、簡単なことではありません。しかし、心に届く謝罪は、深いところにある傷をも癒やす力を持っています。

やってみよう——不安を和らげる

身体の感覚に意識を集中することによって、脳の変化が大きく促進されます。動悸や胸がキュッと締めつけられる感じ、胸がつかえるような感じといった、不安による身体感覚に波長を合わせると、不安が和らぐのはこのためです。こうすれば、気づいた瞬間に不安を和らげることができます。

不安を見つめるとは、人の本能に反する行動です。私たちは不快な感覚から逃げたくなるのが普通です。好奇心や思いやりを持ち、ジャッジしないように注意しながら、不安や緊張を抱えて、ナーバスになっている自分に注意を向けましょう。深呼吸をしながら、頭の中にある筋書きや考えを払い落とし、身体に現れている不安にだけ注意を向けます。20秒ほどそうしていてもいいですし、何らかの変化が起こるまで待ってみてもいいでしょう。

気づいた変化を3つ書き留めましょう。良かったことや悪かったこと、どんなささいなことでもかまいません。

1. ＿＿＿＿＿＿＿＿＿＿

2. ＿＿＿＿＿＿＿＿＿＿

3. ＿＿＿＿＿＿＿＿＿＿

防衛を使ってコア感情を避けるのをやめると、不安が出てくることが「変容の三角形」によって予測できます。私たちはもはや、防衛で不安をかわすことができなくなるのです。あらかじめ不安解消法を3、4個知っておき、そのテクニックをすぐに使えるようにしておくと、不安を和らげながら、「変容の三角形」のワークに取り組むことができ、心を開いた状態に到達しやすくなるでしょう。

あなたにぴったりの不安解消法を探すためには、まずやってみることが大切です。以下にいくつか例を挙げました。すべてやってみてもよいですし、オリジナルのエクササイズを付け加えてもよいでしょう。それらを不安解消法のリストとしてまとめておきましょう。

1. **呼吸法**　4、5回、深く長い腹式呼吸をします。深い呼吸は肺や心臓の神経を刺激し、心を落ち着かせる効果があります（やり方を思い出すには、71～74ページにある腹式呼吸のインストラクションをご覧ください）

2. **グラウンディング**　両足を床につけたら、片足ずつ足の裏に注意を向けます。足元の地面の力強さを感じられるまで、少なくとも1分は時間を取りましょう

3. **スローダウンする**　深い呼吸を続け、足の裏がしっかり地面についた状態から始めましょう。周りの音に耳を澄まして。世界はどんな色で溢れていますか。身の回りにある物の感触にも注意を向けます。マルチタスキングはダメです！

4. **平和な場所をイメージする**　たとえば、海辺のような平和な場所をイメージします。熱い日差しが肌に降り注ぎ、波の音が耳をくすぐり、足元には冷たい砂の感触があります。海の色も目に鮮やかです。あなたにとっての平和な場所を見つけたら、できるだけリアルにイメージしてみましょう

5. **不安からくる感覚に注意を向ける**　脈が上がる感覚やそわそわする感覚といった、不安からくる身体の感覚に波長を合わせてみましょう。それらの感覚に対して好奇心と思いやりを持ち、その感覚にとどまって、

落ち着くまでゆっくりと深呼吸をします。そのうち、不安の感覚は和らいでいくでしょう

6. **コア感情に名前をつける**　不安を引き起こしているコア感情をすべて見つけてみましょう。感じているのは、悲しみ？　恐怖？　怒り？　嫌悪？　喜び？　ワクワク？　それとも、性的な興奮でしょうか？　ひとつひとつ、自分に尋ねてみましょう。イメージの中で、ひとつの感情にひとつ、十分なスペースを与えます。次のように言って、それぞれの感情を認めてあげましょう。**私が感じているのは、＿＿＿＿と＿＿＿＿と＿＿＿＿と……**

7. **身体を動かす**　運動することで、確実に不安を和らげることができます

8. **つながりの感覚を持つ**　友人と連絡を取りましょう。そして、ある出来事のせいで動揺していて、その話をしたいんだと伝えてみましょう。もしすぐに連絡できる友人がいない場合は、自助グループを探してみるのもいいでしょう（アルコホリック・アノニマス、アラノン家族グループ、ナルコティクス・アノニマス、イモーションズ・アノニマスなど）。話をすることは、きっと助けになります

9. **不安は、自分の中の小さな子どものパーツだとイメージする**　自身が自分の良い親になり、あなたの中の子どものパーツを安心させてあげることができます。ハグしてあげてもいいですし、毛布でくるんであげてもいいでしょう。クッキーやミルクを勧めてみるのもよいかもしれません。いろいろな方法で、子どものパーツを少しでも安心させてあげられるように、あなたの想像力を使いましょう

10. **不安を和らげ、今ここにしっかりとつながるためのほかのエクササイズをやってみる**　料理をする、音楽を奏でる、ストレッチやヨガをする、創作活動をする、良い本を読む、テレビで面白い番組や悲しい番組を観る、あたたかいお風呂に入る、お茶を入れる、ジョギングをする、散歩をする、マスターベーションをする、瞑想をする。あなたはすでに、自分にとってのこうしたエクササイズを行っているかもしれませんね

気持ちが動揺したときに、うまくいきそうな不安解消法を3つ挙げてみましょう。

1.

2.

3.

やってみよう――恥を生むメッセージ

私たちは、親や家族からさまざまなメッセージを受け取っています。一例を挙げます。


「生意気な口を叩くな！」

「バカげたことをするな！」

「悪目立ちするな！」

「恥ずかしがってちゃダメ！」

「ふざけないで！」

「開き直るんじゃない！」

「自立しなさい！」

「欲張るな！」

「痩せすぎはダメ！」

「太っていてはダメ！」

「強くなれ！」

「お前が悪い！」

「男らしくしろ！」

「女性らしくしなさい！」

「色気づくんじゃない」

「バカみたいなことしないで！」

「お前は一番出来が悪い」

「優しくしなさい！」

「賢くなって！」

「弱みを見せるな！」

「お兄ちゃんみたいになって！」

「神経質になるな！」

「無神経なことを言うな！」

「怠け者め！」


家族から、直接あるいは間接的に言われてきた「こうあるべき」というメッセージを3つ書いてみましょう。

1. ＿＿＿＿＿＿＿＿＿＿
2. ＿＿＿＿＿＿＿＿＿＿
3. ＿＿＿＿＿＿＿＿＿＿

これらのメッセージはあなた自身や、あなたの自己認識にどんな影響を与えましたか？

1.

2.

3.

私たちは学校や仲間、信仰、文化からもさまざまなメッセージを受け取っています。一例を挙げると、

「静かにしなさい！」

「勉強しなさい！」

「冒険してみなさい！」

「だらしないふりをするな！」

「めそめそするな！」

「お前は繊細すぎる！」

「犯罪を犯すな！」

「紳士であれ！」

「信仰心が足りない！」

「もっと感情を出して！」

「恥をかかせないで！」

「家族を見下すな」


あなたが学校や信仰、文化から学んだ「こうあるべき」というメッセージを3つ書いてみましょう。

1. ＿＿＿＿

2. ＿＿＿＿

3. ＿＿＿＿

それぞれのメッセージが、あなたの自己認識に与えた影響はどんなものですか？

1. ＿＿＿＿

2. ＿＿＿＿

3. ＿＿＿＿

最後に、私たちは自分自身に対してもさまざまな強いメッセージを発しています。


「偉そうにするな！」

「ほかの人より優れているなんて思うな」

「うぬぼれるな」

「自分はすごいと思っているのね！」


こうしたメッセージによって、私たちは屈辱的な気分になり、自分を恥じるのです。多くの人が受け取るのは、こんなメッセージです。**良い気分になったり、自分を誇りに思ったりするのは悪いことだ。**

あなたは、自分自分や自分が達成したことによって、良い気分になることについて、家族や仲間、学校、信仰、もしくは文化から、直接的または間接的に、どんなメッセージ（ポジティブなものもあれば、ネガティブなものもあるでしょう）を受け取ってきましたか？　3つ書いてみましょう。

1. ＿＿＿＿
2. ＿＿＿＿
3. ＿＿＿＿

それぞれのメッセージは、あなたの自己認識にどんな影響を与えましたか？

1. ＿＿＿＿
2. ＿＿＿＿
3. ＿＿＿＿

やってみよう――あなたが毎日出会っている「〜すべき」

「変容の三角形」を使うと、「〜べき」という考えが、よく防衛として出てくるのに気づくかもしれません。この防衛は、人生においてどんなふうに役立っているのでしょうか？

「〜べき」という言葉を使うと、その行動に意識を向けやすくなるという利点があります。**私は〜であるべき**、といつも自分に言っていると、その考えに意識や関心を向けやすくなるのです。そうあるべきかもしれないし、本当はそうあるべきではないかもしれません。**なぜ〜である・〜をする・〜と感じるべきなのか**と、自分の中のパーツに尋ねてみましょう。あなたの中のパーツがそれにどう答えるか、耳を傾けてみましょう。その考えが、あなたの役に立つものなのか、それともあなたを傷つけるものなのか、吟味してみましょう。こうした信念の下に、恥や罪悪感が隠れていることもよくあります。

一例を挙げます。

タフであるべき

隠された感情――自分が弱いと思うことに対する恥

鈍感であるべき

隠された感情——感情を感じることに対する恥

他者にもっと親身になるべき
隠された感情——欲求を持った人間であることへの恥。利他的でないことへの罪悪感

もっと社交的であるべき・社交的でありたいと望むべき
隠された感情——社交的でないことに対する恥と罪悪感

もっと痩せるべき
隠された感情——痩せていないことへの恥

もっと話すべき
隠された感情——口下手であることに対する恥と罪悪感

容姿端麗な女の子と付き合うべき
隠された感情——不十分さに対する恥

一生懸命働くべき
隠された感情——限界まで働いていないことに対する罪悪感。怠けていることに対する恥

友人をたくさん持つべき

隠された感情——不十分さに対する恥。もっと友人がほしいという願望

「〜べき」という考えは、事実に基づくものではありません。学習されたものです。私たちの役に立つ場合と、そうでない場合があります。

「〜べき」という考えが、すべて悪いわけではありません。たとえば、自分をケアするように（医者に診てもらうべきだ）とか、良き市民たれ（意地悪をするべきではない）というメッセージを発してくれることもあります。

しかし、「〜べき」という考えの多くは、家族や仲間、信仰、文化からくる恣意的な基準を満たすためのものです。こうした信念は、おそらくあなたの役には立たないでしょう。

日頃、自分に課している「〜べき」を、3つ書いてみましょう。

1. ＿＿＿＿＿＿＿＿＿＿

2. ＿＿＿＿＿＿＿＿＿＿

3. ＿＿＿＿＿＿＿＿＿＿

もし、助けにならない恥の感情が出てきたら、それに対して、好奇心を持ち、ジャッジしないようにして、対話をしてみましょう。

恥——**良い友人であるべき**

心を開いた自己——**本当にそう？　どうしてそう思うの？**

恥――**そうすれば、もっと友達に好かれる**
心を開いた自己――**友達から好かれていないと思うようになったきっかけは何？**
恥（今、例を思い出そうと頭をかきむしっている）――**ここのところ、誰からも、何かをしに行こうって誘ってもらっていない**
心を開いた自己（「変容の三角形」を使う）――**その恥を脇に置いてみると、誘ってもらえないことについて、どんなコア感情が湧いてきそう？**
心を開いた自己は、悲しみや怒りといったコア感情を認識し、肯定しようとしている
心を開いた自己――**待っているだけじゃなくて、自分から声をかけることも必要かも**
恥――**みんな、暇なんかないんじゃないかな**
心を開いた自己――**ためらっているのね。確かに難しい。でも、それとあなたがどんな人間かということは、何の関係もない。誰からも誘ってもらえなくて、悲しかったり、腹が立ったりしても大丈夫。話し相手がほしいときには、友達に連絡することも考えてみて。もし彼女がすごく忙しいなら、そう言ってくれるはず**

クライエントのベッツィーは、友人から無視され、ひとりぼっちだと感じていました。セラピーが進むにつれて、彼女が人とのつながりを持てなくなった根底にある赤信号感情が明らかになりました。コア感情を感じ切るプロセスの中で、私は右記の対話とよく似た自分との対話を、ベッツィーにもするように勧めました。この対話は、ベッツィーの恥を和らげるのに役立ちました。彼女が学んだのは、次のようなことです。

1. 自分の中に、友人に好かれないのではないかと心配する、恥を抱えたパーツがある
2. 自分は、友人たちには自分にかまう暇などないのではないかと心配している

【ベッツィーが、防衛、赤信号感情、コア感情を「変容の三角形」上に描いたもの】

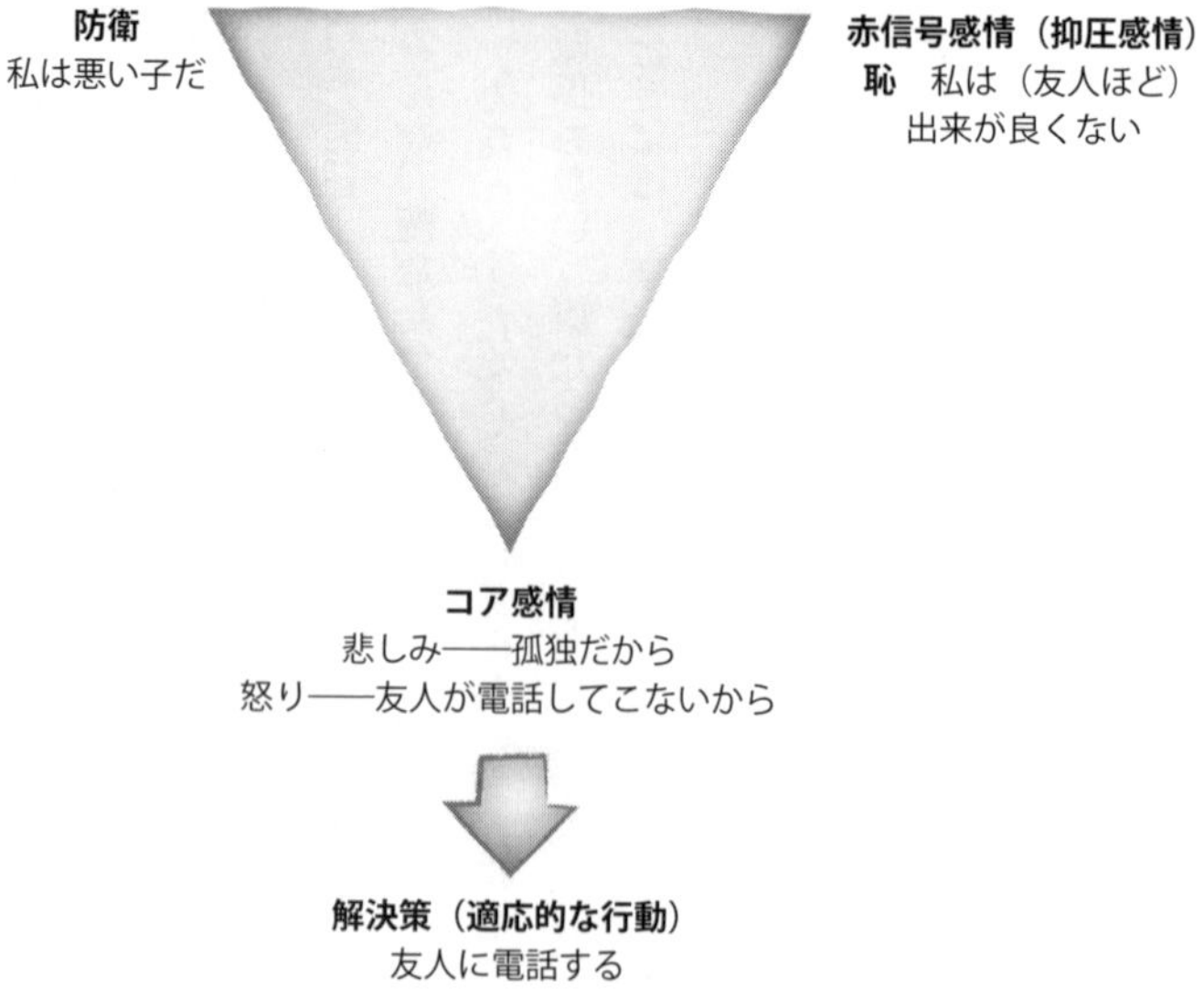

3. 自分は、友人が声をかけてくれないことに対して、ある気持ちを感じている。だいたいは悲しみで、怒りも少しある
4. 積極的に行動することで問題を解決できるのに、自分は受け身で待っていて、いろいろな思い込みをしている
5. 勇気を出して、自分から声をかける必要がある

やってみよう――罪悪感の感覚

罪悪感は役に立つこともあります。間違ったことをしたら、私たちはその責任を取り、償いをする必要があります。一方で、不合理な罪悪感というものもあります。これは何も間違ったことをしていなくても生じる罪悪感で、根深い葛藤や心の痛みを覆い隠す働きをします。

例を挙げます。

・プライバシーを侵害してくる相手に対して、制限や境界を設けることへの罪悪感
・大切な人を失い、自分が生き残ったことへの罪悪感
・自分のニーズを満たすのは良くないことだと教わったときに、自分のニーズを満たそうとすることへの罪悪感

罪悪感を詳しく見てみましょう。最近、罪悪感を感じた出来事を思い浮かべてください。

・あなたがしたことは何ですか？
＿＿＿＿＿＿＿＿＿＿＿＿＿＿＿＿＿＿＿＿
・それが「罪を犯したこと」に対する罪悪感だとしたら、その罪とは何ですか？
＿＿＿＿＿＿＿＿＿＿＿＿＿＿＿＿＿＿＿＿

・その罪とは、他者のニーズより自分のニーズを優先してしまったことですか？

はい＿＿＿＿　いいえ＿＿＿＿

・その罪とは、誰かを非難したことですか？

はい＿＿＿＿　いいえ＿＿＿＿

・その罪とは、衝動をうまくコントロールできなかったということですか？

はい＿＿＿＿　いいえ＿＿＿＿

・罪を犯す動機は何だったのでしょうか？＿＿＿＿

・以前にも、同様の罪を犯したことに対して、罪悪感を感じたことがありますか？

はい＿＿＿＿　いいえ＿＿＿＿

・その罪に対して、初めて罪悪感を感じたのは何歳のときですか？＿＿＿＿

・誰を傷つけてしまったのでしょうか？＿＿＿＿

・彼・彼女をどんなふうに傷つけたのでしょうか？＿＿＿＿

・彼・彼女を傷つけたと、どうやって知ったのですか？（彼・彼女は傷ついた気持ちをどうやって伝えてくれましたか？　言葉でしょうか、行動でしょうか、それとも様子からでしょうか）＿＿＿＿

＿＿＿＿

・謝罪は必要でしょうか？

はい＿＿＿＿　いいえ＿＿＿＿

・相手との関係を修復するには、謝る必要があると思いますか？

はい＿＿＿＿　いいえ＿＿＿＿

・何に対する謝罪ですか？

・あなたの犯した罪が、相手にどんな影響を与えましたか？

・どうやって償いますか？

・自分の長所や、自分が良い気分でいることに罪悪感を感じることはありますか？

はい＿＿＿＿　いいえ＿＿＿＿

・はいと答えた方は、自分の長所や自分が感じる気分について、罪悪感よりも感謝を感じられるように意識してみましょう。

罪悪感よりも感謝を感じるように意識すると、身体の内側でどんな変化が起こりますか？　内側で感じた変化を3つ書き留めてみましょう。

1.

2.

3.

不安や恥、罪悪感といった感情と向き合うことができるようになると、それらにとらわれることも少なくなります。赤信号感情にとらわれなくなれば、「変容の三角形」の下のコーナーへと下りて行きやすくなり、コア感情をしっかりと感じられ、心を開いた状態にもアクセスしやすくなるはずです。

喜び、感謝、自分に対する誇りなどのヒーリング感情

真冬にもかかわらず、私の中には、揺るぎない夏があった。

——アルベール・カミュ

ほとんどの人にとって、自分を良く思っていることや、自分が良い気分でいると認めるのは簡単なことです。しかし、それを他者に対して表すとなると、葛藤を覚える人は多いでしょう。心理学者たちによって、ポジティブな感情にしっかりと浸り、シェアするのは、脳に良いということがわかってきました。喜びや興奮、自分に対する誇り、感謝をしっかりと体験できる力は、癒やしを生み出します。

多くの人にとって、恥のような悪い感情を持ち出すことなく、良い感情を感じることは難しく、良い感情について話し合うこともできません。人々に、喜びや達成感、感謝、愛について話してほしいと依頼すると、彼らはその話題を必ずと言っていいほど避けたり、決まり悪そうな様子を見せたりします。ポジティブな感情が恥と結びつくかどうかは、ポジティブな感情をオープンに表現しシェアしたときの他者の反応次第です。肯定的な反応が返ってくれれば、私たちは自分が大きくなったように感じたり、より深いつながりを感じたり、幸福感が増したりします。反対に、批判されたり、軽蔑されたりすると、その体験は耐え難いものになります。喜びや誇り、感謝にはこうした心のダメージを癒やす力があるので、これらの感情の働きは最大限に活用したいところです。支

えてくれる人たちとポジティブな感情を分かち合えると、これらの感情は膨らんで、私たちを勇気づけ、ありのままの自己という心を開いた状態へと近づけてくれます。

ほとんどの心理療法家は、もっぱら心の痛みを生み出す考え方やネガティブ感情、あるいは問題に焦点を当てるトレーニングを受けています。心の専門家ほどネガティブ感情に偏りがちです。ところが「変容の三角形」を用いて自分の心に向き合ってみると、私たちが防衛しようとする感情には、むしろポジティブな感情が多いことに気づきます。AEDPの創始者であるダイアナ・フォーシャが発見したこの事実は本当に重要です。AEDPの理論を通して、愛や感謝、喜び、優しさ、自信、そして、私たちが生まれ持った善良さへの信頼[6]といったポジティブ感情の感じ方を学び、しっかりとその感情を感じ切ることによって大きな癒やしの可能性が得られます。これらのヒーリング感情に触れ、感じ切ることができれば、ウェルビーイングとレジリエンスが育まれます。さらに、ウェルビーイングとレジリエンスを育むだけではなく、愛や感謝といったポジティブ感情を感じ切ることで、私たちの脳の回路が再編成され、免疫システムが強化されることも科学者らによって証明されています[7]。

クライエントに、ポジティブな感情にとどまってもらい、その感情を内側で広げていこうとすると、不安や恥が「ノー!」と叫ぶことがあります。セッションの途中で、クライエントは、何か良いことが起こったとか、自分が体験した良い感じについて話してくれます。しかし、その肯定的な感じをしっかりと感じてみてと私から言われると、防衛がパッと顔を出すのです。こういうとき、私は、その防衛の立場になって話してみてほしいとクライエントに言います。すると、こんな言葉が返ってきます。「達成感を感じるのは良くないことだから」「変な

6 これについて詳しく学びたいと関心をお持ちの方には、以下の論文をお勧めいたします。Fosha (2013), Fosha and Yeung (2006), Russel and Fosha (2008), Yeung and Fosha (2015)
7 ポジティブ感情の役割を詳しく知りたい方には、こちらをお勧めします。Fredrickson, B. L. (2009)

感じがするし、間違ったことをしているような気がする」「自分には良い感情を感じる資格がないから」「別に大したことじゃないし、すごいなんて思えない」

誇りや感謝も、じっくりと感じてみたことのない人がほとんどでしょう。私のクライエントも、肩をすくめる、目が泳ぐ、その他のノンバーバル・コミュニケーションを使います。それを見ると、彼らが誇りや喜びをブロックしているのがわかるのです。自分に対するポジティブな感情を、身体で感じようとするときに生じる不安や恥、罪悪感をきちんと処理しない限り、ポジティブ感情の広がりは防衛に妨げられてしまいます。自分が大きくなるのは、かつては危険なことだったので、防衛は、大きくなった自分が露わになることから私たちを守ってくれているのです。防衛に対する気づきを高め、赤信号感情を和らげることができるようになれば、喜びや誇り、愛、感謝などを感じやすくなります。そのうちに、これらのポジティブ感情を感じる新しい能力が育まれていくはずです。自信もついてくるでしょう。

ポジティブ感情との付き合い方は、本当に人それぞれです。たとえば、ベサニーは、仕事で大成功していました。しかし、達成して得たものを喜び、誇りに思う気持ちを、誰かと分かち合ったことはありませんでした。「怖いんです。自己中心的とか自惚れていると批判されるのが」。子どもの頃、キャリアのために母親が長い時間働くことが、ベサニーの悩みのタネでした。母親に対する怒りと、他者から怒りを向けられることへの恐怖とが、彼女の中では結びついていませんでした。ベサニーが自覚できていたのは、誰かと達成感を分かち合いたいという願いでした。彼女の願いは、家族に認めてもらうことだったのです。彼女は注目を浴び、賞賛されることを想像してみるものの、実際には、達成したことを誰かに話そうと考えるだけで、不安や恐怖、そして恥が混じり合い、胃のあたりが気持ち悪くなってしまうのでした。達成感を分かち合いたいという願いよりも、嫉妬や怒りを向けられるリスクのほうがずっと大きかったのです。そして、彼女は一歩を踏み出すことができずに、ひとりきりで成功を噛み締めるのでした。

メアリーは、反対に、常に賞賛されたがり、自分が好かれていると実感していたいタイプです。どれだけ肯定されても、それが定着しません。褒められると良い気分になれますが、その気分はすぐに消えてしまうのです。何かに依存する人のように、彼女には別の治療が必要でした。メアリーは、ポジティブ感情が入ってくるのを止めていることに気がつきました。それはまるで、彼女の自尊感情のバケツに穴が開いていて、決して満たされることがないという感じでした。褒め言葉を求めて、釣り糸を垂れると獲物が引っかかる。誇りや喜び、感謝の気持ちが湧いてくる。しかし、すぐに不安が呼び起こされ、防衛によって、それ以上ポジティブ感情を感じられなくなってしまう。どんなに賞賛されても、それが彼女の脳内に変化をもたらすほど、深いところに届かないのはこのためでした。

私たちに必要なのは、自己感を変化させるような形で、しっかりと誇りや喜び、感謝を体験する方法を知ることです。「変容の三角形」を使えば、ポジティブな感情を深めることができます。しかし、まずは、ポジティブな感情に対する防衛に気づくことが大切です。今度、何か良いことがあったら、少し時間を取って、自分の内側の反応に注意を向けてみましょう。あなたはその喜びを目一杯感じられるでしょうか？　それとも、ほかの考えや作業に逃げてしまうでしょうか？　自分がそのとき何と言っているかだけではなく、自分がどんな姿勢を取っているかにも注意を向けましょう。防衛に行こうとしているのに気づいたら、それに抗いましょう。ポジティブ感情がたったひとつ、もしくはふたつの分子ほどしかなかったとしても、それに浸ってみましょう。ポジティブ感情に気づいたら、その力を弱めることなく、次に何が起こるか観察してみてください。

クライエントの中には、ポジティブ感情を感じることが、アイデンティティの危機となる人もいます。彼らはあまりに長い間、打ちひしがれ、縮こまってきたので、自分が大きくなるのを感じると、自分を認められなくなるのです。彼らは家族の中で、大きくなる感じやその大切さを経験したことがないため、自分が大きくなるのを感じると、幼いパーツをひとりぼっちにしてしまうような気がするか、家族とのつながりが切れてしまうと感じるのです。自分が大きくなる感じや自信を感じると、サバイバーズ・ギルトが生じることもあります。家族や友人に有能な人がいない場合には、特にそうなります。悲しいことに、自信を持つことや隠れずに堂々とすることに対して、複雑な思いを抱えている人がほとんどなのです。自信を持ち、自分の価値を感じるという新しい体験に耐え、それにとどまることで、ゆっくりと自分の中に新しい基準が作られていきます。私たちは、自分が大きくなるのを感じながら、同時に、大切で必要な人たちとつながっていられるのがどんな感じなのか、学んでいけるのです。

自分に対する誇らしさは、何か良いことを達成したときに起こる自然な反応です。不幸なことに、これはよく自惚れや傲慢さと混同され、誤解されます。私は、あなたに、誰かの自尊心を蔑ろにして自慢をし、偉そうにしてほしいとは思っていません。私があなたに体験してもらいたいのは、健全な誇りであり、これは、純粋に内側で起こる体験です。内側では、自分自身や自分がしたことに良い気分を感じたときに起こる、自然で生物学的な広がりの感覚を味わうことができます。誇らしさを感じると、背筋がすっと伸びるような感覚になります。誇りにはエネルギーがあるからです。自分に対する誇りを体験すると、私たちにとって良いことがたくさんあります。[8]

誇りは、自己に対するポジティブな感情です。感謝は、誰かがしてくれたことに心を動かされる体験です。誰かが肯定してくれて、褒めてくれて、優しくしてくれると、感謝が生じます。自分の感情を表したときに、相手がそれを批判したり、修正しようとしたりすることなく、あたたかく受け入れてくれると、感謝が生じます。私は、自分を楽な気持ちにさせてくれる人とのハグに心を動かされます。きっと、その相手への感謝の気持ちに心を動かされているのでしょう。相手に感謝の気持ちを抱くと、心があたたかくなるというのは、よく言われることです。

中には、感謝の気持ちを認めると、自分を卑下することになると感じる人もいます。こう感じる人は、その人にとって感謝と自分を卑下する体験が結びついているのです。一方が感謝を表し、他方がそれを受け取ることによって、関係が深まり、愛情や親密さが増すことに疑いの余地はありません。ポジティブ感情を感じ切る力を養うことは大事ですが、難しいのです。

誇りや感謝は、身体で深く感じる体験です。どちらも私たちの人生を豊かにしてくれます。準備が整い、防衛を脇に置くことができたら、誇りや喜び、感謝を見つけ出すことができます。これらは、私たちの心と身体、そして自分との関係や他者との関係にとっての栄養となります。これらの感情にアクセスすれば、低い自尊心や孤独、うつ、不安などの状態から、回復することができるのです。

人から褒められ、肯定してもらったとき、私は「変容の三角形」を使って、自分の反応への気づきを高めるようにしています。あなたも、肯定に対する自分の反応に気づく練習をしてみてください。あなたがいるのは、防衛のコーナーでしょうか、赤信号のコーナーでしょうか、それとも、「変容の三角形」の下の部分でしょうか？三角形の下の部分にいれば、喜びや誇り、感謝を身体でしっかりと体験できます。これらの豊かな感情を体験するために、感情を避けようとする心の動きに気づいて、それに抗いましょう。喜びや誇り、感謝といった感情を、感じられる範囲で感じてみる練習をしましょう。それらの感情がもたらす身体の感覚に集中し、それに数秒とどまりながら、波のように盛り上がる感覚に注意を向けます。それができたら、自分の中を流れるエネルギーを追ってみましょう。誇りや感謝、喜び、興奮が、赤信号感情によって妨げられることなく広がると、自分が成長する感じや、のびのびとして、しっかりして、元気が出るのを感じられるはずです。これはまさしく、自分自身へのご褒美です。

8　変容を根本から加速するために、自己に対する誇りやその他のヒーリング感情を深めるという考えを私に紹介してくれたダイアナ・フォーシャに感謝します。

やってみよう――喜び、感謝、自分に対する誇り

喜びを身体で感じる

喜びを感じられる実際の出来事や、イメージを思い浮かべてみましょう。内側で感じる、喜びの感覚に名前をつけてみましょう。

喜びを感じる体験によって、赤信号感情や防衛も高まるかもしれません。このエクササイズに取り組む中で起こる、赤信号感情や防衛にも注意を向けてみましょう。そのひとつひとつに、名前をつけることはできますか？内側での気づきを3つ書き出して、それらが「変容の三角形」のどこで感じられるものなのか、当てはめてみましょう。

1.

2.

3.

感謝

感謝に気づく練習はなかなか難しいものです。筋力をつけるためにジムへ行くように、感謝に気づく力はエクササイズによって育まれます。

入れ物を用意して、それに「感謝していること」というラベルを貼ります。

一日の終わりに、感謝を感じた出来事を数え、付箋に3つ書き出します。どんな些細なことでもかまいません。その付箋を、入れ物の中に入れましょう。3週間経ったら、このエクササイズを通して感じたことを振り返り、書き留めておきましょう。

感謝を身体で感じる

誰かに褒められたり、優しくされたとき、感謝を感じているかどうか、自分の内側に注意を向けてみましょう。もし感謝の感覚が湧いてこなければ、その感覚を思い出せるかどうか、試してみてください。感謝の感覚がどんな感じか、想像するのもいいでしょう。

些細な感覚しか見つけられなくても、感謝を感じているよと伝えてくる身体の内側の感覚に注意を向けます。その身体の感じにとどまり、30秒後にどんなことが起こるか、観察しましょう。

感謝を感じたときの感覚に、ひとつかふたつ名前をつけてみましょう。

1.

2.

自分の長所（誇り）に気づく

入れ物を用意して、「自分に対して誇りに思うこと」というラベルを貼ります。

一日の終わりに、自分に対して誇りに思うことを３つ書き出します。今朝、ベッドから出られたことを誇らしく思うかもしれません。それって、とてもエネルギーのいることですから。学校で良い成績を取ったこと、大変な仕事をやり遂げたこと、自炊をしたこと、ほかの人や自分自身に対して思いやりやいたわりの気持ちを持って接したことなどを書くのもいいでしょう。自分が成し遂げたことを、ほかの人が成し遂げたことと比べたり、ジャッジしたりしないようにしましょう。

自分が成し遂げたことを３つ書き出して、入れ物に入れる作業を３週間毎日続けます。ここでは、神経の可塑性を利用しています。この新しい作業を毎日やることで、神経のネットワークが鍛えられ、自分の良いところを見つけやすくなります。

３週間経ったら、このエクササイズをやってみて感じたことを振り返りましょう。

気づいたことを３つ、書き留めてください。

1.

2.

3.

誇りを身体で感じる

褒められたり、肯定されたときに、誇らしさを感じているかどうか、自分の内側に注意を向けてみましょう。もしそうなら、誇らしさを感じているよと伝えてくるのは、身体の中のどんな感覚でしょうか？　その感覚にとどまり、30秒後に何が起こるか、観察します。

誇らしさを感じたときの感覚に、ひとつかふたつ名前をつけてみましょう（助けが必要なら、巻末の感覚の言葉のリストを使ってください）。

1.

2.

褒められたり、肯定されたときに、何が起きているのか、ジャッジせずに見ていきます。

今度は、ブロックとして起こる感情や考えに注意を向け、それらに名前をつけましょう。よくあるブロックは、照れ臭さ、不安、罪悪感、恐怖、不信感、自分に対する批判や、褒めてくれた他者への批判です。

ブロックに注意を向けることは、内側の体験を意識化するのに役立ちます。気づきによって、変化や癒やしが起こる可能性が高まるのです。

気づいたことを3つ書いてみましょう。

1.

2.

3.

勇気が湧いてきたら、ブロックとなっている考えや感情を脇に置いて、自分の内側で良い気分が膨らんでいくのを感じましょう。自分自身が広がっていくのを感じるかもしれません。内側がほんの少し広がるのを感じるだけでも、この新しく生まれた力を育むことになります。もし不安が高まってきたら、深呼吸をしましょう。その不安は、あなたが新しいことに取り組んでいるから、そこにあるのです。

自分を批判しないように気をつけて、気づいたことを書き出しましょう。

6

防衛

マリオの物語――トラウマから平和に向かって

マリオに会ったのは、私がセラピストになって間もない頃のことです。当時、私は今よりも精神分析的な立場からセラピーを行っていました。私がトレーニングを受けていた研究所のインテーカーが、彼をクライエントとして私に割り当てたのです。彼の症状は、うつ、焦燥感、妻との親密な関わりを避ける、性欲の減退、キャリアに対する不満など多岐にわたっていました(彼は、地方の新聞社で編集者として働いていました)。

セッションの冒頭、私はいつも、マリオが話し始めるのを待つようにしていました。そうするようにトレーニングを受けたからです。精神分析家にとって、クライエントがどんなふうに口火を切るかというのは、とても重要な情報です。セッションをリードするのは、クライエントなのです。居心地の悪い沈黙を埋めるために話し続けるというのが、マリオの課題でした。彼は、それが自分のすべきことだと思っていました。精神分析的なアプローチは、クライエントに考え、話す余地を際限なく与えますが、これには不都合な面もあります。ごく少数の人は、このアプローチによって、恐怖心や傷つき、恥といった感情を喚起されるのです。安全な関係が十分にできていない時期であれば、なおさら、こうしたセラピストの中立性はクライエントを不安にさせました。

私は、マリオの変化に満足していませんでした。私はずっと、精神分析的な解釈を行うアプローチを取っていました。彼の話す内容に耳を傾け、語られることと無意識の間につながりを見出そうとしていたのです。たとえば、「おそらくあなたは、お父さんとのトラウマをまだ過去のものにできずにいるのでしょう。そのトラウマこ

【マリオが4歳のときのトラウマ体験における「変容の三角形」】

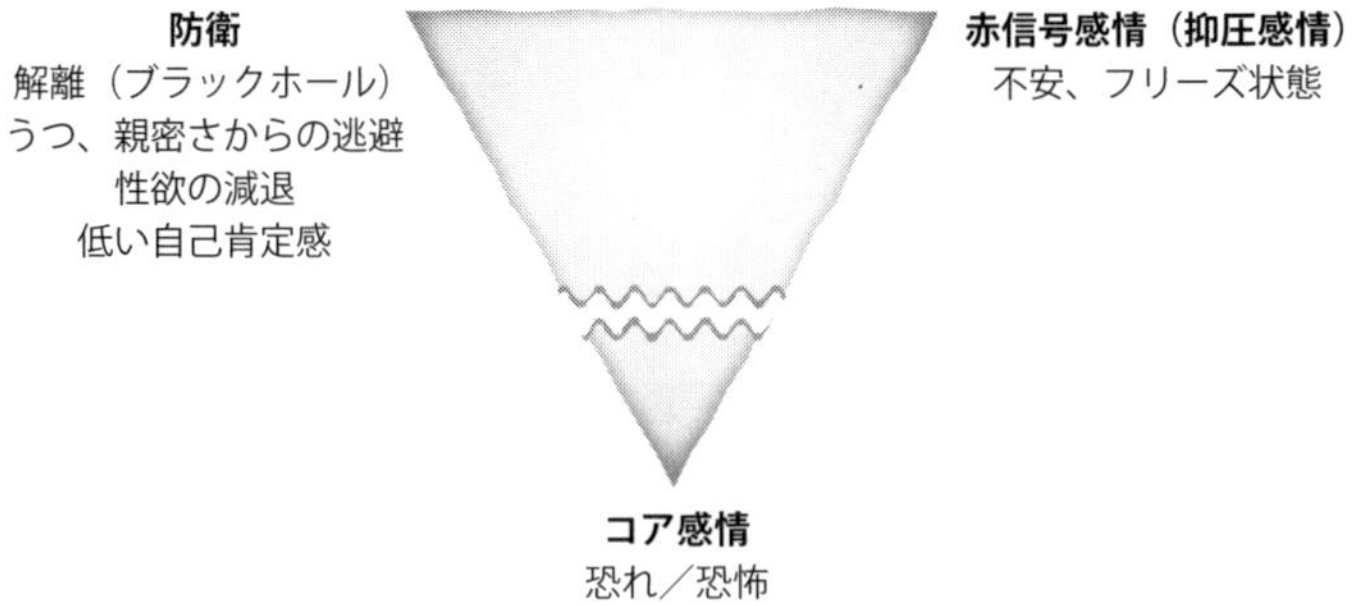

そ、あなたと家族をつなぐものだから」などと言ってみたりもしました。しかし、こうした介入が良かったのかどうかは別として、私には、自分の介入が当たっているようにも、外れているようにも感じられました。そこで、もう少し支持的になり、彼の話に耳を傾け、理解しようとしました。しかし、心の底では、それでは不十分だと感じていました。

彼が語り、私が共感的に聴くというセラピーが1年以上続きました。私のサポートによって、彼は日常の中でやるべきことをこなせるようになってきましたが、元気になったわけではありませんでした。抑うつ気分も改善しませんでした。彼は、希死念慮を持つ母親と、すぐにカッとなる父親に育てられるという過酷な幼少期を過ごしました。初期のセッションで、彼は、ほとんど感情を伴わない口調で、激怒した父親が兄を殴るところを見たと言いました。その記憶は、時折浮かび上がってくるのですが、彼はそれを「見慣れた光景」だと言いました。まるで、彼につきまとう幽霊のように。この記憶が、自分の抑うつ気分と何らかの形で関係していると、彼も直感的に感じましたが、この洞察によって、抑うつ気分が変化することはありませんでした。

私が診ているクライエントの中には、幼少期にトラウマ的な出来事を経験した人がたくさんいました。そこで、私はトラウマ治療に関する本をできるだけたくさん読み漁り、AEDPをはじめ、EMDRやソマティック・エクスペリエンシング（SE）、感覚運動療法（Sensorimotor Psychotherapy）、ＩＦＳ（内的家族システム療法）のワークショップに参加しました。そして、マリオとのセラピーを始めて1年後、正式にＡＥＤＰのトレーニングを受け始めました。ＡＥＤＰやＥＭＤＲ、ＩＦＳといった治療モデルからは、トラウマを負った状態を癒やし、変容させるための積極的な手法を学ぶことができました。これらの手法を取ると、苦しんでいる人を悩ませ続けずに済みました。そこで、私はマリオに対する自分のアプローチを、精神分析モデルからトラウマモデルへと切り替えることにしました。

セッションでは毎回、マリオと一緒にスローダウンすることから始めました。私は、とても……ゆっくり……そして、落ち着いて……話し、ペースを落とす見本を示しました。このような介入を行うと、クライエントの考えるスピードもスローダウンして、頭から身体へと落ちていく感覚を覚えます。マリオも落ち着きを感じられたようでした。スローダウンできると、感覚や感情に気づきやすくなるのですが、これには良い面と悪い面があります。自分の内側の体験に触れるための知識や理解、そのためのツールを持っていれば、感情や感覚を感じ切る準備が整っているため、私たちは、スローダウンすることで穏やかな気持ちになれます。しかし、何が起こるのかもわからないまま、ペースを落とすと、私たちは「変容の三角形」の左角へ行ってしまいます。防衛によってその状況に対処しようとするのです。休まずにずっと動き続けてしまう人、働いてばかりの人、話し続ける人、常に生産的でいようとし続ける人に、出会ったことがあるでしょうか？　会ったことがあるなら、そういうタイプの人たちは、感情を意識するのが嫌なのかもしれません。

私は、リラックスしてペースを落とそうという私の提案を受け入れたときに、マリオが見せる頷きやまなざし、言ってくれる言葉を待つようになりました。それから、マリオにこんなワークを教えました。「足元の地面や、身体が椅子に支えられているのを、ただ感じてください。あなたの身体は椅子に支えられています。一緒に、数回深い呼吸をしましょう」

マリオは、自分の感情の世界に波長を合わせ、身体の感覚に気づいて、それを言葉にするコツをすでに知っていました。また、イメージを使うことにも素直に取り組みました。そして、私たちはいよいよ、重要なセッションを迎えることになりました。彼の人生の多くを定義づけてきたトラウマにアクセスしたのです。セラピーを始めて2年ほど経った頃のことです。その日の午後、マリオは青い瞳を輝かせ、待ちきれないと言わんばかりの笑顔を浮かべて、私のオフィスへやって来ました。

「それでは最初に、今この瞬間の感覚に注意を向けてみましょうか?」

マリオは大きく頷きました。

「いいですね！　首から下の感覚に注意を向けて、どんな感情が起こってくるか、どんな感覚が感じられるか、ひとつひとつ気づいてみましょう。どんな感情が起こってきますか。どんな身体の感じに気づくでしょうか。自分自身に、思いやりと好奇心を持って、ただ、注意を向けるというのを思い出してください。気づいたことをジャッジしないように注意しましょう」

彼は、不安に気づいたと言いました。私は、彼の目の中に何らかの痛みを見たような気がしました。

「それは身体のどこで感じますか?」

マリオは心臓のあたりを指しました。

「感じていることを物体として表現するとどんな感じでしょうか?　それは大きさはどれくらいでしょうか?　石のように硬いですか、それとも、風船のように中は空洞になっているのでしょうか?　どんな感じですか?　心を開いて、イメージが浮かんでくるのを待ちましょう。自分の直感に従ってみてください」。私はゆっくりと柔らかい口調で伝えました。

彼は1分ほど黙っていました。

彼は言いました。「これくらいの大きさで、丸い形です」。彼は、その感覚を手で表しました。丸い形で、ハニーデューメロンくらいの大きさをしたそれは、胸のあたりへ上がってくるのだそうです。

「色はついていますか？」と、私は尋ねました。

「真っ黒です」と、彼は言いました。

こうして私たちは自らの体験を、色、形、大きさ、音や匂いや触感を持つ物質として表現し、それを自分の身体の中にしまっておくことができるのです。

私は尋ねました。「その黒くて丸い感覚と一緒にいて安全だと感じられる方法は、ありそうですか？」

「わからない。そんなことできるの？」と、彼は笑いながら尋ねます。ユーモア抜群な彼は、私をからかっているのです。安心でき、信頼し合える関係をここまで育んできました。この関係があれば、難しい体験も探索できるという自信を、彼も持ってくれていました。

「必ずできますよ。私とのつながりを感じながら、ゆっくりとそれに近づいてみてください。ゆっくり行けば、その感覚が強くなりすぎたときに、いつでも立ち止まれます」

彼は頷きました。

私が彼のガイドをしました。「その黒くて丸い感覚へと注意を向けてみてください。それとつながると、どんなところにいる感じがしますか？」

「巨大な穴が見えます。僕はその縁から10フィートくらいのところにいます」

「よくやれていますよ。穴の中を覗けるところまで、近づけますか？」

ブラックホールとは、そのときのトラウマ体験があまりにも強烈で、それに対処しようとして、心が真っ黒になってしまったという身体の感覚を表す比喩表現であると、私は思っています。ブラックホールは、ある出来事があまりにも多くの葛藤や、対処できないほど強い感情を引き起こしたときに作られることが多く、これらの体験は心の中で統合も理解もされないままになっています。私の仕事は、クライエントとつながり、彼らが安心してブラックホールの中を探索できるようにして、葛藤とそれに伴う感情を感じ切るのを手伝うことです。

大人になると、子どもの頃とは違うやり方でトラウマ体験を理解することができます。マリオの場合、このブラックホールを安全に探索できれば、抑うつ気分が和らぐのではないかと私は期待しました。ブラックホールの中に何があるのかを探索することで、脳内の記憶の回路をたどり、トラウマを負った場面へ戻ることができます。たとえば、イメージの中の懐中電灯で、真っ暗なブラックホールを照らすような感じです。ブラックホールの中には、一体何があるのでしょうか。

「近づくのは怖いな。つまり、その、中に落ちそうで怖いんです」と、彼は言いました。

「何があれば安心ですか？　私とロープでつながっているのをイメージするのはどうでしょう。あなたが穴に近づいて行くとき、落ちないように私がしっかりロープを握っていますよ」と、私はこう提案してみました。[1]

「無理だ」と、彼は言いました。「先生はそこまで強くないよ！」

「安心するには何が必要でしょう？　何かイメージできますか？」

「でっかいウロがある古い大木がいいかな。その木にロープを括りつけるから、先生はそのロープを持っていてください」。自分に必要なものが、彼にははっきりわかっていました。

「素晴らしいアイデアですね！」私は言いました。クライエントが、こうした情緒的かつ身体的なイメージを通して（想像力を使って）体験に入っていくと、自己治癒力に基づいた解決方法が心の中に浮かび上がってきます。イメージに対して、脳はそれがあたかも現実であるかのように反応します。これは心理療法で癒やしを提供する重要な手法です。たとえば、私はクライエントに加害者に反撃することを想像してもらうこともあれば、元々のトラウマの原因となった攻撃から逃れることができるようガイドすることもあります。イメージを通して、

1　空想のロープ、時には対人的なつながりを保つために、文字通り本物のロープを使ってみるという方法を教えてくれた、ベン・リプトンに感謝します。

あたかもそれが現実に起きたかのような安心を身体で感じてもらうのです。

私たちは、トラウマを生き延びたと頭ではわかっていますが、心でそれを実感しているわけではありません。感情脳で安全を感じられない限り、私たちの身体は、闘争‐逃走反応、もしくはフリーズの状態にとどまり続けます。これが苦しみの原因です。昔の感情を感じ切ると、危険は過ぎ去り、安全なのだと感情脳が学習し、ナラティブが途切れることなく個人史に統合されます。トラウマが、単なる記憶となるのです。「それは私の身に起きたことだけれど、もう終わったことです」

穴のそばまで歩いていき、中を覗いてみたものの、マリオには何も見えませんでした。中は真っ暗だったのです。私は、彼と私がロープでつながっていることと、私が大木とロープでつながっていることを確認してから、その穴に入って、中を探索してみるのはどうだろうとマリオに提案しました。

彼はやってみたいと言いました。

マリオは前へ進みました。彼は、穴の中に何があるか見えるように、懐中電灯を持っているところをイメージしました。どこからともなく、子どもの頃に住んでいた家の家具が渦を巻いて現れ、まるでトルネードの中にいるようでした。

そして驚いたことに、彼は突然、地面に着地したのです。「僕は地下室にいる。父さんが兄貴を殴っている！」この記憶は、私たちの間でよく話題になりましたが、彼がその出来事をこれほどリアルな形で体験するのは、これまでにないことでした。脳内のイメージに、感情と感覚が伴っていました。私にとっても、トラウマの元となる場面に戻ったクライエントと、ブラックホールの中を探索するのは初めての体験でした。

マリオは泣いていました。

私も、起きている出来事の強さに若干たじろぎました。私は、トラウマのセラピーの基本を思い出しました。それは、**クライエントの片足が過去に、もう一方の足が現在にあるとき、トラウマを完了させることができると**

いうものです。私は彼に確認しました。「あなたの中の一部は、私と一緒にここにいますか？」

「はい」と、彼は言いました。

「よかった。地下室にいる自分を見て、今どんな気持ち？」

「怖い。怖いよ。逃げ出してしまいたい」

私たちは、彼の恐怖にアクセスできました。ブロックされていたコア感情です。次に、私は、恐怖が持っている適応的な衝動を引き出したいと思いました。この衝動は、ずっと抑え込まれていたからです。

「身体のどの部分が、逃げ出したいと言っているの？」

「足が震えている！」

「走っているのを感じましょう」と、私は彼を驚かせたくなくて、そっと囁きました。「足で走っているのを感じて。走っている自分を見てみましょう。安全だと思えるところまで走り続けましょう」

私はしばらく間を置いて、それからもう一度、彼に確認しました。

「今、何が起こっていますか？」

「地下室を出て、裏庭に来ました。近所の通りを走って来たけど、まだ怖いです。どこに行ったらいいのかもわからないし……」。彼は再び泣き始めました。

私は「どこに行けたら安全かしら？」と尋ねました。

「わからない」。彼は泣き続けています。

「マリオ、安全だと感じられる人は誰？　誰があなたを安心させてくれる？」

「わからない。わからない。怖いよ」

彼には助けが必要でした。彼はとても幼くて、この状況を怖がっているので、そうなるのも当然でした。

「大人のマリオに話しかけてみるわね。今、私の隣に座っているから。今、この場面で、小さなマリオのそばに、大人のあなたがいるところをイメージできますか？　小さなマリオにとってのいいお父さんになってあげられますか？」私はこう提案しました。小さなマリオが、少しでも安心でき、ひとりぼっちじゃないと思えますようにと願いながら。

私自身をその場面に登場させることや、あるいは、彼が安全を感じられる妻や、その他の人物を提案することもできましたが、私は、安全な人物として、まずは彼自身を登場させたいと思いました。これができれば、彼はいつでも心を落ち着かせることができます。

大人のマリオは言いました。「男の子と一緒に近所の通りにいます。僕は腕を広げて待っていた。その子が僕のところに走って来れるように。その子が腕の中に飛び込んできた。僕は今、その子を抱きしめています」

マリオの涙が嗚咽に変わりました。私の目にも、涙がこみ上げてきました。その場面を目の当たりにして、強く心を動かされたのです。

私は黙っていました。小さなマリオが、大人のマリオといて安心しているとわかったので、私は一歩引いて、彼の涙にスペースをあげたいと思いました。恐れからくるものではなく、安堵からくるものに変わったであろう、その涙に。

涙が収まってくると、マリオは鼻をすすりました。大きく息を吸って、天井を見上げ、あらためて私と目を合わせました。

「落ち着きました」と、彼は言いました。

「今の内側の感じはどうですか？」私は尋ねました。

「かすかな震えを感じます。全身がちょっと震えているような」

「その震える感じとしばらく一緒にいて、何が起こってくるか、見てみましょう」

私は、その震えが自然に治るのを待ちたいと思いました。彼にその震えを止めてほしくなかったのです。止めることなくそのままにしておけば、身体はトラウマから回復するようにできています。恐れとつながった震えの感覚は、自然で正常なものです。その感覚をすべて発散させることは、恐れのエネルギーをすべて解放することと同じなので、マリオの気持ちも楽になるはずです。[2]

マリオも黙っていましたが、私はマリオとの結びつきをしっかりと感じられました。マリオが私を見るのをやめて、自分の身体に注意を向けたときでさえも。30秒ほどしてから、彼は言いました。「震えは落ち着きました」

「よかった！　すべての身体の感覚に注意を向けて、次にどんなことが起こってくるか、見てみましょう」

父親が激昂する姿を見たとき、マリオはまだ幼く、怯えるしかありませんでした。あまりの怖さで逃げることもできなかったのです。彼の中の愛着希求も、彼が家から離れられない要因でした。生き物である以上、家族と一緒にいたいという愛着希求が、本能的に彼を家族の元に引き留めるのです。その一方で彼のコア感情と身体は、これまた本能的に危険から逃げようとする衝動を生じます。

とどまろうとする衝動と、逃げようとする衝動がぶつかり合い、激しい葛藤を生じました。彼は恐怖に凍りつきました。記憶の中で、このぶつかり合う感情を抱えた彼のパーツの存在は、意識はされていません。ここでブラックホールが、そこにあるのに感じられていない感情の保管場所として存在しています。マリオが大人になっても、トラウマを示すブラックホールはそのまま残っていました。このトラウマは、彼を成長させるきっかけでもありましたが、無意識下で影響を及ぼし、うつの原因となっていたのです。

2　ピーター・リヴァインの素晴らしい著書 *Waking The Tiger : healing trauma*（邦題『心と身体をつなぐトラウマ・セラピー』雲母書房、2008）に、この現象が詳しく書かれています。彼の方法論は、動物たちが仮死状態からどのように身体的な回復をしていくのかという野生動物の観察に基づくものです。動物たちはトラウマ体験の後、身体を震わせます。その震えを妨げられなければ、動物たちはトラウマから回復し、起き上がってその場を去ります。震えを妨げられると、動物たちはトラウマ症状を呈します。人間にもこれと同じことが起こるのです。

【マリオの「変容の三角形」――殺人衝動を伴う憤怒としての罪悪感と怒りの関係】

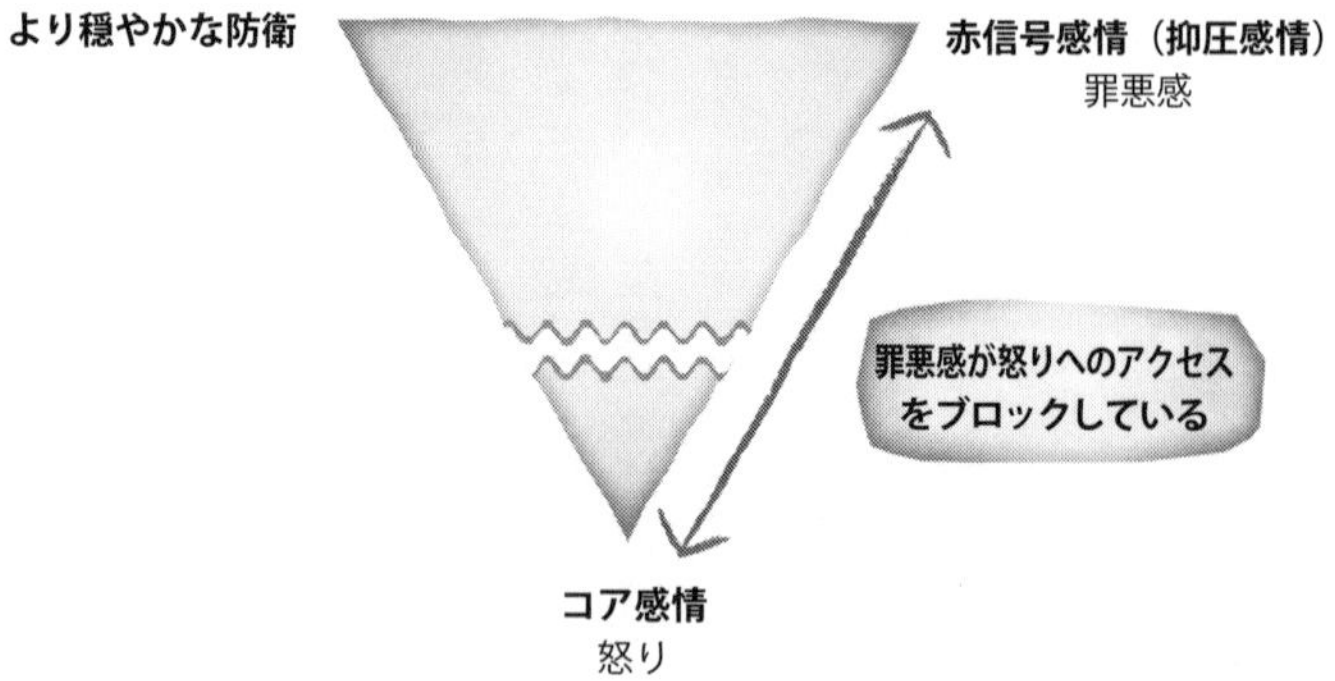

このセッションでのワークによって、凍りついていた衝動が解き放たれました。私といることで安心している、今の彼の心と身体は、危険を回避し、逃げる準備をすることができました。本質的には、置き去りにされた場所から、心と身体を連れ戻したということです。このセッションで私たちが作ったイメージの中で、彼は抑えられていた逃げようとする衝動を感じ切りました。それによって、内側で止まっていたエネルギーが解き放れ、その光景も過去のものとなったのです。

私はマリオに、今、何を体験しているのか尋ねてみました。

「父さんがあんな人でなしだったなんて信じられない！　父さんは僕ら全員を傷つけた。僕たちはお互いの言動を見ながら、ずっとハラハラしていた。そうやって、父さんを怒らせないようにしていたんだ」

「その大きな気づきを私とシェアしてみると、お父さんが、お兄さんやあなたにやったことについて、どんな感情が湧いてきますか？」

「ものすごく腹が立ちます」と、マリオは目を見開きながら言いました。

「今、身体の内側ではどんな感覚が起こっていますか？」私は尋ねました。

「お腹から全身にエネルギーが駆け巡る感じです。父さんを殺してやりたい」

「どうやって殺したいですか?」

ついさっき、イメージを使ってやってみたばかりだけど、もう一度できるかしらと私は考えました。今度は恐怖ではなく、彼の中の憤りだけを尊重してやってみたいのだけれど。

「頭を銃で撃ち抜いてやりたいです」と、マリオは、はっきりと言いました。

「その場面をイメージできますか? 映画みたいにリアルに。どんな光景が見えてくるか、教えてください」

「できることなら……」と、彼が言い始めたところで、私は咄嗟にマリオの言葉を遮りました。

「**したいこと**ではなくて、実際にそうするところをイメージしましょう。さっき恐怖について一緒にやったみたいに、今この瞬間に、それが起きていると思ってほしいのです」

私の言葉を聞いて、彼は言いました。「父さんの顔を見て、銃を構えました。引き金に指をかけます」。彼はそこで言葉を切りました。

「今、何が起こっていますか?」。互いにしばらく黙った後、私から口火を切りました。

「父さんを殺したくない」と、彼はそう言って、訝しげな顔で私を見ました。そして、こうべを垂れ、首を傾げました。

「そう言ってみて、どんな気持ちを感じますか?」

マリオはすぐに答えました。「罪悪感です」

「ええ。とてもよくわかります。だって、あなたは反社会的な人間じゃないから」と、私は微笑みながら言いました。「あなたには良心がある。殺人者にはなりません。これはお芝居のようなものです。本当にお父さんを殺すわけじゃない。罪悪感を感じているあなたの中のパーツに、少しだけ脇に退いてくれるよう、頼んでみるのはどうでしょうか? そして、あなたの中の怒りがやりたいことを尊重してあげませんか? そうすれば、自分の中にエネルギーを溜め込まずに済みます」

「わかりました」と、マリオは言いました。「やってみます」

「身体の感じに、一旦戻ってみましょう。お父さんへの怒りが、まだそこにあるかどうかチェックしてください」と、私は提案しました。怒りのイメージワークが、その効果を最大限に発揮するには、怒りに身体の感覚が伴っていなくてはなりません。怒りを解放するために何をすればよいかは、身体が一番よく知っています。思考ではなく、身体に従うのです。恣意的に作って演じるのではなく、起こるままに身体に任せることです。

「ええ、残っています。あの日、父が僕と兄にしたことを思い出すと、特に強く感じます」

「いいですね。身体の中にある怒りを感じると、それは今、何をしたがっていますか?」私は尋ねました。

「もう一度、父さんの頭を撃ちたがっています」

「それをしっかり感じましょう。何か変化が起きたら、教えてください」

「僕らは3フィートくらい離れて立っています。父さんの頭に狙いを定めました。父さんが両手を上げて、『やめてくれ』と叫びます。でも、僕は、父さんの眉間を撃ち抜きます。心臓がドキドキしてきた」

「お父さんを見て」と、私は急いで言いました。「どうなりましたか?」

「父さんは床に倒れています。頭の半分が吹き飛ばされている。左目は開いたまま、天井を見ています」

「いいですよ。身体の中の怒りの感覚に戻ってみましょう。お父さんが床に倒れて死んでいるのを見て、どんな感覚がしますか?」もしまだ怒りが残っていたら、イメージを通して感じ切るべき別の衝動があるということになります。

「怒りはなくなりました」と、マリオは言いました。目の緊張が和らぎ、悲しそうな表情へと変わっていきます。

「どんな気持ちが湧いてきますか?」私は尋ねました。

「悲しいです」と、彼は答えました。

「その悲しみにスペースをあげてみましょう。悲しみが湧き上がってこられるように。そして、その気持ちを感じるのを、これで最後にできるように」と、私は優しく、愛情を込めて言いました。「あなたが、こんなふうにいろんな感情を感じるのは当然のことですよ」

彼の頬を涙が伝いました。身体の緊張も和らいだようです。彼はじっと私を見ていました。

「それが何に対する悲しみなのか、言葉になりそうですか?」私は尋ねました。

「あの頃の僕ら家族のことを思うと、苦しいです。ひどい暮らしでした。親に傷つけられる恐怖を抱えながらの暮らしなんて、誰も経験すべきじゃない」。彼は、自分が言ったことを訂正しました。「**僕だって**恐怖でいっぱいの暮らしなんて経験したくなかった。ただただ悲しい」

「そうですね」と、私は肯定しました。「とても悲しい」

私たちは互いに尊敬の念を抱きながら、しばらくの間、黙って座っていました。彼は自分自身の人生を嘆きました。耐え忍んできたことすべてを。それが彼にもたらしたあらゆる困難を。[3] マリオは再び涙を流しました。

「長い間、たくさんの痛みを抱えてきましたね。もう、手放していいんですよ。ここなら大丈夫です。そんな痛みを抱えておくには、あなたは幼すぎた。その痛みを、ここで一緒に手放していきませんか」

自分がそばにいることを伝えたくて、私は、泣いている彼にそう語りかけました。そのまま数分が過ぎました。

彼は涙を拭い、大きく息をつきました。これは、悲しみというもうひとつのコア感情の波が、ひと段落したこ

3 喜びや誇り、感謝といったヒーリング感情に名前をつけ、それを体験してもらうことと同じくらい、自己悲嘆感情をじっくり体験することも癒やしの重要な部分だと教えてくれた、ダイアナ・フォーシャに感謝します。これらの感情はすべて、人々を癒やしと変容へと向かわせてくれるものです。

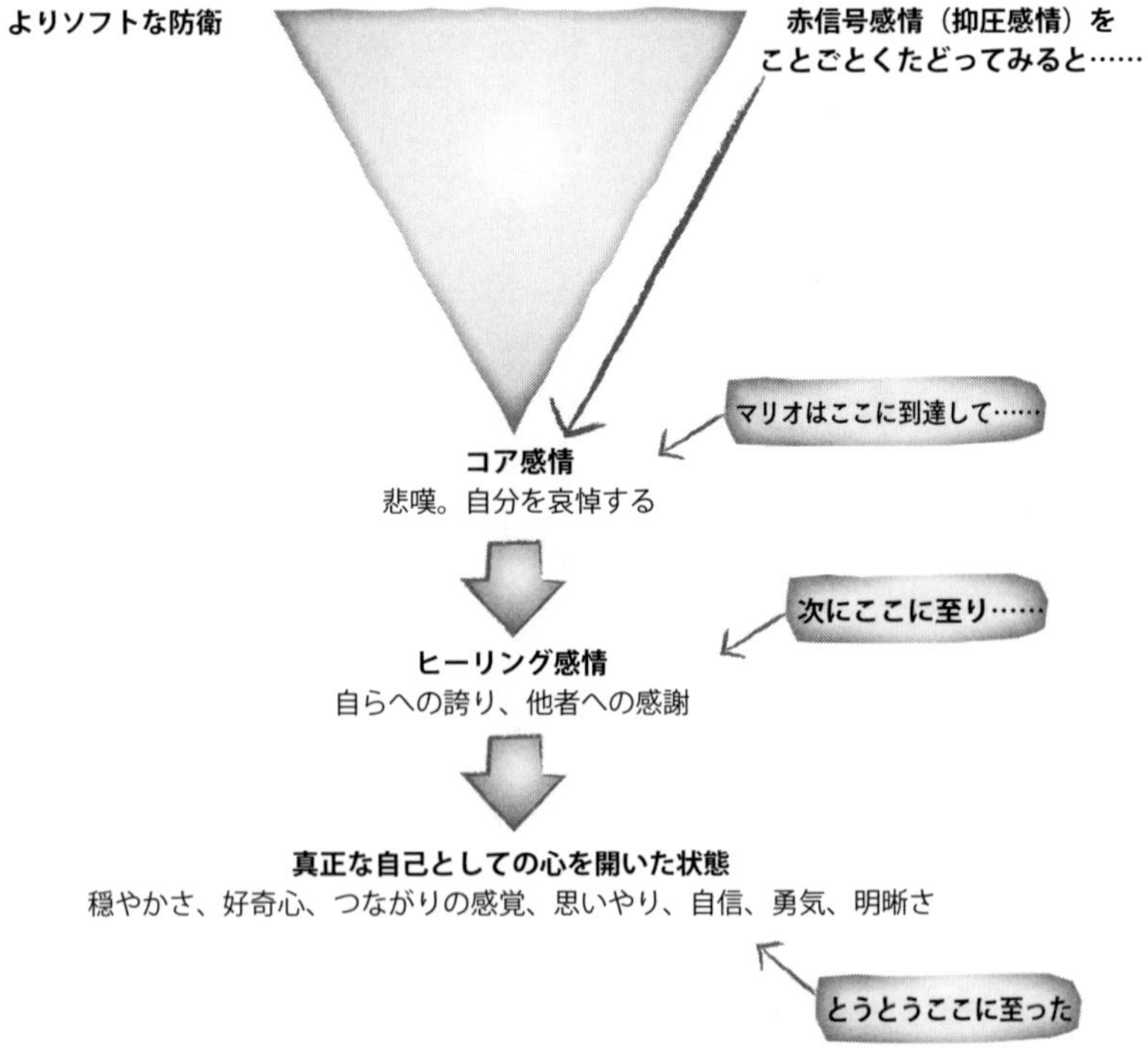

憤怒と悲嘆というコア感情が、ついに抑圧が外れて表出した。癒やしが始まり、他者への感謝と、己の誇りが現れた。

との表れです。

私は「内側では、今どんな感じがしますか？」と、尋ねてみました。

「疲れています。でも、いい気分です。落ち着いてきました」。マリオはもう一度、私を見ました。目が合ったことで、彼とカチッとつながった感じがしました。

「素晴らしかったですよ。今日は、あなたの勇気にとても心を動かされました」と、私は言いました。

一緒にやり遂げたワークを振り返ると、彼が感じた安堵感は、自分に対する誇りと私への感謝に変わりました。私たちは、残りの時間と彼のスタミナが許す限り、誇りと感謝というヒーリング感情を身体でじっくり体験しました。私は、ヒーリング感情にはできるだけ長くとどまって、探索するのが良いと考えています。ヒーリング感情は、脳の万能薬だからです。[4] 最後に、私たちはこの日にやり遂げたワークの重要性とインパクトを振り返り、癒やしのプロセスをもうひとつ経て、セッションを終えることにしました。

感情と身体の感覚に向き合ったことで、マリオのうつは良くなっていきました。もう何年も、マリオは抗うつ剤とソラナックスのような抗不安薬を手放せなかったのですが、それは多くの対症療法と同じで、症状の背景にある感情の問題を解決することなく、症状を抑えるためだけのものでした。

私が目指したのは、自分の中に注意を向けるべきトラウマがあると、マリオに気づいてもらうことでした。ブラックホールを探索したことによって、私たちは、埋れていたコア感情を3つも解放しました。恐怖、怒り、そして悲しみです。マリオは、その体験を言葉で表現し、意味を与えました。すると、ブラックホールに変化が起き、過去の記憶がようやく脳の中で統合されたのです。こんなふうに。**僕は4歳のときに、父が兄を殴るというトラウマを経験した。今では、自分が見た光景がどんなに恐ろしいものだったか理解できるし、兄や自分のことがかわいそうで、絶望的な気持ちになる。父に対しては怒りを感じる。今もいろいろな気持ちがあるけれど、僕はこの体験が思考レベルでも感情レベルでも、もはや過去にものになったとわかっている。兄も僕も、サバイバーなんだ。あの出来事をひとりでなんとかしろと思うほど、僕はバカじゃない。だって、僕はまだ子どもで、そばで守ってくれる人もいなかったんだから。**

このセッションの後、マリオの気分は良くなっていきました。彼は、妻や友人と過ごすためのエネルギーが出てきたと報告してくれました。イライラすることも少なくなり、仕事で充実感を感じることも多くなりました。

4　ここでもう一度、ダイアナ・フォーシャにお礼を言わなくてはなりません。これはまさしくAEDPであり、特にこの技法を独特で力強いものにしています。

かつては、上司や同僚に感じるストレスのため、会社に行きたくないと思っていたのですが、そんなこともすっかりなくなりました。一日のうちに気分の浮き沈みはあるものの、正常の範囲内にあり、深い悲しみに飲み込まれるようなこともありません。自分としっかりつながった状態でいられる時間が増え、マリオは爽快感や幸せを感じながら過ごしています。

防衛

人は誰でも、心の防衛機能を持っています。防衛にはさまざまな形や大きさがあり、遺伝的な要素や気質、環境にぴったり合うように作られます。防衛は、私たちが耐え難い感情や葛藤に対処したり、それらを扱ったりするのを助けるために、心が作り出した、賢い適応方法です。防衛は、もともといた環境に適応するために作られますが、それは時間が経つにつれて私たちに定着します。そうなると私たちは防衛を手放すことができないのです。現在の環境では新しい反応が必要なのに、古い防衛で反応し続けてしまうため、その防衛はもはや役に立たないどころか害になることもあります。大人になるにつれ、この防衛が生活の支障の原因になります。支障のタイプとして多いのは、他者とのつながりが阻害され、自分の核となる自己感とのつながりがブロックされるケースです。

防衛は、これまで私たちを助けてきたことを認めてほしい、防衛の功績を称えてほしいと思っている

私はいつも防衛に敬意を払い、尊重するようにしていますし、クライエントにも同じようにするよう教えます。

グリフィンが私のオフィスへ来たとき、彼は自分自身にひどく腹を立てていました。仕事で、特に上司に対して自分の意見を言えないと言うのです。私は、グリフィンに「変容の三角形」を見せ、三角形の下にコア感情、右上に赤信号感情と書きました。左上はこう書きました。「自己主張しない」。私はグリフィンに、主張しないという態度は、ずっと前に自己主張したときに起きたことに対する防衛だと説明しました。自己主張は、適応的な行動です。何かがほしいとき、要求したいとき、何かを手に入れようとするとき、あるいは必要ないと示すとき、ストレートに主張すると効果があるものです。

私はグリフィンに、主張しないという防衛がいつもどんなふうに機能しているのか、振り返ってみようと提案しました。防衛の本来の目的を知り、彼がもっと適応的で新しいやり方で、同じ目的を果たせるよう手伝いたかったのです。

「子どもの頃、あなたにとって自己主張するってどんなことでしたか？　自分から声を上げるときや、自分の意見を言うときは」

「冗談でしょ」と、彼は言いました。「そんなことしたら、父に叱られるに決まっていますよ」

「叱られるってどんなふうに？」

「父はいつもこう言っていました。『お前は自分が何を言っているか、わかってない。誰がお前の意見なんて気にするんだ？』」

父親の言葉がどんなに意地悪で害のあるものだったかを伝えてから、私は彼にこう言いました。「考えを言わなくなったのは、賢い選択でしたね」

「ええ」と、彼は言いました。「すぐにわかったんです。口を開かなければ、父から軽蔑されることはないって」

防衛は日常を乗り切るために作られたものであり、当時はそれが必要だったのです。ですから私たちは防衛を肯定して、防衛に敬意を示します。幼い頃は、防衛を使うことが自分を守る最善の策でした。[5] 子どもの脳が利用できるリソースは限られていますし、遺伝や家庭、文化からの影響を受けながら生き残るには防衛が頼りだったのです。

グリフィンは、すでに「変容の三角形」のワークに取り組み始めていました。自己主張の乏しさを防衛のコーナーに据えたことで、防衛の起源や意味するところが明らかになりました。彼は、防衛を脇に置き、埋れているコア感情を見つけなくてはならないことも理解していました。

「グリフィン。今、ここで私と一緒にいながら、お父さんがあなたを軽蔑したときのことを思い出してみてください。お父さんに対して、今どんな気持ちが湧いてきますか？」

グリフィンは怒っていました。誰かに傷つけられて、怒りの引き金が引かれるのは自然なことです。「変容の三角形」を学んできたグリフィンは、主張したいという自分の気持ちに抗っていると気づいたときは、どんな気持ちになっているかと、まず自分に尋ねることも知っています。そして彼は、父からされたように誰かの反応に傷つけられそうなとき、コア感情を認識すること、そして言葉を使って制限や境界を設けることで、自分を守ることもわかっています。

「変容の三角形」は、私たちが防衛的な状態から、心穏やかで落ち着いた、ありのままの自分でいる状態へとガイドします。そのためには、まずはストレスやトラブルの元となる防衛に対する気づきを高めることです。防

5　AEDPの防衛に対するアプローチは、防衛を病理と見なし、不用意に恥を喚起してしまう精神分析的なモデルとは対照的です。セラピーの文脈の中で恥を刺激してしまうと、クライエントの防衛は高まる一方です。防衛は、それが作られた時点ではクライエントにとって適応的なものであったとリフレーミングすることで、恥を和らげ、クライエントが自分の防衛に関心を持てるようにしたいものです。

衛に、こう尋ねてみるのもいいでしょう。**今、どんなふうに私を助けようとしてくれているの？** 防衛は答えを知っていますし、その答えを教えてくれるはずです。防衛は、私たちを守るために必死で働いているのです。たとえ、その防衛形成の発端となった脅威が、ずっと前に終わっていたとしても。現実に適応するには古いプログラムをアップデートしなくてはなりません。「変容の三角形」のワークを通して、私たちが自分の本当の気持ちを感じられるようになり、現実世界で感情を使いこなし、感情に沿って行動を選択することが安全なのだという確信が持てるようになったら、防衛は溶けてなくなります。もはや、防衛は必要なくなるからです。

防衛に気づこうとしない限り、無意識のまま防衛は作用します。自分の防衛に気づくよりは、他者の防衛に気づくほうが簡単なので、自分の防衛に目を向けるより先に、あなたはほかの人の防衛に気づくようになるかもしれません。たとえば、私は、両親が批判的な人たちだと気づいていたのですが、自分が批判から身を守るために縮こまっていると気づいたのは、もっと後のことでした。心の痛みを感じないように、お酒に走る人がいることは知っていましたが、私自身にも、不快感や心の痛みを避けるためにお酒を飲む習慣があると気づいたのも、もっと後のことです。自分の行動や思考、気持ちをチェックして、防衛的になっているかどうかを見極めるためには、私たちはかなり粘り強く、自分に意識を向けなくてはなりません。

防衛による縛りを緩めるためには、防衛を手放した場合にどんな怖いことが起こると思っているのかを知ることです。たとえば、ボニーがもっとはっきりと自分の意見を言い、曖昧さという防衛を手放すためには、前もって、自分には葛藤を扱う力があり、怒りを建設的に表すこともできるという自信を持つ必要がありました。この世界で安全を感じられる別の方法が見つかれば、防衛を手放すことは簡単になります。この過程で重要なのは、自分を守ってくれている親切な存在として防衛を感じてみようとする気持ちです。「変容の三角形」を使えば、防衛が本来持つ保護的な役割が見えるはずです。

防衛が伝えてくるメッセージに耳を傾けましょう。私は、誰かが知性化やジョーク、目を泳がせる（非言語的な防衛）といった防衛を使っているのに気づいたら、防衛のパーツから話すように勧めます。「娘さんからどんなふうに侮辱されたかを話しているとき、目が泳いでいるのに気づいていますか？　目を泳がせているあなたの中のパーツから話をするとしたら、何と言いたいですか？」あるいは「とても悲しい出来事について話しているのに、笑顔を浮かべているのに気づいていますか？　笑顔を浮かべているあなたの中のパーツに、今、何を守ろうとしているの？　と、聞いてみてもいいでしょうか？」

防衛がくれる答えは多種多様です。いくつか挙げてみましょう。

- 心の痛みを感じることから、あなたを守っているの
- 恐怖から守っているんだよ
- 傷つく出来事からきみを守る壁なんだ
- 耐えられそうもない悲しみから、きみを守るバリアなんだ
- 誰かを殺してしまいたくなるような怒りから、きみを守っているのさ
- あなたが見捨てられないように守っているの。だって、誰もあなたの本当の気持ちを理解できないから
- きみが自分を嫌わないようにしているんだよ
- 本当のきみを隠しているんだ。だって、ほかの人たちに頭がおかしいと思われたら、ひとりぼっちになってしまうだろう？
- きみが完璧にできないことをしようとするときは、いつも警戒している。だって、失敗したら、誰からも愛されなくなってしまうから
- 働きなさいって言い聞かせているわ。あなたはもともと怠け者だから
- あなたが食べすぎるように仕向けているの。そうしておけば、誰もあなたとセックスしたいなんて思わな

いし、また傷つかなくて済むでしょう

クライエントのソフィアは、自分が、親友のデニスに会いたくないと思っていることに気づきました。会いたくないという気持ちがあるのはショックでした。この心境の変化を不思議に思い、彼女は「変容の三角形」に自分の状態を書き出してみました。すると、心の中でこんなセリフが聞こえました。**友達なのに、私はデニスのことを避けている。これは防衛だわ。デニスに対して、何か思っていることがあるのね。**

防衛に気づくことができたので、彼女はそれを脇に置きました。デニスに対してどんなコア感情を感じているのかと、自分に尋ねてみました。デニスと一緒にいる場面を想像すると、気持ちがこみ上げてくる。だから、デニスに会うことを考えるだけで、不安になるんだわ。彼女には、それがすぐにわかりました。ソフィアは身体の感覚に注意を向けました。胸のところで心臓がドキドキしているのを感じる。なんだか落ち着かない。彼女は、不安が赤信号感情で、コア感情が出てこようとしているサインだということも知っていたので、しっくりくるコア感情が見つかるまで、どんなコア感情があるか、ひとつひとつ思い浮かべてみました。そして、ソフィアは自分が怒っていることに気づいたのでした。

「変容の三角形」を地図として使い続けるうちに、ソフィアは自分の中の怒りに取り組んでみようと決めました。身体の感覚に注意を向けて、怒りがこみ上げてくる感覚にとどまってみたのです。すると、へそのあたりが緊張し、そこからエネルギーが発せられているのに気がつきました。そして同時に、先日デニスと夕食を食べたときの記憶が浮かび上がってきました。その日、デニスから、ソフィアの新しい恋人は頭が悪いと、遠回しに言われたのです。彼女は、それで腹が立ったのを思い出しました。ソフィアは侮辱されたと感じていたのですが、それについてデニスと話し合ったことはありませんでした。ソフィアは自分の怒りをなかったことにして、怒りの感情をそのまま消してしまおうとしたのです。しかし、今ようやく、彼女は自分の中に怒りが在ることを認めました。その怒りの衝動がはっきりと感じられるまで、彼女は十分時間を取って怒りの感覚にとどまりました。怒りは、デニスに「もういい！　絶交よ！」と言いたがっていました。ソフィアは、デニスに対してどれほど腹を立てているのか、やっと自覚しました。怒りを引き出すための十分な時間を取るまで、ソフィアが自分の怒りの強さに気づかなかったのは、防衛がしっかりと働いていたからです。

このことがはっきりすると、ソフィアの気持ちは落ち着きました。彼女は、デニスへの怒りに対処するための一番良い方法は何か、考える準備ができたと感じました。デニスの言葉にひどく傷ついたと伝え、ヒビの入った関係を修復するために謝罪を要求するというのも、ひとつの選択肢でした。何も言わないでおくのもひとつだと、ソフィアは考えました。自分の中の怒りはセッションで感じ切ることができそうでしたし、はっきり言うことで気まずくなるのを避けたいと思ったのです。後者を選んでも、ソフィアはおそらく、怒りを手放すことはできたでしょう。ソフィアは最終的に、デニスと話し合うことにしました。そのほうが、ふたりの関係にとって良いだろうと考えたのです。ソフィアはデニスに自分の気持ちを打ち明け、きちんと話し合いをしました。デニスは、ソフィアの恋人のことをよく知りもしないのに、自分は明らかに、最悪のシナリオへ考えを飛躍させていたと認めました。そして、ソフィアの気分を害したことを謝ってくれたのです。話し合いの後、ソフィアの気持ちはずっと楽になりました。ヒビの入った関係も修復することができました。

親友を避けてしまうというのが、ソフィアの防衛でした。しかし、ソフィアは自分自身に目を向け、それが防衛であると気づくことができました。そして、自分自身を大切にし、デニスとの関係も大切にするために、「変容の三角形」を使おうと決心したのです。防衛にとどまり、自分の感情を感じないようにするのはやめようと決めた結果、ソフィアはデニスへの怒りの存在を認め、自分の中で心ゆくまで、その怒りを感じ切りました。そして最後には、穏やかで自分としっかりつながった状態で、デニスと心からの話し合いができたのです。このようにして、たくさんの人が「変容の三角形」を日常に生かしています。

ケイレブも、日常的に「変容の三角形」を使っているクライエントです。彼は、ギスギスした雰囲気の職場で働いていました。ドンという同僚は、まっすぐ前を見たまま、ケイレブの存在に気づかないこともありました。ドンに気づいてもらえないと、ケイレブの身体に衝撃が走ります。いつもの自分ではいられなくなり、急に胃がキュッと締めつけられるのです。彼はこう思っていました。**ドンのクソ野郎！　バカにしやがって！**　彼は、こうしたドンを非難する考えは、自分の中の怒りに対する防衛だと気づいていました。私たちは誰でも、自分を傷つけた相手を非難するものです。しかし、非難の問題点は、それが行き詰まりの原因になり、自分の気持ちの解決にはならないことです。相手を非難する状態にとどまっていると、身体の緊張は解放されません。それに非難によって、相手との関係が壊れる可能性もあります。

ドンを非難したい気持ちを脇に置き、ケイレブは自分の身体に注意を向けました。すると、ドンに対する怒りに気づきました。彼はしばらくその怒りにとどまり、誰が、そして何が、怒りの引き金になっているのかと聞いてみました。ケイレブは、怒りに伴う身体の感覚にもとどまりました。すると、怒りは恥へと変わりました――ドンは、彼を取るに足りない存在だと感じさせるのです。怒りの声の下で、彼は、自分が縮こまるのを感じました。その縮こまる感覚には覚えがありました。歴代のガールフレンドから無視されるたびに、彼は同じ気持ちを味わっていたのです。ケイレブは、子どもの頃、両親から無視されていると感じていたことを思い出しました。幼少期の体験によって、彼は、他者からどれだけ注目してもらえるかを、ひどく気にするようになっていたのです。そのため、ドンに気づいてもらえないと、ケイレブは自分をどうしようもなく取るに足りない存在だと感じるのでした。すべては、子どもの頃の古い神経回路が活性化して、過去のトラウマが頭をよぎっただけだったのです。ある瞬間、ドンがケイレブの母親と父親を象徴する存在となり、ケイレブは4歳の頃の自分を通して、今の現実世界を体験していたのです。

怒りを身体のレベルでしっかり感じただけで、ケイレブは気づきを得て、気持ちが楽になるのを感じました。

ケイレブは、ドンが失礼なやつだとしても、古い神経回路が活性化するせいで、余計に嫌な気分になるんだと自分に言い聞かせるようにしました。すると、冷静な気持ちになれました。ケイレブは争いに巻き込まれるのが嫌いで、自らが真っ当であることを重視する人でした。そこで彼は、ドンへの怒りを感じてもいいと自分に許可を出すことにしました。そして、「くたばれ、この無礼者、クソったれ」とドンに言う場面をイメージしました。ケイレブは解放感を感じて、深い溜め息をつき、それから、自分に思いやりの気持ちを向けました。過去を生き抜いてきた自分と、職場の無礼な人たちに対処している自分の両方に対して。

ケイレブは、**バカにされている**と感じるのは防衛だと気がつきました。防衛の下には、幼い頃に無視されていたことへの怒りや恥、悲しみがありました。過去に由来する感情が現在の状況に影響を与えているとつなぎ合わせてみるのは、現実を生きるうえでとても重要なことです。実際、ドンはいつも別のことで頭がいっぱいで、せかせかして、シャイな人なのでした。しかし、ケイレブの4歳のパーツが刺激されたせいで、彼は、ドンの行動は自分に関係のあるものなのだと早合点してしまったのです。

もちろん、過去の体験とは何も関係がない場合もあります。実際に失礼な人もいれば、いつも何かに気を取られている人、鈍感な人、無知な人もいます。悪意のある人だっているでしょう。それでも、たいていの人は、自分がほかの人に与えている影響に気づいていないものなのです。大人になれば、特に、穏やかで心を開いた自分でいるときには、嫌な気持ちになったり、害を及ぼされたりしないような建設的な形で、失礼で鈍感な人たちにうまく対処できるようになります。ケイレブは、ある人物が自分を傷つけようとして、実際に失礼な態度を取ったとしても、それは相手の性格の問題で、自分の問題ではないと考えられるようになりました。

思考も感情も行動も、防衛として機能することがあります。自分が防衛の中にいるかどうかをはっきりさせるには、自分がどんな行動を取り、何を考え、何を感じているかを頻繁にチェックし、振り返ることです。コア感情は、種の生存のためにあるのだということを覚えておきましょう。ある感情を防衛として使っていることが多いとか、この感情はむしろコア感情だということに気づくには、自分の反応に目を向けて、それが状況に合った適応的なものかどうかを確認することが役に立つはずです。

コア感情と結びつくのは、次のような出来事です。

・喪失を体験すると、悲しみを感じる
・誰かに傷つけられると、悲しみと怒りを両方感じる
・誰かに暴力を振るわれると、嫌悪、怒り、傷つき、恐怖を感じる
・素敵だなと思う人が現れると、喜びを感じる
・誰かにうれしいサプライズをしてもらえると、幸せな気持ちになり、ワクワクする
・魅力的な人が近くにいたら、性的な興奮を感じる

同じ状況であっても、コア感情が防衛によって隠されてしまうことがあります。次に挙げるのは、適応的なコア感情に代わって、別の防衛的な感情が喚起されている例です。

・喪失を体験すると、悲しい（コア感情）はずなのに怒り（防衛）を感じる
・誰かに傷つけられたら、怒りや悲しみ（コア感情）を感じるはずなのに恥（防衛）をかかされたと感じる
・誰かに暴力を振るわれたら、嫌悪や怒り、悲しみ、恐怖（コア感情）を感じるはずなのにただただ悲しく（防衛）なる
・素敵な人が現れると、うれしい（コア感情）はずなのに嫌悪（防衛）を感じる

・うれしいサプライズをしてもらえると、ワクワク（コア感情）するはずなのに怖く（防衛）なる
・魅力的な人が近くにいると、性的に興奮（コア感情）するはずなのに恐怖と怒り（防衛）を感じる

感情が防衛的に働いていたとしても、それらの感情は大切に扱いましょう。かつて、その防衛が果たしてきた役割を知り、その感情を理解するのです。そして防衛の下にあるコア感情にアクセスし、それを感じ切れば、今よりもずっと楽な気持ちになれます。

これまで防衛を維持するために使っていたエネルギーを、リスクを取って勇敢に生きることや、楽しいこと、好きな人との関わりに使うほうがずっといいでしょう。あなたは「変容の三角形」を使うことで、本当の自分を感じることを回避することに費やしているエネルギーを、本当の自分とつながって生きるエネルギーに転換することができるのです。

やってみよう――自分の防衛に気づく

ストレス解消法としてやっていることを3つ書いてみましょう。

1.
2.
3.

何かに直面するのを避けるためにしていることを3つ書いてみましょう。

1.
2.
3.

今までに言ったことのある意地悪な言葉と、言ってしまった理由を3つ書いてみましょう。

1.
2.
3.

自分が批判しがちなことを3つ書いてみましょう。

1.
2.
3.

やりたくないことを回避するためにしていることを3つ書いてみましょう。

1.
2.
3.

ついやってしまう自滅的な行動を3つ書いてみましょう。

1.
2.
3.

厄介に感じる感情に対処するために、していることを3つ書いてみましょう。

1. ＿＿＿＿＿＿＿＿＿＿＿＿＿＿＿＿

2. ＿＿＿＿＿＿＿＿＿＿＿＿＿＿＿＿

3. ＿＿＿＿＿＿＿＿＿＿＿＿＿＿＿＿

自分の答えを振り返り、防衛だと思う答えの隣にチェックをつけてください。そのうちのどれかひとつを取り上げて（一番やめたいと思うものにしてみましょう）、マルをつけてください。その答えを、この先のエクササイズに使ってみましょう。

防衛への気づきを高める

好奇心を持ちながら、自分自身に次の質問をしてみましょう。自分を思いやることを忘れずに、自分を責めることもしないようにしましょう。質問への答えを書いてください。

・普段から問題になりやすい自分の行動は、どんなものか？
・人間関係に支障をきたす自分の行動は、どんなものか？
・仕事で問題になる自分の行動は、どんなものか？
・自分でも困ってしまう自分自身の行動は、どんなものか？

・自分は危険な行動を取りやすいか？
・どうやって葛藤を感じないようにしている？
・どうやって感情を感じないようにしている？
・どうやって不安を感じないようにしている？
・自分が嫌だと思わないようにするために、どんなことをしている？
・自分の短所に気づいているか？　それをほかの人とシェアできるか？
・自分の長所に気づいているか？　それをほかの人とシェアできるか？
・自分の考え方は柔軟か、それとも硬いか？
・多くの場面でほかの人をジャッジしているか？
・多くの場面で自分をジャッジしているか？
・自分はいつも動いていて、何かしていることが多いか？
・ペースを落とすのは苦手か？
・酒やドラックに溺れることがあるか？
・自分はほかの人より優れていると思うか？
・考えや気持ちを誰かとシェアしているか？
・一日中、頭で考えてばかりいないか？

もう一度、右の答えの中から、あなたを嫌な気持ちにさせるものや、日常生活で問題になっていて変えたいと思っているものを、ひとつかふたつ取り出してみましょう。選んだものにマルをつけます。マルをつけたものは、「変容の三角形」をマスターするために行う、この後のエクササイズやワークのために取っておいてください。

7

心を開いた状態とは？

再びサラの物語——本当の自分、心を開いた状態

サラのことを思い出してみてください。サラは心優しい女性で、自己主張するための助けを必要としていました。母親から何年も言葉の暴力を受けてきたせいで、彼女は長いこと不安と恥の中に隠れていました。彼女にとってコア感情は、自分のものもほかの人のものも恐ろしく、怒りは特にそうでした。

このセッションは、彼女が私に対する怒りを体験してから5か月後のものです。サラの振る舞いがどんどん落ち着いてきて、私はセッションの効果を実感していました。新しい仕事でさまざまな要求に追われながらも、彼女はそれに丁寧に、かつユーモアを持って対処していました。今では、私を不快にさせる心配をすることなく、彼女は自由に職場の不満を言えるようになっていました。私も彼女のこうした変化に気づき、彼女と一緒にいて私自身もリラックスしているのを感じました。

サラは自分の気持ちや欲求、願望に名前をつけられるようになりました。加えて、必要に応じて、周りの人たちに対してきちんと境界や制限を設けることもできるようになりました。

このセッションで、サラは、子どもの頃に母親から怒られたときの身体の反応が気になっていると話してくれました。「昨日、ベッドで横になって、「変容の三角形の」ワークをしながら、自分の身体の感覚を感じようとしました。母が、『普通のお母さん』から『怒り狂うお母さん』に変わる瞬間に、自分がどんなことを感じていただろうって、考えてみたんです。一旦スイッチが切り替わると、もう元には戻せません。私の中に、すごく独特

な感覚が湧き起こってきます。この感覚が何なのか、はっきりさせてみたい。この感覚に取り組みたいと思いました。胃のあたりが押される感じ。何かが心臓を圧迫する感じです。ベッドの中にいたので、十分な安心感がありました。母が叫び出すところをイメージすると、心臓のあたりが押し潰される感じがしました。まるで、心臓の鼓動がおかしくなったみたいに」

私は、心臓や身体に押し潰されるような感覚があるのを想像してみました。「つらいですね！」私は言いました。

「それに、怖いです」と、サラが付け加えました。

「ええ。それに、怖い」。サラが、私の体験ではなく、自分の体験を正確に表すために、自分自身の言葉でそう付け加えたのを私はうれしく思いました。

考えながら感じる能力は、脳がしっかりと統合されていることの表れであり、人生のさまざまな困難に対処するのに最適なものです。心が開いた状態とは、こういう状態なのです。[1] 7つのCの状態にあるとき、私たちは自分の考えを意識しつつ、その瞬間に起こってくる感情を感じ取ります。

「母のことが**ものすごく**怖かった！」と、サラは強調しました。

「心臓のあたりの感覚だけではなくて、恐怖も起こってきているんですね。その怖さに注意を向けることはできますか？　必要なだけ、そばにいますからね」

私は、古い感情を抱え込んだ子どものパーツと向き合うとき、二重の意識を保つことを彼女に教えていました。

1　私が、「心を開いた状態（the openhearted state）」と呼んでいる状態は、ＡＥＤＰのコアステイトやＩＦＳのセルフの概念を反映したものです。コアステイトについて知りたい方はFosha（2000）を、ＩＦＳのセルフについて知りたい方はSchwartz（2004）をご覧ください。

ひとつは、私と共に今にとどまっているパーツ。もうひとつは、恐怖を抱えた幼いパーツとやりとりするために、過去とつながっているパーツです。癒やすべきものが何かわかるように、幼いパーツの恐怖をよく見て、よく知ることが目標です。

「母の機嫌が悪いときには、彼女がその状態から脱するか、あるいは疲れ果てるまで、私は自由になれません。だから怖かったのだと思います。カッとなると、母は私に何時間も意味のない雑用をさせました。遊びも楽しみも台無しにされました。私の部屋が片付いていないと、物を勝手に捨てることもありました。テストの点が悪いと、答案をビリビリに破られました。母のかんしゃくは、もう、本当にひどいものでした。どうやったら母を止められるのか、少しでもマシになるにはどうしたらいいのか。母を怒らせないために何ができるだろうって、そればかり考えてきました」

サラがこのことを話している間、私は、彼女が自分をコントロールできているのを感じました。自分のことを話しても、冷静でいられるようになったのです。

セラピーを始めて最初の数年は、こうした話題になるとトラウマ反応が起こったものです。母親からの攻撃を思い出すだけで、鮮明なフラッシュバックが起こりました。そこで一旦やめにして、彼女の中に込み上げた大量の不安と恐怖を和らげなくてはなりませんでした。この不安と恐怖が、フリーズ反応を引き起こすのです。野生動物が捕食者の餌食になると感じたときの反応と同じです。これは的確なたとえです。サラの神経システムは、母親のかんしゃくと死が迫っている状況は同じものだと解釈しました。傍目にはなんでもないふうに見えていたとしても、このときサラの心電図を取ることができたら、心拍数の増加やその他の過覚醒のサインが見られたはずです。フリーズ反応が起こっているときも、神経システムは非常に活性化しているのです。

「本当にたくさんのことを乗り越えてきましたね」と、私は言いました。

「あれはかなりの試練だったって、ほぼ毎日考えています。要するに、苦しいことが多すぎました。あれを乗り越えることができたのは、なんだかすごいですね」と、サラは言いました。

以前は、自分に思いやりを向けるのを許せない、あるいは、自分への思いやりに耐えきれないパーツが、サラの中にありました。今では、それらのパーツが変容し、統合されたので、思いやりをブロックするものはもう存在しません。その代わり、彼女は自分の中の苦しんでいる幼いパーツに、もっと自由に思いやりを向けるようになり、ますます穏やかになりました。

「素晴らしい」と、私は言いました。「本当に素晴らしいです」

「どうすることもできなかったと思うんです。離れられるわけでもなかった。まだ子どもでしたから。でも……そうですね……。**くそ！　なんなのよ！**」と、今までより力強さと怒りを込めて、彼女は突然言いました。

サラはこんなに怒っている姿を私に見せるという、とても大きなリスクを取ったのです。

彼女に恥を感じてほしくなかったので、私は「そうね！　くそ！　なんなのよ？」と、彼女の力強さに波長を合わせました。私が後ろで一緒にいること、私が彼女を支えていることを感じてほしいと思いました。

気持ちを共有することがどんな感じなのか、はっきり言葉にして話し合うのは、小さなトラウマがもたらす孤独感を打ち消すひとつの方法です。

「その気持ちをすべて、私とシェアしてみてどんな感じですか？——選択を迫られるという重い負担を、神経システムがまだ繊細な小さな女の子としてやり過ごしてこなければならなかった恐ろしさを」と、私は尋ねました。

「先生に話せて、気分がいいです。先生は、その大変さをわかってくれるし、受け止めてくれるから。そういうことのインパクトを、先生に知ってもらうことができてよかったです」

「私にそのインパクトが伝わったことに、あなたはどんな印象を持ちましたか？　あなたの内側や感情面、身体の感覚、エネルギーに、どんなことが起こっていますか？」私は、彼女の脳と神経システムに、私と体験した新しい在り方をしっかり刻みつけたいと思いました。これは、彼女が母親との間で体験したものとは異なる在り方です。母親との間では、彼女は生き延びるために、自分の主体的な体験のすべてを否定しなくてはいけませんでした。

「穏やかな気持ちです。これまで先生といたときに感じていた、自分に無理をさせる感じがなくなりました。注目してほしい、大切にされたいと思って無理する感じは、昔に比べてかなり減っています。必死にならなくてもいいんだって感じます」

私はこの体験について、彼女の口から前向きな言葉を聞きたいと思いました。

「そして……そのほかにも、何か感じられますか？」私は尋ねました。

「前より安定しています。先生がそばにいてくれるから。それはこれからもずっと続いていく。私の言っていること、伝わっていますか？」と、彼女は言いました。

「ええ、もちろん。もう少しだけ質問してもいいですか？　その安定した感じと、これからも続いていくという感じ、ひとりじゃないんだという感覚は、身体でどんなふうに感じられますか？」

彼女は、少し間を置いてから答えました。「前は、先生がいないとダメだと思っていました。先生が本当に私と一緒にいてくれているのか、確信が持てなかったんです。その頃、私はパニックになったり、胃のあたりにそわそわする感覚を感じたりしていましたよね。でも今は、そういう感覚はありません。先生にいてほしいときは、イメージを使ったり、あと何日かすれば先生に会える、先生に助けを求められるんだって、自分に言い聞かせたりして、気持ちを落ち着かせることができるようになったから」

「そうですね！　今の言葉から、私がそばにいること、そして、それはずっと続いていくんだってあなたが信じてくれているのが伝わってきました。それを知って、内側でどんな感じがしていますか？」

「穏やかさが固まってきました」

彼女は見事に刻みつけました！　ふたりでいるという感覚が、彼女の身体にしっかり根づいたのです。サラは、心を開いた状態を象徴する7つのCへと下りて行きました。

「言葉にしてみて、しっくりきますか？」

「はい。この感じにぴったりです」。以前のサラは、正しいか間違いか、白か黒かといった客観的に見て正解がある質問を好んで使いました。ほかの人たちと同様、サラは、正解も間違いもなく、捉えどころのない主観的な体験という身体の感覚に、ぼんやりと注意を向けるのにとても苦労していたのです。

「安心感とつながりという、あたたかくて感動的な体験を言葉にしてくれましたね。とっても大きな変化です。この変化をどんなふうに感じていますか？」[2]

「すごいことです！」サラは今、コア感情を防衛することなく、しっかりと体験しました。

「もっと教えてください」

「微笑みたくなる感じ、そして幸せな気持ちです」

「その気持ちのまま、微笑みを顔いっぱいに広げてあげられますか？　美しい笑顔を引っ込めないで。私に見せてください」。微笑みを抑えようとする緊張が、彼女の口元に見て取れました。私は、サラにも微笑みを抑えようとしていることに気づいてほしいと思いました。そして、自分の力で筋肉を緩め、笑顔を輝かせてほしいと。私は続けて、「あなたも私の笑顔を見ていますね。私にもあなたの喜びが見えていますよ。そして、あなたは、

2　AEDPのセッションの特徴は、クライエントにこう尋ねるところです。「今日、このワークを一緒にやってみてどうでしたか？」フォーシャはこれをメタセラピューティック・プロセシングと呼んでいます。メタプロセシングの理論や介入について、詳しく知りたい臨床家の方には、フォーシャの The Transforming Power of Affect（2000）（邦題『人を育む愛着と感情の力』福村出版、2017）をお薦めします。

【喜びから心を開いた状態に至ったサラの「変容の三角形」】

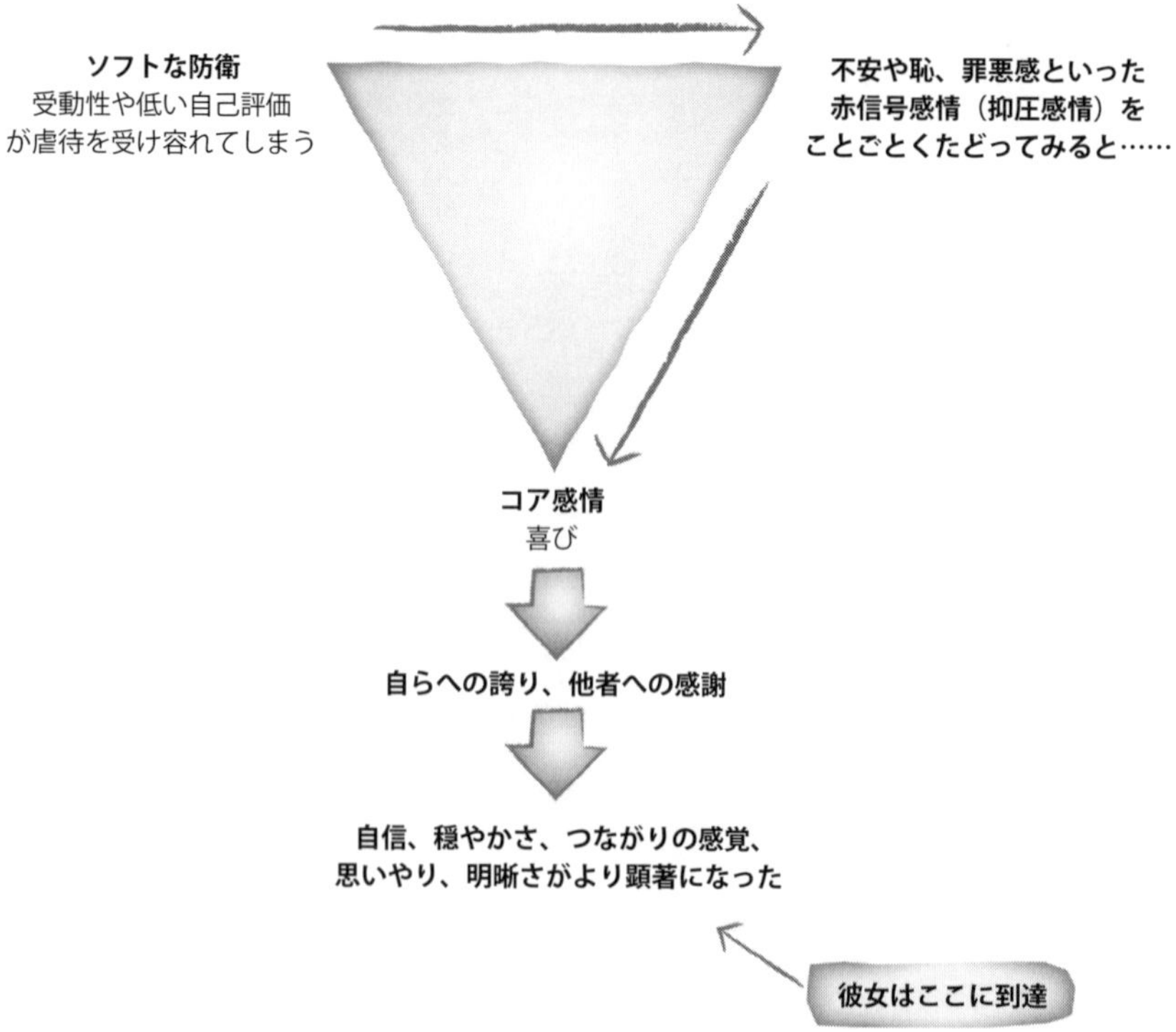
ソフトな防衛
受動性や低い自己評価
が虐待を受け容れてしまう
不安や恥、罪悪感といった
赤信号感情（抑圧感情）を
ことごとくたどってみると……
コア感情
喜び
自らへの誇り、他者への感謝
自信、穏やかさ、つながりの感覚、
思いやり、明晰さがより顕著になった
彼女はここに到達

あなたのことで喜んでいる私を見ている。これってどんな感じですか？」と尋ねました。サラに対する誇らしさとうれしさで、私は胸が熱くなりました。サラの中のポジティブ感情を膨らませるために、私は、彼女を見ている私のことを知ってほしいと思いました。見てもらえている、波長が合っている、つながっていると感じると、喜びや誇りといったポジティブな感情が増幅されます。これらの感情が防衛や赤信号感情によって阻まれることなく、安心して感じられるという体験はいつでも心地よいものです。

　サラの中に親密さやポジティブ感情を感じる力を育むために、私はあえてここに時間をかけました。彼女には、誇りや喜び、親密さといった感情を、より時間をかけて感じることが必要でした。こうした体験は、彼女が健全に生きるために欠かせないものです。最近では、サラはこの体験を弱めようとして不安や恥が動き出すのを最小限にとどめ、これらのポジティブ感情を体験できることが増えてきました。

「すごくいい気分です」と、サラは満面の笑みで言いました。

私たちはこのセッションをこんな幸せな形で終え、サラの中には穏やかさと喜びが残りました。

翌週、サラは興味深い話を持ってきてくれました。週末、彼女は母親と博物館に行きました。ある展示を見つけたがっていた母親は、博物館のスタッフに助けを求めました。スタッフが母親にその展示までのルートを説明しているとき、サラはみるみるうちに彼女の機嫌が悪くなっていくのに気がつきました。母親は、スタッフの要領を得ない説明にイライラし始めたのです。

「自分が緊張するのがわかりました」と、サラは言いました。「不安になって、母が怒り出す前にこの状況をなんとかしなくちゃと、気持ちが焦り始めたんです」。私は、そのときのことを詳しく話すだけで、サラが不安になっているのを感じました。「そのとき突然、何が起きているのかわかったんです。自分が子どもの頃と同じように、母に反応してしまっているのに気がつきました。私は、彼女のなすがままになって、捕らわれたように感じている自分の中のパーツを観察することができました。身体が硬直しそうになるのを感じました。子どもの頃、自動的にそうなっていたみたいに。でも、そこで思い出したんです。私は大人なんだって。もう子どもじゃない。成長したんです。そこから立ち去る力だってあるし、母とスタッフの話に割って入って、やりとりを助けることもできる。自分に必要なことは何だってできるんです。私はもう、捕らわれてはいないんです」

「まあ、すごい！」私は言いました。

「それに気づいて落ち着きました」と、彼女は、満面の笑みを浮かべて言いました。

「そのことを私とシェアしてみて、どんな感じが起こってきますか？」私は、サラにその気持ちを言葉にしてみてほしくて尋ねました。

「自分が誇らしいです」

自分に対する誇りはヒーリング感情のひとつで、癒やしが起こり、自信が育っているという指標です。「変容の三角形」では、自分に対する誇りと感謝、感謝はもうひとつのヒーリング感情ですが、これらはコア感情と心を開いた状態の間で生じると考えられています。

「その誇らしさと、もう少し一緒にいられそうですか?」私は、ポジティブ感情にとどまってみようと提案されることになるとサラが勘づいていると思いつつ、おずおずと尋ねました。

「ええ……」と、彼女は言いました。

「今、私に自分が誇らしいと言ってみて、身体の内側は何が起こっていますか?」と、私は尋ねました。

サラは頭を横に傾け、視線を上に向けて、内側に意識を集中していました。それから、目をキラキラ輝かせ、笑顔を浮かべて、私を見ました。「えっと、自分の中心に強さと、真っ直ぐさを感じます。背骨に鉄のビームが走っているみたい。自分が背筋を伸ばして座っているのがわかるし、先生の目を真っ直ぐ見ているのもわかります」

「すごい! あなたの中に強さと真っ直ぐさがあって、それは背骨に走る鉄みたいな感じ。それから、私をしっかり見ている自分自身にも気づけているんですね」と、私は繰り返しました。

「はい。それに、エネルギーが上ってくるのも感じます。胃の下のあたりから、胸や腕のほうへ向かって」

「そのエネルギーには勢いがありますか? チェックしてみてください」

「あります。踊り出しそうな、祝福したいような感じです」。その衝動は、彼女の喜びと誇りからきているようです。サラはリラックスしていました。顔には笑みが浮かんでいます。

「そうなんですね! すごく素敵! そのエネルギーに身を任せてみましょう。そのエネルギーに身を任せたところをイメージすると、どんなイメージが広がりますか? その気持ちは今、何をしたがっていますか?」サラに、この瞬間にしっかりととどまってほしくて、私はこう提案しました。生き生きとしたイメージの中でエネルギーを解放し、これらのヒーリング感情を深めようとしたのです。

「おかしな話かもしれませんが、私たちふたりが五月柱（メイポール）の周りで輪になって、一緒に踊っている姿が浮かんできます。私たちは手をつないで、笑いながら、その周りを何度も回っています」

「私にも見えますよ」と、私はそう言って、間を置きました。この時間をゆっくり味わい、ふたりの間で、その余韻が流れるままにしておきたいと思いました。30秒ほど経ったところで、私はある変化に気づきました。サラの表情が和らいだのです。それを見て「そんな私たちを見ていて、どんな気持ちですか？」と、私は尋ねました。

「幸せだし、もっと穏やかな気持ちになってきました。ただ、いるだけでいいんだって」。エネルギーの波はピークを迎え、収まりました。サラは再び、心を開いた状態に戻ったのです。

セッションを通じて、サラは7つのCにアクセスできるようになりました。7つのCとは、穏やかさ（calm）、好奇心（curious）、つながりの感覚（connected）、思いやり（compassionate）、自信（confident）、勇気（courageous）、明晰さ（clear）です。このセッション以降、サラは、自分が心を開いた状態にあるとか、あるいは、昔よくやっていた主張しない状態に陥り、嫌な気分になっているという自分の状態に気づくようになりました。サラは、人生の一瞬一瞬を、より生き生きと生きられるようになりました。調子を崩していることに気づくと、彼女は「変容の三角形」を使ったり、運動をしたり、散歩に出たり、面白い番組を見たり、他の活動に参加したりして、心を落ち着かせ、気持ちを立て直しました。彼女自身が、彼女の良い母親になることもできました。自分自身に思いやりを向け、ケアしてあげられるようになったのです。

サラの脳の働きも変化しました。「変容の三角形」を使って、サラはこれまでブロックしてきた感情に触れました。そして、トラウマを抱えて苦しんでいた幼いパーツとの関係を育んでいきました。そのパーツと対話をすることで、彼女の中の不安や恥、罪悪感が和らぎました。それによって、サラは自分のコア感情に気づき、それらを認め、名前をつけて、感じ切ることができたのです。私と一緒にやりながら学んだように、想像力を使って、癒やしを促進するような行動をイメージしてみることもありました。彼女は、どんどん本当の自分にアクセスできるようになりました。こうした成果は永久的なもので、これをやり続けることが、サラのこれからの人生の助けとなるはずです。

自己、心を開いた状態、そして7つのC

本当の自分こそが最も創造的で、本当の自分こそ真実だと感じられる。
——D・W・ウィニコット

自己と私たちの中の他のパーツとの関係

ありのままの自己の自然な状態とは、心を開いた状態です。このときの自己は、トラウマによって覆い隠されたり、感情に乗っ取られたりしていません。

自己＝心を開いた状態＝７つのC

心を開いた状態では、私たちは**穏やか**で、自分の心や他者の心、それから世界全体に対する**好奇心**に満ちています。自分の身体や、他者の気持ちや心との**つながり**を感じることができます。また、自分自身にも他者にも**思いやり**を向けることができ、自分であることに**自信**を持っています。そして、**勇気**ある行動をし、思考には**明晰**

さがあります。私たちの中にある感情やパーツの存在にも気づいていますが、それらに乗っ取られることはありません。自己は、私たちが生まれながらに持っているもので、パーツは、人生での経験を通して作られていくものですが、このふたつは共存しています。どちらかにスポットライトが当たると、どちらかが背景に退く。こうした変化が瞬時に起こるのです。何かのきっかけに触れて、感情やパーツが活性化されたり、呼び起こされたりすると、その瞬間は感情が優先され、自己は一時的にはっきりしないものになります。心を開いた状態に再びアクセスするために、私たちは、「変容の三角形」を使うことができます。

セラピーを通して、サラは心を開いた状態へと至りました。その状態から自分を見てみると、サラは生後すぐから10代まで、さまざまな年代を代表する子どものパーツが自分の中にあることに気がつきました。何度も「変容の三角形」に取り組むうちに、サラは次第に、自分の中の苛立っているパーツを感じながら、心を開いた穏やかな状態にもつながれるようになっていきました。

ゴードンというクライエントは、4歳の頃の自分の記憶を話してくれました。心の眼からは、その小さな男の子がどんなふうに見えますかと、私はゴードンに尋ねました。ゴードンは、キッチンにいる自分を見ていました。彼は、その子がどんな服を着て、その小さな顔にどんな表情を浮かべているか、教えてくれました。子どものパーツにアクセスしようとしているクライエントを手伝うとき、私はよくこう尋ねます。その子どものパーツは、私たちが助けに来たことに気づいていますか、と。気づいていれば、そのパーツと対話することが可能だということになります。気づいていなければ、そのパーツに話しかけたり、そのパーツの気持ちを楽にするのに何が必要なのかを理解したりすることによって、つながりを作る必要があります。

トラウマを抱えた幼いパーツと関わるのに最も適しているのは自己の視点です。ゴードンも練習を繰り返すことで、幼いパーツが刺激されても、それと十分な距離を保てるようになりました。それによって、幼いパーツが彼を乗っ取ったり、彼の自己へのアクセスを妨げたりすることもなくなりました。代わりに、彼は傷ついた子ど

【自己と、内的なパーツとの関係】

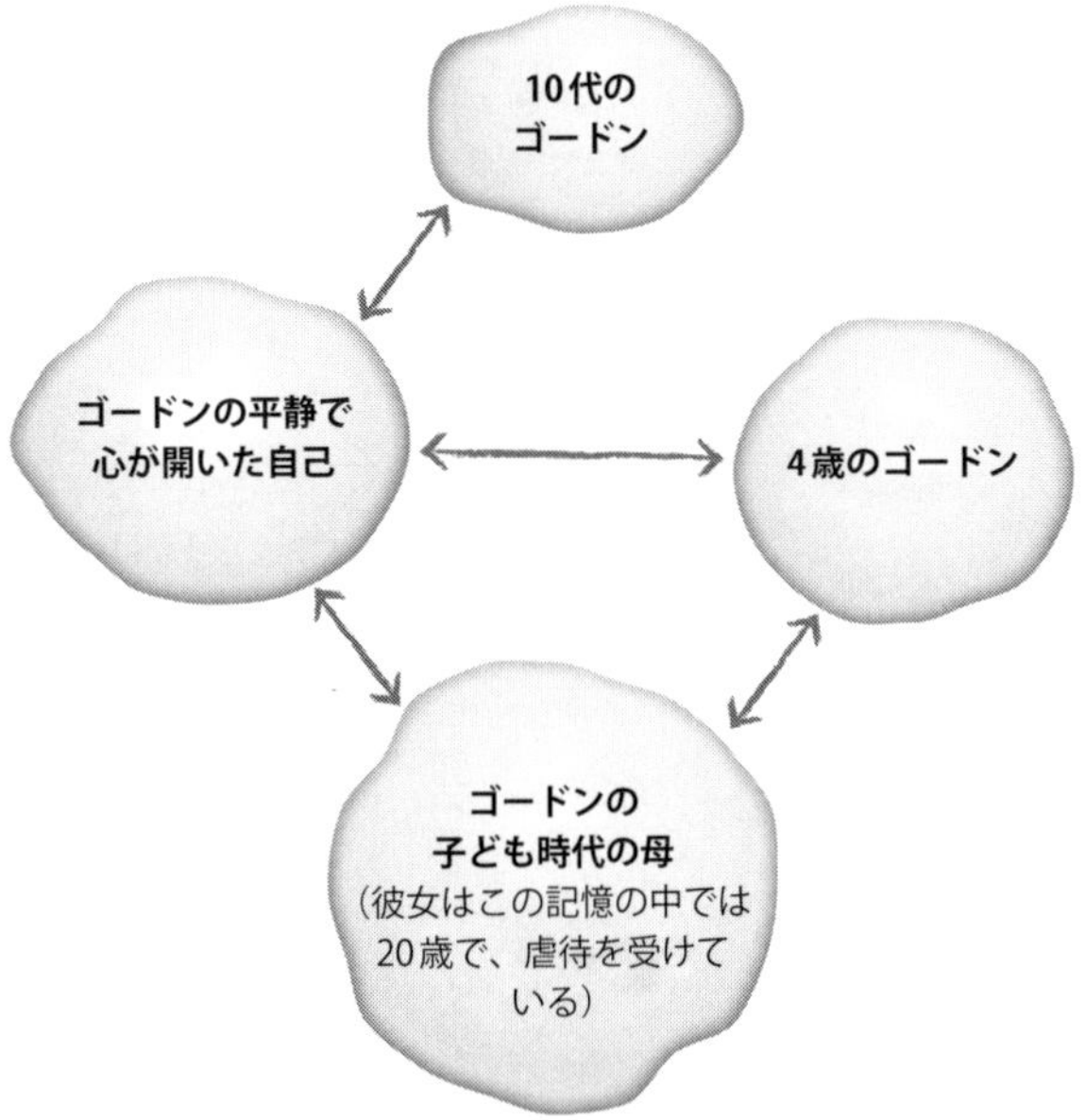

自己は他のパーツと会話できるようになり、パーツ間のコミュニケーションも支えている。神経科学的に言えば、解離した神経ネットワークを統合している。その結果、神経系が落ち着いてそれまでのように簡単にはスイッチが入らないようになる。

も頃のパーツが反応したら、それらと対話をするようになったのです。彼は、パーツが感じている気持ちを肯定し、それらに思いやりを向けてあげました。

自己は、心や身体の内側で起こっていることに注意を向けることができます。一生を通じて、私たちは、自分に対する気づきを高めていこうと努力します。気づきを高めることには、さまざまなメリットがあります。私たちの人生は、コントロールできないことばかりですが、コントロール可能なものがあるとすれば、それは、自分に対してどう反応するか、自分自身をどう扱うか、そして、外の世界に対してどんな振る舞い方を選ぶかといったことです。自分に気づく力と、心を開いた状態に戻るためのガイドである「変容の三角形」を使えば、私たちは、自分の人生のディレクターになることができます。目的を持って生きれば、物事をより良くしていくことができます。建設的な生活を送ることもできるでしょう。魂の成長につながるような愛情深い関係を持つこともできるはずです。主体性を持ち、自分の人生の作り手になる。それによって、私たちは、より良く生きる最高のチャンスを手に入れるのです。

自己は、防衛にも、赤信号感情にも、コア感情にも気づくことができます。**明日の天気はどうかなと考えている自分に気づいている。またはは、上司に腹が立っていて、彼を呼び捨てにしたい衝動があるのに気づいている。あるいは、人前でスピーチすることを考えると、不安でそわそわすることに気づいている**、といった具合に。自分の防衛や考え、気持ち、衝動、そして身体の感覚に気づけるように、自己を使う練習をしましょう。私たちの自己は、こうした情報をすべて取り込み、自分にとってより良い形で使おうとしているのです。対処できないほど強い感情や幼いパーツが刺激されて、自己が損なわれると、再び心を開いた状態に戻るのに余計な労力がかかることになります。

心を開いた状態

どうすれば、自分が心を開いた状態になったことがわかるのでしょうか？

ひとつは、主観的な心地よさを感じられることです。少なくとも、私たちは7つのCのいずれかにアクセスできるようになります。7つのCとは、穏やかさ、好奇心、つながりの感覚、思いやり、自信、勇気、明晰さのことです。これらの言葉を覚えておくのもよいでしょう。そうすれば、積極的にこれらの状態を探して、自分がなれそうな状態にシフトしようと努力できるからです。

過酷な状況と闘っている人や、トラウマの影響に今なお苦しんでいる人の中には、心を開いた状態になれない人もいます。トラウマを抱えたパーツや滞ったままの感情が、それを阻んでいるのです。しかし、コア感情を体験することができれば、その次に心を開いた状態が訪れます。これは、変容状態（transformational state）とも呼ばれ、さまざまな気づきが起こるのが特徴です。過去は過去なのだという気づきも、ここで起こります。強い感情を伴うトラウマを感じ切り、心を開いた状態に至った人は、フランやサラ、ボニー、スペンサー、そしてマリオがそうだったように、自分の人生に関する一貫した語りを紡ぎ出します。滞っていた感情のエネルギーが解放されると、脳内で情報がまとまりやすくなるのです。理解と体験が結びついて、それが全体的に、神経システムを落ち着かせることになります。脳の中で情報がより統合された状態になるのです。ＡＥＤＰのような体験的な個人セッションが有効なのはこのためです。

心を開いた状態は、トラウマを抱えた状態とは対照的です。トラウマを抱えた状態では、私たちは、強いストレスを抱えて過敏になっているパーツとつながっています。トラウマを抱えた状態では、私たちは、闘争か逃走、もしくはフリーズのモードにあるのです。私たちの感情脳は防衛行動を取ろうとして暴走します。このような状態では、完全にダメになってしまうわけではないにしろ、問題解決のための思考や合理性が損なわれてしまいます。

滞ったままの昔の感情を感じていけばいくほど、７つのＣや心を開いた状態に到達しやすくなり、その状態にとどまれる時間も長くなります。これは、私たちの脳が統合され、より安定した状態になるからです。選択肢を与えられたら、私たちの脳は安定を好んで選ぶものなのです。

心を開いた状態に至る方法は、主にふたつです。ひとつは、コア感情を感じ切ることです。フラン、サラ、ボニー、スペンサー、そしてマリオが、心を開いた状態に至ったのは、子どものパーツによってブロックされていた感情を体験できた後でした。

心を開いた状態に至るためのふたつ目の方法は、７つのＣを積極的に探し、その状態に意識的にシフトできるかどうか、やってみることです。そのためには、自分の状態に気づき、そこに感情のエネルギーを注ぐことも必要です。

たとえば、機嫌が悪いときの私は、些細なことで夫に干渉してしまいます。そんなときは、初めはぎこちなく、無理やりにでも、夫に思いやりを向けることを自分に思い出させようとします。または、彼との深いつながりや、彼に対する感謝を感じられたときのことを思い出します。あるいは、彼を批判したくなる自分の中の衝動に関心を寄せてみます。決して簡単なことではありませんが、7つのCにシフトできれば、気分はずっと楽になります。私も実際に、身体の緊張が和らぐのを感じます。

心を開いた状態に至ると、私たちは、友人や家族からがっかりさせられても、それに対して理解を示し、その体験を感じ切ることができるようになります。心を開いた状態になると、私たちは自分の努力を認められるようになり、失敗した自分を許せるようになります。心を開いた状態では、他者を見る目が曇らなくなります。歪んだ過去のレンズで、相手を見なくて済むようになるのです。心を開いた状態では、穏やかな気持ちでいられるため、頭が冴え、問題解決力が高まり、仲間との間にある困難や違いなどにもうまく対処できるようになるでしょう。

とは言え、心を開いた状態は、誰にとっても心地よいとは限りません。信じるか信じないかにかかわらず、穏やかさに耐えられないという人もいるのです。複雑な家庭環境で育った人もたくさんいます。彼らが成長する中で学んできたのは、焦燥感と不安です。もしあなたが、劇的で波乱万丈な人生を送ってきたとしたら、穏やかさは、良くも悪くも、平凡で、躍動感のない、退屈なものとして感じられるでしょう。落ち着きや満足感を感じることで、アイデンティティの危機が引き起こされるかもしれません。**落ち着いているときの自分は一体誰なの？**もしくは、穏やかさが焦燥感の引き金になってしまうかもしれません。落ち着きや穏やかさは、馴染みのない、異質な体験だからです。

もしあなたが、心を開いた状態にいるのが困難で、それを変えたいと思っているなら、新しい基準を作り出す作業が必要です。これはもちろん可能ですが、心を開いた状態にアクセスできるように、変化がもたらす居心地の悪さに耐えるのと同じくらいの頻度で、「変容の三角形」のワークを行う必要があります。生涯を通じて、「変容の三角形」のワークをぐるぐると何度も繰り返すことで、いつでも心を開いた状態に戻れるようになります。練習すれば、心を開いた状態をより早く、よりたくさん体験することができるでしょう。

次の質問を通して、自分が心を開いた状態にあるかどうか、チェックしてみましょう。

・身体は落ち着いていますか？　そうでなければ、ちょっと休憩して、身体を落ち着かせるようなこと、散歩に出かける、深呼吸をする、足で床を感じる、あるいは、自分や周りの人（たち）の良いところを思い浮かべるなどをするつもりはあるでしょうか？
・周りの人や外の世界に対する自分の反応に、関心を持つことはできますか？　自分かパートナーが防衛的な状態にあるのに気づいたら、その背景にある感情に思いを巡らせることができるでしょうか？　何が起こっているのか、もっとよく知るために、自分や相手が「変容の三角形」のどこにいるのか、好奇心を持って見ていくことができますか？
・自分の心とつながっている感じがしますか？　周りの人たちとのつながりを感じられますか？　そうでなければ、つながりを感じられるような変化を起こせるでしょうか？
・自分への思いやりを感じられますか？　もし誰かがそばにいるなら、その人（たち）への思いやりを感じられますか？　恐怖や悲しみ、あるいは怒りなどの他の感情も感じながら、自分の中にある思いやりを感じられるでしょうか？

人生の困難に直面しても、心を開いた状態にとどまる方法

気づく　何かが引き金になったと気づいたら、深呼吸やグラウンディング、安全な場所をイメージして、穏やかさをキープしましょう。

聴く　身体の声に耳を傾けましょう。自分の中の動揺しているパーツや感情に気づいたら、それに名前をつけてみましょう。感情やパーツと対話をしてみるのもいいでしょう。

認める　動揺している自分を認め、まずは自分をケアすることが必要だと認めましょう。

思いやりを向ける　自分に思いやりを向けましょう。批判的な声や厳しい声には、耳を貸さないようにしましょう。

見つける　気持ちを楽にするために、必要なことを見つけましょう。どんな感情も一時的なものだということを思い出すのもいいでしょう。その気持ちも消えていくはずです。

・今、自分は安全だと確信できていますか？　必要に応じて、リソースを見つけ、助けを求める力が自分にはあると確信できますか？　自分で自分をケアできるという自信があるでしょうか？

・勇気を出して、無防備な面を見せようという意思がありますか？

・心の中がすっきりして、考えが進む状態になっていますか？心の中がすっきりしていなければ、まずはそれに気づいて、もっとすっきりした状態になるまで、大きな決断をしないでいられるでしょうか？

いずれかの質問に「いいえ」と答えたとしても、自分を批判してはいけません。身体の感覚を確かめて、できる限り多くのことに気づいてみましょう。深いところにある感情や傷つき、無防備さを探してみましょう。苦しみを抱えているパーツ（コア感情や赤信号感情を感じているパーツ）や、あなたを一生懸命守っているパーツ（防衛）に、ありったけの思いやりを注いでみましょう。それができたら、「変容の三角形」のワークをやってみましょう。

心を開いた状態の自分で長い時間過ごせる人もいれば、なかなか心を開いた状態になれない人もいます。残りの人たちは、その中間といった感じでしょうか。どのタイプの人にとっても、「変容の三角形」は私たちの心の地図であり、より深く自分自身を知って成長していく中で、心を開いた状態に長くとどまれるようになるための処方箋です。もしあなたが、いつも心を開いた状態でいようとして、自分にプレッシャーをかけていたり、それが十分に達成できていないからと、自分を叩きのめしているのなら、あなたはこの探求のポイントと目的を誤解しています。大切なのは、自分がどんな状態にあるかを知ることです。自分がどこにいるか——防衛のところなのか、不安や恥、罪悪感のところなのか、コア感情のところなのか、心を開いた状態なのか——を知ることで、次にすべきことが見えてくるのです。

少なくとも、よく考えて重要な決断をしたり、建設的な対話をしたりするのに、良いタイミングかそうでないかを区別することができるでしょう。そのとき、あなたが決断や対話に適した状態になく、何かをしようとする意欲や力が出ないとしても、それがわかれば十分であって、そう感じるのは自然で普通のことです。「変容の三角形」のワークも、自分を高めていく努力も、一生続くものです。必要なときに、「変容の三角形」はいつでも私たちのそばにあるのです。

やってみよう――7つのCを見つける

7つのCがあなたにもたらすもの

次のCワードを紙に書いてください。

・穏やかさ calm
・好奇心 curios
・つながりの感覚 connected
・思いやり compassionate
・自信 confident
・勇気 courageous
・明晰さ clear

これらの言葉をひとつひとつ書き写しながら、声に出して言ってみましょう。それぞれのCワードがあなたの中にどんな考えを、どんな感情を、どんな身体の感じをもたらすかに、注意を向けてください。たとえば、

「穏やかさ」と言うと、**もっと穏やかな気持ちでいたい**、こんな考えが浮かんできて、喜びと共に、身体があたたかくなるのを感じるかもしれません。「思いやり」には、**自分を思いやるって、いいこととは思えない**、こんな考えが伴って、不安が高まり、胃がキュッとなるかもしれません。「自信」は、**自信を持ったことなんて一度もない**という考えを引き出し、恐怖を感じて、動悸がしてくるかもしれません。

あなたの7つのCを見つけよう

どんなときでも、自分が心を開いた状態に近いところにいるか、遠いところにいるかを把握しておくことが大切です。次の質問に答えてみましょう。今ここで感じていることに基づいて、答えてみてください。批判的にならないように注意しましょう。ここでの主な目的は、気づくことです。「いいえ」と回答した項目があれば、その項目にあるCへのアクセスをブロックしている考えや感情、パーツが何なのか、わかれば十分です。自分にプレッシャーを与えないようにしてください。自分の考えや感情、身体の感覚に気づき、それらを認めて耳を傾けることで、どんなことがわかってくるか、見てみましょう。これだと感じるものに注意を向けてください。

・**穏やかさ**を感じているだろうか？

はい＿＿＿＿＿＿＿　いいえ＿＿＿＿＿＿＿

・答えが「いいえ」なら、穏やかさをブロックしているものは何だろう？

・何かに悩んでいるときであっても、自分自身や周りの人たち、仕事や趣味、自分を取り巻く環境やその他の側面に対して、**好奇心**を持てているだろうか？

はい＿＿＿＿　いいえ＿＿＿＿

・答えが「いいえ」なら、好奇心をブロックしているものは何だろう？

＿＿＿＿

・**つながりの感覚**――たとえば、他者や自然、神、あるいは自分自身との――を感じているだろうか？

はい＿＿＿＿　いいえ＿＿＿＿

・答えが「いいえ」なら、つながりの感覚をブロックしているのは何だろう？

＿＿＿＿

・怒りや批判的な感情を感じたり、ほかのことを考えたりしているときでも、他者にも自分にも**思いやり**を持てているだろうか？

はい＿＿＿＿　いいえ＿＿＿＿

・答えが「いいえ」なら、思いやりをブロックしているものは何だろう？

＿＿＿＿

・自分の人生の舵取りができているという**自信**があるだろうか？

はい＿＿＿＿　いいえ＿＿＿＿

・答えが「いいえ」なら、自信をブロックしているのは何だろう？

・新しいことにチャレンジする、自分自身でいる、コンフォート・ゾーンから外に出る、新しくより無防備な方法で他者と関わる、などの**勇気**を持てているだろうか？

はい＿＿＿＿＿＿＿＿ いいえ＿＿＿＿＿＿＿＿

・答えが「いいえ」なら、勇気をブロックしているのは何だろう？

＿＿＿＿＿＿＿＿＿＿＿＿＿＿＿＿＿＿＿＿

・自分は誰で、何が好きで、何が必要で、何を求めていて、自分に必要でないものや求めていないものは何か、自分にとって大切なものは何かが、**はっきり**わかっているだろうか？

はい＿＿＿＿＿＿＿＿ いいえ＿＿＿＿＿＿＿＿

・答えが「いいえ」なら、はっきりわかること（明晰さ）をブロックしているのは何だろう？

＿＿＿＿＿＿＿＿＿＿＿＿＿＿＿＿＿＿＿＿

このエクササイズをやってみて、気持ちが動揺したり苦痛を感じたりする場合は、今体験している感情に名前をつけてみましょう。

自分への思いやりを忘れずに。

＿＿＿＿＿＿＿＿＿＿＿＿＿＿＿＿＿＿＿＿

＿＿＿＿＿＿＿＿＿＿＿＿＿＿＿＿＿＿＿＿

＿＿＿＿＿＿＿＿＿＿＿＿＿＿＿＿＿＿＿＿

やってみよう――「変容の三角形」の上に自分を置いてみる

気持ちが動揺したとき、ほとんどの人は、まず自分の感情状態に意識を向けます。そして、何か良くないことが起こっていると感じるのですが、そのとき、目の前の道は3つに分かれています。ひとつは、自分を動揺させるものから離れて、感情を感じるのを避ける道。もうひとつは、衝動に任せて反応する道。3つ目は、自分の内側の体験を見つめるという道。つまり、自分の内側の体験に浸り、「変容の三角形」のワークをやってみる道です。たとえば、好奇心を持ちながら、こんなふうに尋ねてみましょう。**今の反応の引き金になったものは何だろう？** それから、さらにこう聞いてみることもできます。**それによってどんな気持ちになっただろうか？**

深呼吸やグラウンディングをして、ペースを落としましょう。今ここの自分に注意を向け、起こっていることに気づくための時間を十分取ってください。そして、自分が「変容の三角形」のどこにいるのか、頑張って探ってみましょう。あなたは不安や恥、罪悪感を感じる赤信号感情のコーナーにいますか？　それとも、すでに悲しみや恐怖、怒り、嫌悪、喜び、ワクワク、性的興奮といったコア感情を感じる、「三角形」の下のコーナーにいるでしょうか？　心を開いた状態になり、ひとつあるいはそれ以上のCを体験しているでしょうか？　Cとは穏やかさ、好奇心、つながりの感覚、思いやり、自信、勇気、明晰さのことです。それとも、防衛的な状態になっていて、コア感情や心を開いた状態にブロックがかかっているでしょうか？

自分が今いると思う「変容の三角形」のコーナーの名前を書いてみましょう。

自分がどのコーナーにいるかを知る助けになった内側の体験があれば、それに注意を向け、書き留めておきましょう。たとえば、**僕は今、防衛のコーナーにいると思う。だって感情が麻痺していて、退屈で、一杯やりたい気分だから。**あるいは、**私は今、赤信号感情のコーナーにいると思う。不安で緊張しているし、自分はまだまだだと思って縮こまる感じがするから。**または、**僕は今、三角形の下の部分にいると思う。悲しくて身体がひどく重い。ちゃんと泣かなくてはと思う。**最後にもうひとつ。**今、私は心を開いた状態になっていると思う。穏やかな気持ちだし、自分に対しても相手に対しても安らぎを感じているから。**

では、やってみましょう。

やってみよう――「変容の三角形」を活用する

今、自分が体験していることに注意を向け、心の中で起こったことをできる範囲で下の「変容の三角形」に書き込んでみましょう。

ひとつ目のコーナー――防衛

自分が防衛のコーナーにいると思ったら、自分自身にこう尋ねてみましょう。**もしこの防衛を使わなかったら、今どんな気持ちを感じるだろう？** あなたはここで、コア感情を見つけ出すか、コア感情を感じることからあなたを守っている防衛に向き合うことになります。今、心の中で起こっていることを「変容の三角形」に書き込んでみましょう。

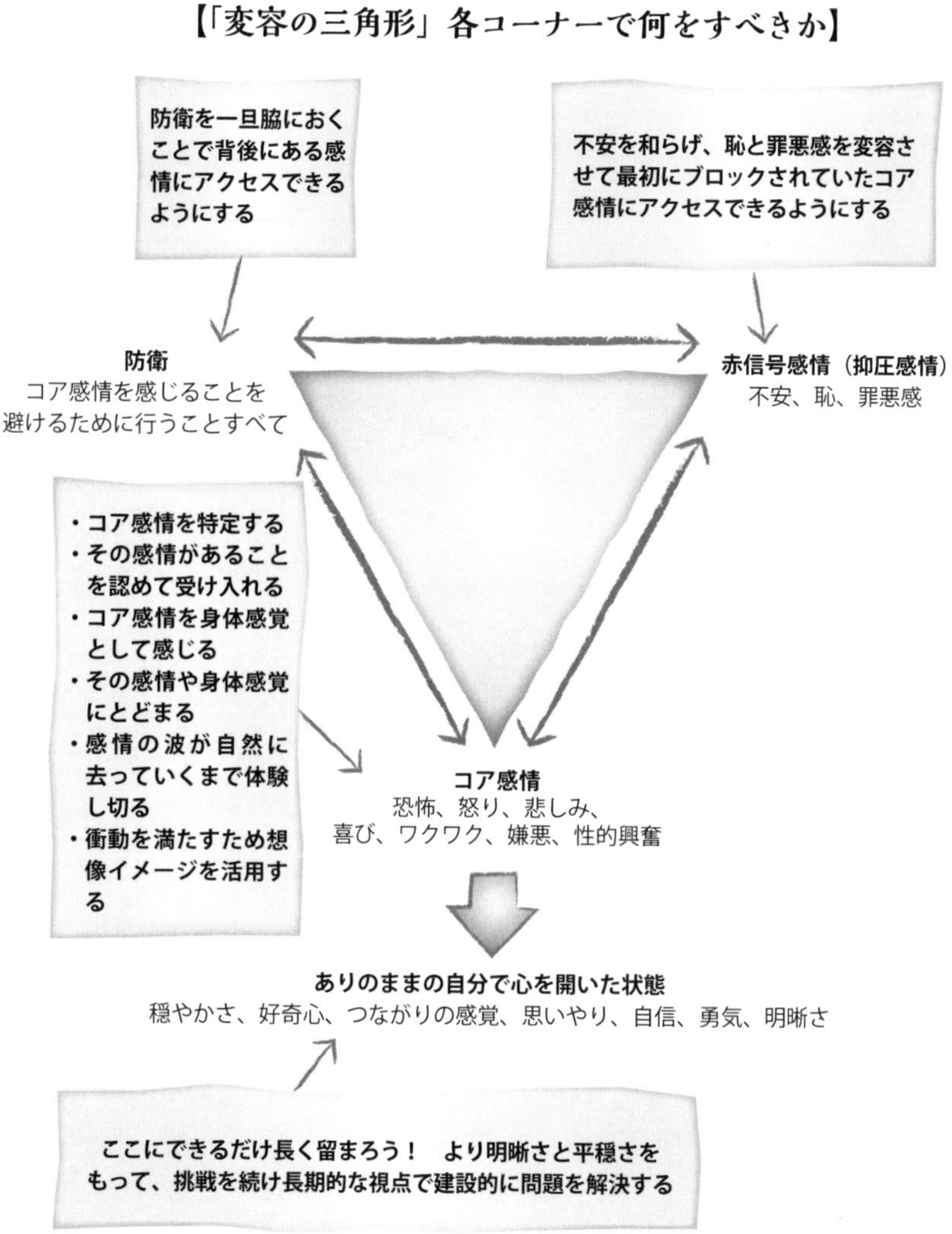
【「変容の三角形」各コーナーで何をすべきか】
防衛を一旦脇におくことで背後にある感情にアクセスできるようにする
不安を和らげ、恥と罪悪感を変容させて最初にブロックされていたコア感情にアクセスできるようにする
防衛
コア感情を感じることを避けるために行うことすべて
赤信号感情（抑圧感情）
不安、恥、罪悪感
・コア感情を特定する
・その感情があることを認めて受け入れる
・コア感情を身体感覚として感じる
・その感情や身体感覚にとどまる
・感情の波が自然に去っていくまで体験し切る
・衝動を満たすため想像イメージを活用する
コア感情
恐怖、怒り、悲しみ、
喜び、ワクワク、嫌悪、性的興奮
ありのままの自分で心を開いた状態
穏やかさ、好奇心、つながりの感覚、思いやり、自信、勇気、明晰さ
ここにできるだけ長く留まろう！　より明晰さと平穏さをもって、挑戦を続け長期的な視点で建設的に問題を解決する

これは、「変容の三角形」を機能させるためにすべきことの要約もしくは「カンニング・ペーパー」である。各コーナーにあなたがいるとき、何をすれば時計まわりにコーナーを移動し、最終的に心を開いた状態になるかがわかる。

【私は「変容の三角形」のどこにいるだろうか？】

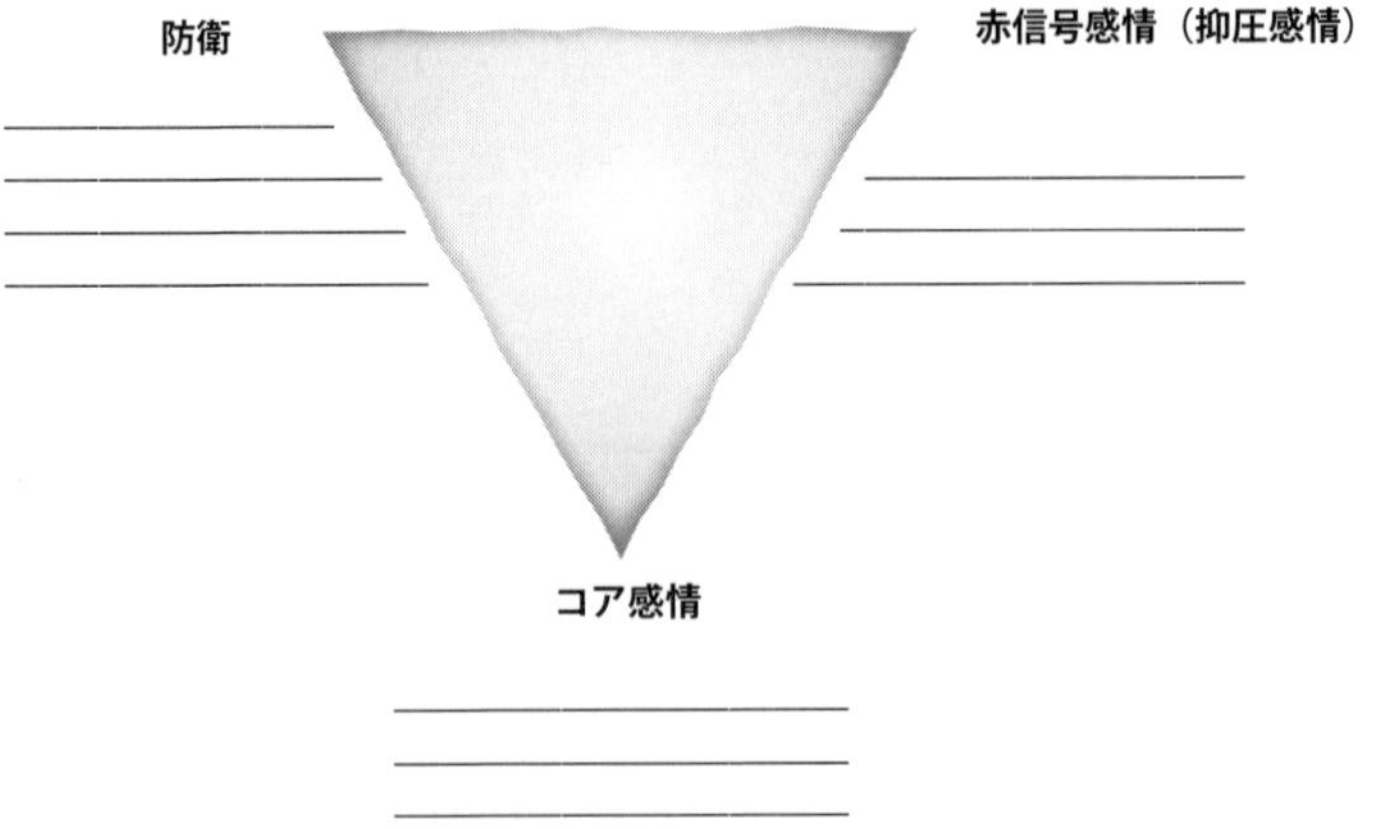

ふたつ目のコーナー――赤信号感情

自分が赤信号感情のコーナーにいると思ったら、あなたは不安、罪悪感、あるいは恥を感じていることに気づけています。どの赤信号感情を感じているかも区別できるでしょうか？

不安を感じているなら、足の裏で床を感じるグラウンディングをしたり、腹式呼吸をしたりして、不安を和らげましょう。これは不安なんだと、自覚することも役に立ちます。気づいていることをすべて受け止めたら、ありったけの思いやりを自分に向けてみましょう。先ほど挙げたテクニックで不安を和らげながら、感じているすべてのコア感情に名前をつけます。変容の「三角形の下の部分」に、それらのコア感情を書き込みましょう。

恥を抱えたパーツがいるのを感じたら、そのパーツを自分の中から出して、数フィート離れたところに座らせてみましょう。恥を抱えたパーツがどんな姿をしているか、イメージしてください。こうすることで、恥が対処できなくなるほど強まるのを防ぎ、恥を抱えたパーツとスムーズに対話できるようになります。良い親になったつもりで、好奇心と思いやりを持って、そのパーツに話しかけてみましょう。こんなふうに尋ねてみてください。**何に対して恥を感じるのだろうか？** また は、**起こったことはあなたについて何と言っているだろうか？** と。恥を抱えたパーツが、何に反応しているかがわかったら、そのパーツに愛情と思いやりを向けてみましょう。自分自身の良い親になって、そのパーツの気持ちが楽になるには、何があるといいだろうと考えてみてください。そして、イメージを使って、そのパーツがほしがっているものを与えてみましょう。恥を抱えたパーツに必要なのは、つながりや安全・安心の感覚、穏やかさ、愛情、受け入れられていると感じられることです。

次に、もともとあなたを恥じ入らせた人や、あなたが持っている性質は恥ずべきものだと教え込んだ人に対するコア感情を探しましょう。コア感情を見つけるためには、次のような質問が役に立ちます。**自分に力や自信があったら、最初に自分に恥を植えつけた人にどんな感情を抱くだろう？** **自分がされたように大切な友人が傷つけられ、恥を植えつけられたら、自分はどんな気持ちになるだろう？** 出てきた感情がコア感情なら、それを「変容の三角形」の下のところに書き込みましょう。出てきた感情が赤信号感情なら、赤信号感情のコーナーに書き込みましょう。

あなたが体験した感情が罪悪感なら、その罪悪感にこう尋ねてみましょう。**罪悪感って間違ったことに対して感じるものだけど、今ここでの私の間違いって何？** もしあなたが誰かを傷つけたのだとしたら、謝罪と償いの方法を考えましょう。

何も間違ったことをしていないのなら、あなたがすべきなのは、制限と境界を設けることからくる罪悪感に耐えることです。そして、ブロックされているコア感情に目を向けましょう。そのコア感情はもともと、あなたが制限と境界を設けることを許そうとしなかった人に向いていたものです。

自分が恵まれていることや、ほかの人が持てなかったものを持っていることに対する罪悪感を感じている場合は、その罪悪感を感謝に変えましょう。思いやりを持って、具体的な方法でお返しをすることもできるのです。

罪悪感を感じ続けることは、あなたにとっても、あなたに罪悪感を抱かせる人にとっても良い影響をもたらすとは言えません。

3つ目のコーナー——コア感情

コア感情のコーナーに自分を置くことができたら、あるいは、「変容の三角形」のワークを通してコア感情に到達できたら、あなたは、悲しみ、怒り、恐怖、嫌悪、喜び、ワクワク、性的興奮などの感情や、これらが組み合わさった気持ちを感じるはずです。ひとつひとつの感情を認め、こんなふうに言ってみましょう。**私は、＿＿＿＿と、＿＿＿＿を感じている**。感じている感情すべてに名前をつけたら、「変容の三角形」の図の中に、それらの感情を書き込みましょう。

ここまできて、さらにエクササイズを続けてみたいと思ったら、ひとつのコア感情にとどまってみましょう。その感情に伴う身体の感覚に注意を向け、それを言葉で表します。心地よい腹式呼吸を深く長く続けながら、身体の感覚にとどまりましょう。変化が起きたり、それが持っている勢いに気づくまで、そのままとどまります。想像力を使って、その感情に伴う衝動が何をしたがっているのか、イメージしてみましょう。穏やかな気持ちになるまで、感情の波をしっかりと乗りこなしましょう。

最後です。今、7つのCのうちのどれかを感じられるでしょうか？　以下に挙げてみましょう。

おめでとうございます！　あなたは、「変容の三角形」のワークをやり遂げました。「変容の三角形」は、これから長く使っていける道具であり、心の地図であることを覚えておいてください。これからも自分で、または周りの人と一緒にエクササイズを行い、練習していきましょう。そうすれば、自分が三角形のどこにいるのか、次はどこへ進むべきなのか、どうすれば次へ進めるのか、どんどんわかるようになっていくはずです。

おわりに

皆さんがすでに学んできたように、うつ病をはじめ、本書を通して触れた多くの精神症状は、私たちをコア感情へと導いてくれます。私たちにはいつも、自分自身に感情を感じさせるか、防衛を使って感じさせないようにするかというふたつの選択肢があります。この歳になって、私は、コア感情を感じたときは、その感情にスペースを作ってあげることが必要なのだと知りました。それができれば、どんな痛みがあったとしても、気持ちが楽になるのです。

「変容の三角形」のワークを完璧にできる人なんていません。本当に、ひとりもいないのです。私は今も、「変容の三角形」をやってみようと自分に思い出させています。今でも、自分がどのコーナーにいるのか知るのに苦労しますし、どうすることが自分自身やクライエントの助けになるのかを理解するのに、手間取ることがあります。しかし、そうは言っても、このガイドなしの人生なんてもう考えられません。

「変容の三角形」のワークという道に終わりはありません。一生続いていくものです。ワークの目的は、自分を探求し続けることであり、心を開いた状態に長くとどまれるようになることです。

一生を通じて、私たちは成長と学びを続け、欠点を含めたそのすべてが自分なのだということに、心地よさや活力を感じられるようになります。もっと意識が高まれば、私たちは、自分自身を傷つけたり他者との関係を壊すような心の状態に自分がなったとき、それに気づくことができるはずです。そんなとき私たちは、習得したスキルや知識を使って、「変容の三角形」の下へ戻る道を切り開いていけます。一生懸命取り組めば、このプロセスをすっかりマスターすることができるでしょう。気持ちが楽になり、もっと賢くなり、私たちの人生はより生きやすく、実り多いものになります。

本書を読んだことで、今の自分が、「変容の三角形」のどこにいるのかわかるようになっただけでも、あなたは素晴らしく成長したと言えます。自分がこの地図のどこにいるかがわかれば、あなたの自己と、あなたを動揺させた出来事との間に距離を感じられます。そうやって少し客観性のある視点によって、気持ちにゆとりを持つことができます。自分の感情や気分、心の状態、考え、身体の感覚、思い込み、その他のさまざまな体験。これらあなたの内側に生じている事象に注意を向けること自体が、脳のエクササイズになります。体験している自分を観察している自己と、自分の体験に同時に意識を向けられるようになると、調和と穏やかさが訪れ、自分の存在は、気持ちや思考、症状を超越したものなのだという視点を得ることができるでしょう。

あなたが生き生きした本来の自分に近づきたいと願うほど、困難に立ち向かう力も養われます。痛みや不安、恐怖が高まることがあっても、これらの感情は弱まっているので、以前のように怖くなることはないはずです。私たちは、変化に対して無力ではなくなり、自分の気持ちに振り回されることもなくなるのです。

「変容の三角形」が持つ力は偉大です。広い海をイメージしてみてください。波は私たちを打ちのめし、強い力で引きずり込もうとします。溺れてしまうのではないかと思うこともあるでしょう。それでも、しっかり準備をしておけば、波に翻弄されているときにどうすればいいかわかっていれば、力加減とバランス感覚を身につけておけば、さほど大変な思いをすることなく、その都度、水の上に顔を出すことができます。そして、次の波がやってきても大丈夫だという自信が湧いてくるはずです。

もし、この本の中で何かひとつ、あなたに覚えておいてもらえることがあるなら、**感情はただ在る**という言葉を思い出してください。自分を責めても、役には立ちません。自分は感情を止めることができると信じているなら、それは間違いです。そうする代わりに、感情を建設的に扱うことに、心のエネルギーを注いでみましょう。「変容の三角形」を使うのです。自分が何を体験しているのか、知ろうとしてみましょう。体験があなたに何を伝えようとしているのか、理解しましょう。感情に任せて振る舞う必要はありません。あなたがそんなふうに振る舞うことは、ほとんどないでしょう。しかし、その衝動が伝えてくる情報は、あなたにとって大切なものです。実は、感じることを避けていた感情こそが、私たちを元気にしてくれるものなのです。

たまには心をスローダウンさせてみましょう。不安は脳の働きを加速させるので、意識的に考えや行動のペースを落とすことによって、気持ちを落ち着かせることができます。心をスローダウンさせると、つながりの感覚を感じることができます。内省もしやすくなるでしょう。そしてもちろん、自分の感情に向き合うときにも、ペースを落とすことが大切です。

自分を批判したり、こうだと結論づけたりする前に、自分の内側の世界に好奇心を持ちましょう。ほかの人の意図はこうだと決めつける前に、相手の心に好奇心を持ち続けましょう。ひと呼吸置くには、練習が必要かもしれませんが、やってみる価値はあります。ちょっと間を置いて、自分にこう尋ねてみましょう。**彼女はどんな気持ちを体験して、XやY、あるいはZという行動を取っているんだろう?** 結論に飛びつく前に、行動の背景にある深い感情を理解しようとひと呼吸置くことは、すべての人間関係に役立ちます。

最後に、あなた自身のために、そして、あなたの大切な人のために、このことを覚えておいてください。人の心と身体を解放するには、核心にある感情を感じ切り表現することが重要です。感情をジャッジせず、自分の深いところから由来する感情を受け容れましょう。これは、すべての関係性に——特に、自分自身との関係性を良くするために——良い影響を与えるのです。

謝辞

お礼を言いたい人はたくさんいますが、まずはリチャード・アバーテに。私が自分では気づけていなかったことに、気づいてくれたのが彼でした。彼のおかげで、私は、「変容の三角形」を、遠くにいる人たちや幅広い世代の人たちと分かち合いたいという長年の夢を叶えることができました。

ジュリー・グレーとローラ・ファン・デル・ヴェールという素晴らしい編集者に感謝します。メンフェイ・チェン、ベス・ピアソン、コピーエディターのエイミー・モリス・ライアン、デビー・グラッサーマン、クリスティン・ミキティシン、ジェシカ・ボネット、リンダ・フリードナー・コーエン、それから、ランダムハウスとシュピーゲル アンド グレーの他のチームにも、本書の企画段階から完成まで大変お世話になりました。ニューヨーク・タイムズの担当編集者、ジェームス・ライアーソンにも感謝しています。本書のタイトルは、彼のひらめきによるものです。

本書の「はじめに」を執筆してくださった、AEDPの創始者ダイアナ・フォーシャにもお礼を言いたいです。彼女はその勇気と才能によって、近年の研究知見を癒やしと変容の心理療法モデルへと落とし込みました。このモデルは、愛と真正性（authenticity）の価値を明らかにし、精神的なストレスを抱える人たちへの治療やアプローチの仕方を大きく変えました。ダイアナ、あなたに心からの愛と感謝を送ります。

これまでに出会ってきた、多くの才能豊かなAEDPファカルティたちにもお礼を述べたいと思います。アイリーン・ラッセル、ナターシャ・プレン、カリ・グライザー、ジェリー・ラマーニャ、ジーン・ニューハウス、スティーヴ・シャピロ、スー・アン・ピリエロ、バーバラ・スーター、ディビッド・マーズ、カレン・パンドーマーズ、ギル・タンネル、ジェンナ・オシアソン、そして、ロン・フレデリックに。それから、私の精神分析のスーパーヴァイザーたち、特にマーク・ショールズ、クレア・ヘルツ、アン・アイゼンシュタイン、そして、ドディ・ゴールドマンにも感謝します。彼らは、境界を尊重する熟練の精神分析家になる方法を教えてくれただけでなく、「この新しいモデル（ＡＥＤＰ）を学んでみて。きっと大流行すると思う！」と、挑戦的なことを言った私を大目に見て、励ましてくれました。

メインのスーパーヴァイザーとしては、師であり、メンターでもあるベンジャミン・リプトンの名前を挙げなくてはなりません。今、セラピストとしての私があるのは、彼のおかげです。私のテクニックや在り方は、彼から影響を受けたものが多く、彼から教わったこともあるので、本書で紹介した臨床素材のひとつひとつに、彼の精神とハートが息づいています。ありがとう、ベン。

昔からの友人で、スピリチュアル・ガイドでもある、マーケティングの天才、モニカ・シュルツ・ホッジスにもお礼を言いたいです。９歳の頃から、私たちは共に人生を歩んできました。お互いがいたからこそ、強くなれたのです。彼女からのサポートは、かけがえのないものです。私を励まし、彼女自身も「変容の三角形」に取り組んでみてくれたこと。私にブログを始めるよう勧めてくれて、毎月の投稿を編集してくれたこと。「変容の三角形」という呼び方を思いついてくれたこと。私が、図と文字で示そうとしていることの本質をキャッチしてくれたこと。私のウェブサイトにも手を貸してくれたこと。ここに至る道のりのすべての段階で、私を勇気づけてくれたこと。彼女の手厚いサポートのおかげで、私はたくさんの人々に手を差し伸べることができました。この感謝はなかなか言葉にできません。それから、親友のルーシー・レーラー、トレイシー・プルザン、ハイジ・フリーズ、ナターシャ・プレン、ベッツィー・カヴァラー、そしてリサ・シュネルにもお礼を言いたいです。いつも優しさと愛情に溢れたサポートをありがとう。

母のゲイル・ジェイコブスにも感謝します。彼女の忍耐と愛情、肯定とサポートには限界がありません。専門用語を使った文章を書かないようにと、私に口酸っぱく言ってくれてありがとう。

姉のアマンダ・ジェイコブス・ウォルフには、心からの感謝を送りたいです。彼女のいない人生なんて考えられません。日々、たくさんの愛情と知恵と、友情を捧げてくれてありがとう。

私の子どもたち、サマンサとブラケッツへ。あなたたちは、私を成長させ、良い人間になるための刺激を与えてくれます。あなたたちが思っている以上に、私はあなたたちのことを愛しています。あなたたちの母親でいられることを大切に思います。そして、義理の娘たち、ジェシカとナオミにも。あなたたちとの特別なつながりは、私の宝物です。

私の夫であり、生涯のパートナーであるジョン・ヘンデルは、何千何百という時間を費やして、本書を何度も読み直してくれました。愛情に溢れ、思慮深く、賢く、そして楽しく、世話好きなパートナーでいてくれてありがとう。あなたは、私にとって非の打ち所のないパートナーです。

最後に、私をセラピストに選んでくれたすべての人たちに感謝します。皆さんとお会いできたことは、私にとって光栄で特別なことです。私は、皆さんひとりひとりから学び、育ててもらいました。ほかの人たちの助けになるようにと、セッションを開示する許可をくださった方々へは、特別な感謝を送りたいです。誰かの人生を変えるギフトを、皆さんが与えてくれました。

資料

トラウマや体験的心理療法、専門家のためのトレーニングについて詳しく知りたい方は、左記の短いリストにあるウェブサイトをご覧ください。私のブログを除いて、これらのサイトでは情報や論文、セラピストのリストなどを無料で閲覧できます。より多くの情報が掲載されたリストは随時更新中で、私のウェブサイトにてご覧いただけます（hilaryjacobshendel.com）。

・私のブログ：hilaryjacobshendel.com/hilarys-blog
・ＡＥＤＰ（加速化体験力動療法：Accelerated Experiential Dynamic Psychotherapy）：aedpinstitute.org
・ＩＦＳ（内的家族システム療法：Internal Family System Therapy）：selfleadership.org
・ＥＭＤＲ（眼球運動による脱感作と再処理法：eye movement desensitization and reprocessing）：emdria.org
・ＳＥ（ソマティック・エクスペリエンシング：Somatic Experiencing）：traumahealing.org
・Sensorimotor psychotherapy（感覚運動療法）：www.sensorimotorpsychotherapy.org
・Healing Shame workshops（恥を癒やすワークショップ）：www.healingshame.com

日本語版刊行に寄せて

この本でヒラリー（最大の敬意をもって呼ばせて頂きます）が説明を尽くした「変容の三角形」は、心の症状を説明する鍵です。

うつ症状やパニック、強迫、双極性や精神病症状すら、その発症の機序として感情抑圧があることをＡＥＤＰ™は説明しています。

さらに、感情抑圧を脱するとは、どんな状態を言うのか（７つのＣ）、そしてそこに至るには、どのような過程を経ればよいのか、まで説明したところがＡＥＤＰ™の凄いところです。

あらゆる薬を服用しても改善しなかった重度のうつ患者さんが、感情表現とコミュニケーションで薬を用いずに正常化し、長年にわたり多剤併用にまみれていた双極性障害の患者さんが服薬を「卒業」していく、本人だけでなく親の感情表現も引き出していくことで、統合失調症の患者さんが服用する非定型抗精神薬が10分の１量になっていく、といった経験を私は実臨床で重ねるうちに、いつも背後に三角形の原理が働いていたことを知りました。

日々の臨床で、三角形の効果と普遍性を体感し続けるうちに、この三角形はメソッドと言うよりも法則に近いな、と私は感じています。

本書の中でヒラリーは、変容の三角形が、愛着の問題や、トラウマの治療にも有用であることを示しています。人が自分の感情と深いつながりを回復することが、自己確立の道であり、その状態を保つことが、私たちの真の自由と、本来望む生き様を生きる基盤になることを、変容の三角形は教えてくれます。人が人間関係の中で癒やされていく過程が、変容の三角形に示されているのです。

変容の三角形を意識すると、他の心理療法の理解も深まります。実臨床で行き詰ったときに進むべき方向を、三角形が示してくれます。何よりも、あなたの人生に、この三角形を用いてほしいです。

私はニューヨークでヒラリーに会い、そのあたたかくオープンで、真っすぐな人柄に惹かれました。本書の中でヒラリーは、Core emotionに愛も含まれると意見を述べています。

本書からも、ヒラリーの持つ情熱や、あたたかさが皆様に伝わるはずだと思います。

このツールが世の中に広く伝わり、人が本当の自分を生きて、深いつながりの中で、お互いに支え合い、あたたかい関係を育む社会になることを願っています。

井出広幸

——(1998). Dyadically Expanded States of Consciousness and the Process of Therapeutic Change. *Infant Mental Health Journal* 19 (3): 290–99.

Van Der Kolk, B. (2014). *The Body Keeps the Score*. New York: Viking.

Yeung, D., and Fosha, D. (2015). Accelerated Experiential Dynamic Psychotherapy. In *The Sage Encyclopedia of Theory in Counseling and Psychotherapy*. New York: Sage Publications.

監訳者推薦図書

Fosha, D. (ed.) (2021) *Undoing Aloneness & the Transformation of Suffering into Flourishing: AEDP 2.0*. Amer Psychological Assn.

花川ゆう子（2020）『あなたのカウンセリングがみるみる変わる！　感情を癒す実践メソッド』金剛出版.

Frederick, R. J. (2019). *Loving Like You Mean It: Use the Power of Emotional Mindfulness to Transform Your Relationships*. Central Recovery Press.

ロナルド・J・フレデリック（著）花川ゆう子・武田菜摘（訳）（2022）『感情を癒やし、あなたらしく生きる4つのステップ』福村出版.

Sarno, J. (1999). *The Mind Body Prescription.* New York: Warner Books.

Schwartz, R. C. (2004). *Internal Family Systems Therapy.* New York: Guilford Press.

——(2008). *You Are the One You've Been Waiting For: Bringing Courageous Love to Intimate Relationships.* Oak Park: Trailheads Publications.

——(2001). *Introduction to the Internal Family Systems Model.* Oak Park: Trailheads Publications.

Shapiro, F. (2001). *Eye Movement Desensitization and Reprocessing: Basic Principles, Protocols, and Procedures.* New York: Guilford Press.

Shore, A. (2003). *Affect Regulation and the Repair of the Self.* New York: W. W. Norton and Company.

Siegel, D. (1999). *The Developing Mind: Toward a Neurobiology of Interpersonal Experience.* New York: Guilford Press.

——(2010). *Mindsight: The New Science of Personal Transformation.* New York: Bantam Books.

Stern, D. N. (1998). The Process of Therapeutic Change Involving Implicit Knowledge: Some Implications of Developmental Observations for Adult Psychotherapy. *Infant Mental Health Journal* 19 (3): 300–308.

Stojanovich, L., and Marisavljevich, D. (2008). Stress as a Trigger of Autoimmune Disease. *Autoimmunity Reviews 7* (3): 209-13.

Subic-Wrana, C., et al. (2016). Affective Change in Psychodynamic Psychotherapy: Theoretical Models and Clinical Approaches to Changing Emotions. *Zeitschrift für Psychosomatische Medizin und Psychotherapie* 62: 207–23.

Tomkins, S. S. (1962). *Affect, Imagery, and Consciousness. Vol. 1*: The Positive Affects. New York: Springer.

——(1963). *Affect, Imagery, and Consciousness. Vol. 2: The Negative Affects.* New York: Springer.

——(1989). Emotions and Emotional Communication in Infants. *American Psychologist* 44 (2): 112–19.

Ogden, P., Minton, K., and Pain, C. (2006). *Trauma and the Body: A Sensorimotor Approach*. New York: W. W. Norton and Company.

Pally, R. (2000). *The Mind-Body Relationship*. New York: Karnac Books.

Panksepp, J. (1998). *Affective Neuroscience: The Foundations of Human and Animal Emotions*. New York: Oxford University Press.

——(2010). Affective Neuroscience of the Emotional BrainMind: Evolutionary Perspectives and Implications for Understanding Depression. *Dialogues in Clinical Neuroscience* 12 (4): 533–45.

Pausch, R. (2008). *The Last Lecture*. New York: Hyperion.

Porges, S. (2011). *The Polyvagal Theory: Neurophysiological Foundations of Emotions, Attachment, Communication, and Self-Regulation*. Norton Series on Interpersonal Neurobiology. New York: W. W. Norton and Company.

Prenn, N. (2009). I Second That Emotion! On Self-Disclosure and Its Metaprocessing. In A. Bloomgarden and R. B. Menutti (eds.), Psychotherapist Revealed: *Therapists Speak About Self-Disclosure in Psychotherapy*. Chapter 6, pp. 85–99. New York: Routledge.

——(2010). How to Set Transformance into Action: The AEDP Protocol. *Transformance: The AEDP Journal* 1 (1). aedpinstitute.org/wp-content/uploads/page_How-to-Set-Transformance-Into-Action.pdf.

——(2011). Mind the Gap: AEDP Interventions Translating Attachment Theory into Clinical Practice. *Journal of Psychotherapy Integration* 21 (3): 308–29.

Rothschild, B. (2000). *The Body Remembers*. New York: W. W. Norton and Company.

Russell, E., and Fosha, D. (2008). Transformational Affects and Core State in AEDP: The Emergence and Consolidation of Joy, Hope, Gratitude and Confidence in the (Solid Goodness of the) Self. *Journal of Psychotherapy Integration* 18 (2): 167–90.

Russell, E. M. (2015). *Restoring Resilience: Discovering your Clients' Capacity for Healing*. New York: Norton.

Lamagna, J., and Gleiser, K. (2007). Building a Secure Internal Attachment: An Intra-Relational Approach to Ego Strengthening and Emotional Processing with Chronically Traumatized Clients. *Journal of Trauma and Dissociation* 8 (1): 25–52.

Lerner, H. (2005). The Dance of Anger. New York: HarperCollins.

Levenson, H. (1995). *Time-Limited Dynamic Psychotherapy*. New York: Basic Books.

Levine, A., and Heller, R. (2010). *Attached: The New Science of Attachment*. New York: Penguin Group.

Levine, P. (1997). *Waking the Tiger: Healing Trauma*. Berkeley, CA: North Atlantic Books.

Lieberman, M. D., Eisenberger, N. I., Crockett, M. J., Tom, S. et al. (2007). Putting Feelings into Words: Affect Labeling Disrupts Amygdala Activity to Affective Stumuli. *Psychological Science* 18: 421-28.

Lipton, B., and Fosha, D. (2011). Attachment as a Transformative Process in AEDP: Operationalizing the Intersection of Attachment Theory and Affective Neuroscience. *Journal of Psychotherapy Integration* 21 (3): 253–79.

Macnaughton, I. (2004). *Body, Breath, and Consciousness: A Somatics Anthology*. Berkeley, CA: North Atlantic Books.

Malan, D. (1979). *Individual Psychotherapy and the Science of Psychodynamics*. London: Butterworth-Heinemann.

McCullough, L., et al. (2003). *Treating Affect Phobia: A Manual for Short-Term Dynamic Psychotherapy*. New York: Guilford Press.

Napier, N. (1993). *Getting Through the Day*. New York: W. W. Norton and Company.

Nathanson, D. (1992). *Shame and Pride: Affect, Sex, and the Birth of the Self*. New York: W. W. Norton and Company.

Ogden, P., and Fisher, J. (2015). *Sensorimotor Psychotherapy: Interventions from Trauma and Attachment*. New York: W. W. Norton and Company.

tive Neuroscience, Development and Clinical Practice. New York: W. W. Norton and Company.

Fosha, D., and Yeung, D. (2006). AEDP Exemplifies the Seamless Integration of Emotional Transformation and Dyadic Relatedness at Work. In G. Stricker and J. Gold (eds.), *A Casebook of Integrative Psychotherapy*. Washington, DC: APA Press.

Frederick, R. J. (2009). *Living Like You Mean It: Using the Wisdom and Power of Your Emotions to Get the Life You Really Want*. San Francisco: Jossey-Bass.

Fredrickson, B. L. (2001). The Role of Positive Emotions in Positive Psychology: The Broaden-and-Build Theory of Positive Emotions. *American Psychologist* 56, 211–26.

—— (2009). *Positivity: Groundbreaking Research Reveals How to Embrace the Hidden Strength of Positive Emotions, Overcome Negativity, and Thrive*. New York: Random House.

Gallese, V. (2001). Mirror Neurons, Embodied Simulation, and the Neural Basis of Social Identification. *Psychoanalytic Dialogues* 19: 519–36.

Gendlin, E. T. (1978). *Focusing*. New York: Bantam Dell.

Herman, J. (1992). *Trauma and Recovery: The Aftermath of Violence from Domestic Abuse to Political Terror*. New York: Basic Books.

Hill, D. (2015). *Affect Regulation Theory: A Clinical Model*. New York: W. W. Norton and Company.

James, W. (1890). *The Principles of Psychology*. New York: Henry Holt & Company.

Kaufman, G. (1996). *The Psychology of Shame*. New York: Springer Publishing Company.

Korb, A. (2015). *The Upward Spiral: Using Neuroscience to Reverse the Course of Depression One Small Change at a Time*. Oakland, CA: New Harbinger.

Lamagna, J. (2011). Of the Self, by the Self, and for the Self: An Intra-Relational Perspective on Intra-Psychic Attunement and Psychological Change. *Journal of Psychotherapy Integration* 21 (3): 280–307.

Consciousness. New York: Harcourt Brace.

Darwin, C. (1872). *The Expression of the Emotions in Man and Animals*. London: John Murray Publisher.

Davanloo, H. (2000). *Intensive Short-Term Dynamic Psychotherapy: Selected Papers of Habib Davanloo, MD*. Hoboken, NJ: John Wiley & Sons.

—— (1995). *Unlocking the Unconscious: Selected Papers of Habib Davanloo, MD*. New York: John Wiley & Sons.

Doidge, N. (2007). *The Brain That Changes Itself*. New York: Penguin Books.

Fay, D. (2007). *Becoming Safely Embodied: Skills Manual*. Somerville, MA: Heart Full Life Publishing.

Fonagy, P., Gergely, G., Jurist, E., and Target, M. (2004). *Affect Regulation, Mentalization, and the Development of the Self*. New York: Other Press.

Fosha, D. (2017). How to Be a Transformational Therapist: AEDP Harnesses Innate Healing Affects to Re-Wire Experience and Accelerate Transformation. In J. Loizzo, M. Neale, and E. Wolf (eds.), Advances in Contemplative Psychotherapy: *Accelerating Transformation*. New York: Norton.

—— (2013). Turbocharging the Affects of Healing and Redressing the Evolutionary Tilt. In D. J. Siegel and M. F. Solomon (eds.), *Healing Moments in Psychotherapy*. New York: Norton.

—— (2009). Positive Affects and the Transformation of Suffering into Flourishing. In W. C. Bushell, E. L. Olivo, and N. D. Theise (eds.), *Longevity, Regeneration, and Optimal Health: Integrating Eastern and Western Perspectives*. New York: Annals of the New York Academy of Sciences.

—— (2004). "Nothing That Feels Bad Is Ever the Last Step": The Role of Positive Emotions in Experiential Work with Difficult Emotional Experiences. L. Greenberg (ed.), *Clinical Psychology and Psychotherapy* 11 (Special Issue on Emotion), 30–43.

—— (2000). The Transforming Power of Affect. New York: Basic Books.

Fosha, D., Siegel, D., and Solomon, M. (2009). *The Healing Power of Emotion: Affec-*

たちは、日常的に自我の状態や取り込みについて書いてきました。しかし、私の実践や文章にとりわけ大きな影響を及ぼしたのは、リチャード・シュワルツです。この本には、「パーツ」や「自己」「7つのC」に関する彼の表現が反映されています。リチャードは、心の苦しみやトラウマによる症状から回復するために、パーツと向き合うという包括的なモデルを開発しました。これについてさらに知りたいという臨床家の方には、『Introduction to the Internal Family Systems Model and Internal Family System Theory』を読まれることをお勧めします。彼の著書『You Are The One You've Been Waiting For: Bringing Courageous Love to Intimate Relationships』は、一般向けに書かれたものです。詳しくは、IFSのウェブサイト selfleadership.org. をご覧ください。

Ainsworth, M. (1978). *Patterns of Attachment: A Psychological Study of the Strange Situation*. Hillsdale, NJ: Lawrence Erlbaum.

Aposhyan, S. (2004). *Body-Mind Psychotherapy*. New York: W. W. Norton and Company.

Badenoch, B. (2008). *Being a Brain-Wise Therapist*. New York: W. W. Norton and Company.

Bowlby, J. (1988). *A Secure Base: Parent-Child Attachment and Healthy Human Development*. New York: Basic Books.

Brown, B. (2010). *The Gifts of Imperfection*. Center City, MN: Hazelden.

Coughlin Della Selva, P. (2004). *Intensive Short-Term Dynamic Psychotherapy: Theory and Technique Synopsis*. London: Karnac.

Cozolino, L. (2002). *The Neuroscience of Psychotherapy*. New York: W. W. Norton and Company.

Craig, A. D. (2015). *How Do You Feel?: An Interoceptive Moment with Your Neurobiological Self*. Princeton, NJ: Princeton University Press.

Damasio, A. (1994). *Descartes' Error: Emotion, Reason, and the Human Brain*. New York: Penguin Books.

—— (1999). *The Feeling of What Happens: Body and Emotion in the Making of*

文献

ここでは参考文献の一覧を詳しく提示していきますが、その前に、私が大きく影響を受けてきた人たちにスポットを当てたいと思います。彼らがいなければ、私の実践は本書と合致したものにならなかったでしょう。以下に彼らの本をいくつか紹介しますが、完全な引用については、この後に続く文献リストをご覧ください。

何よりもまず、AEDP（加速化体験力動療法）の創始者ダイアナ・フォーシャの功績と知性に感謝したいと思います。ダイアナは、神経科学、感情、愛着、変容、トラウマに関する膨大な研究と臨床実践を統合し、人々が心の傷から回復するのを助けるために、新しくて非常に効果的なアプローチを開発しました。AEDPの理論や実践にこれから飛び込んでみたいという方には、『人を育む愛着と感情の力——AEDPによる感情変容の理論と実践（The Transforming Power of Affect）』（福村出版、2017）を精読されることを強くお勧めします。さまざまな分野の著名な臨床家や研究者による、深くて魅力的な感情の探求には、ダイアナらが編集した『The Healing Power of Emotion: Affective Neuroscience, Development and Clinical Practice』もお薦めです。より詳しい情報は、AEDPのウェブサイト aedpinstitude.org. をご覧ください。

私に「変容の三角形」を最初に紹介してくれたのはダイアナでしたが、——ダイアナはそれを「体験の三角形」と呼んでいました——デイビット・マランの仕事にも感謝したいと思います。事実、この三角形が、専門家の間でマランの三角形と呼ばれることが多いのは、彼が最初に「葛藤の三角形」について解説した本を出版したためです。彼は「変容の三角形」を、「葛藤の三角形」と呼んでいました。マランの本をさらに読んでみたいという方は、彼の著作『心理療法の臨床と科学（Individual Psychotherapy and The Science of Psychodynamic)』（誠信書房、1992）を読むと、さらに詳しい内容を知ることができます。

この本の中で、私は「パーツ」や「自己」「7つのC」についても触れました。人間はひとつに統一された全体ではなく、さまざまな状態、パーツ、もしくは人格からできているという考えは、新しいものではありません。フロイトと対象関係論者

心を開いた状態　Openhearted

気づきのある（aware）　勇敢な（brave）　穏やかな（calm）　澄んだ（clear）　思いやりのある（compassionate）　自信のある（confident）　つながっている（connected）　勇気のある（courageous）　クリエイティブな（creative）　好奇心のある（curious）　充足感のある（fulfilled）　希望に満ちた（hopeful）　探究心のある（inquisitive）　インスピレーションを得た（inspired）　愛情深い（loving）　面倒見のいい（nurturing）　オープンな（open）　物思いに耽る（pensive）　賢明な（philosophical）　遊び心のある（playful）　尊敬の念を抱いた（respectful）　応答性の高い（responsive）　繊細な（sensitive）　強い（strong）　柔らかい（tender）　感謝に満ちた（thankful）　思慮深い（thoughtful）

安らぎ　Peaceful

受容的な（accepted）　穏やかな（calm）　澄んだ（clear）　思いやりのある（compassionate）　つながっている（connected）　満足した（content）　クリエイティブな（creative）　好奇心のある（curious）　感謝に満ちた（grateful）　リラックスした（relaxed）　安心した（secure）　静かな（serene）

悲しみ　Sad

見捨てられた（abandoned）　ひとりぼっちの（alone）　無気力な（apathetic）　肩身の狭い（ashamed）　退屈した（bored）　ゆううつな（depressed）　絶望したような（despairing）　がっかりした（disappointed）　気落ちした（droopy）　虚しい（empty）　元気がない（flat）　無視された（ignored）　無関心な（indifferent）　孤立した（isolated）　孤独な（lonely）　後悔した（remorseful）　活気のない（sleepy）　疲れた（tired）　内にこもる（withdrawn）

脆さ　Vulnerable

防衛的な（defensive）　無防備な（exposed）　守ろうとする（protective）　剝き出しの（raw）　怖がる（scared）　臆病な（skittish）　弱い（weak）　内にこもる（withdrawn） （high） 関心を持つ（interested） 解放された（liberated） 驚きの（surprised） 見事な（wondrous）

恐怖 Fearful

心配して（afraid） 不安な（anxious） まごついた（bewildered） うろたえる（confused） 気持ちをくじく（discouraged） 狼狽する（dismayed） 怯えた（frightened） 自分ではどうすることもできない（helpless） 怖気づく（hesitant） 不十分な（inadequate） 重要でない（insignificant） 対処できないほど強い（overwhelmed） 拒否される（rejected） 怖がる（scared） ギョッとする（shocked） ギクッとする（startled） 言いなりになる（submissive） 恐れおののく（terrified） 気にかかる（worried）

罪悪感 Guilty

申しわけなさそうな（apologetic） 避ける（avoiding） 深く悔いる（contrite） 従順な（meek） 後悔した（remorseful）

幸福感・喜び Happy/Joyful

面白がる（amused） 元気のいい（cheerful） 勇気のある（courageous） クリエイティブな（creative） 大胆な（daring） エネルギッシュな（energetic） 興奮した（excited） 魅了された（fascinated） 希望に満ちた（hopeful） 喜びに満ちた（joyous） 楽観的な（optimistic） 遊び心のある（playful） 官能的な（sensual） 感覚的な（sensuous） 刺激的な（stimulated） 素晴らしい（wonderful）

傷つき Hurt

不愉快な（awful） 無防備な（exposed） 屈辱的な（humiliated） 無視された（ignored） 心細い（insecure） 苦しそうな（pained） 剝き出しの（raw） 拒否された（rejected） 敏感な（sensitive） 言いなりになる（submissive） 脅かされる（threatened）

恥　Ashamed

疎外感のある（alienated）　打ちのめされた（devastated）　見下された（disrespected）　きまりが悪い（embarrassed）　虚しい（empty）　不十分な（inadequate）　劣っている（inferior）　心細い（insecure）　重要でない（insignificant）　孤立した（isolated）　無力な（powerless）　馬鹿にされた（ridiculed）　犠牲になる（victimized）　傷つきやすい（vulnerable）　引きこもる（withdrawn）　価値のない（worthless）

自信　Confident

素晴らしい（amazing）　高い評価を得る（appreciated）　クリエイティブな（creative）　勇気のある（courageous）　判断力に優れた（discerning）　重要な（important）　揺るぎない（invincible）　力強い（powerful）　誇らしい（proud）　強い（strong）　成功した（successful）　尊い（valuable）　価値のある（worthwhile）

嫌悪　Disgusted

嫌いな（averse）　不満そうな（disapproving）　うんざりする（grossed out）　拒否的な（rejecting）　嫌悪感を抱く（repulsed）　反抗する（revolted）　嫌気が差す（turned off）

不信感　Distrustful

びっくりする（astonished）　幻滅した（disillusioned）　嫉妬心のある（jealous）　ジャッジする（judgmental）　嫌悪感を抱く（loathing）　当惑した（perplexed）　挑発的な（provocative）　冷ややかな（sarcastic）　疑い深い（skeptical）　勘繰る（suspicious）

興奮　Excited

活性化された（activated）　度肝を抜く（amazed）　畏怖の念を抱く（awed）　勇気のある（courageous）　熱心な（eager）　有頂天になった（ecstatic）　エネルギーのある（energized）　開放的な（expansive）　熱狂的な（faithful）　高い

負担をかけられる（weighted）

繊細さ　Tender

輝きのある（aglow）　傷ついた（bruised）　心地よい（cozy）　弱々しい（flaccid）　脆い（fragile）　ギザギザした（jagged）　溶けるような（melting）　心が動く（moved）　柔らかい（soft）　心臓がバクバクする（throbbing）　感動する（touched）　あたたかい（warm）

無防備さ　Vulnerable

壊れやすい（brittle）　剥き出しの（exposed）　脆い（fragile）　開かれた（open）　ブルブル震える（quivery）　敏感な（raw）　傷つきやすい（sensitive）

付録 B——感情の言葉のリスト

怒り　Angry

攻撃的な（aggressive）　物欲しげな（covetous）　批判的な（critical）　がっかりした（disappointed）　不満そうな（disapproving）　距離を置く（distant）　憤る（enraged）　気持ちが満たされない（frustrated）　激昂した（furious）　憎しみに満ちた（hateful）　敵意がある（hostile）　傷ついた（hurt）　激怒した（infuriated）　腹が立った（irate）　イライラした（irritated）　嫉妬心のある（jealous）　怒り狂う（mad）　うんざりする（pissed）　怒らせる（provoked）　憤慨する（resentful）　辛辣な（sarcastic）　自己中心的な（selfish）　疑い深い（skeptical）　侵害される（violated）

不安　Anxious

動揺した（agitated）　避ける（avoiding）　うろたえる（confused）　締めつけられた（constricted）　秘密にする（hidden）　無関心な（indifferent）　神経質な（nervous）　張り詰めた（tight）　ゾクゾクする（tingly）　ピリピリした（uptight）　内にこもる（withdrawn）

罪悪感　Guilty

ザワザワする（buzzy）　抑制された（constricted）　落ちる（dropping）　ビクビクした（jittery）　沈むような（sinking）　緊張した（tense）

幸福感・喜び　Happy/Joyful

輝きのある（aglow）　心地よい（cozy）　エネルギーのある（energized）　膨らむような（expanding）　広げられた（expanded）　開放的な（expansive）　浮き足立った（floating）　満ち足りた（full）　動かされる（moved）　開かれた（open）　笑顔になる（smiling）　滑らかな（smooth）　太陽の光が降り注ぐ（sunny）　柔らかい（tender）　感動する（touched）　あたたかい（warm）

傷つき　Hurt

疼く（achy）　傷ついた（bruised）　切る（cut）　開かれた（open）　脆い（fragile）　ギザギザした（jagged）　穴の開いた（pierced）　チクチク痛む（prickly）　剝き出しの（raw）　焼けつくような（searing）　敏感な（sensitive）　痛みのある（sore）　グラグラする（wobbly）　傷を負った（wounded）

心を開く　Openhearted

風通しのよい（airy）　生き生きした（alive）　目が覚めるような（awake）　穏やかな（calm）　つながっている（connected）　広げられた（expanded）　開放的な（expansive）　流れるような（flowing）　滑らかな（fluid）　満ち足りた（full）　軽い（light）　開かれた（open）　安らぎのある（peaceful）　リラックスした（relaxed）　手放せる（releasing）　きらめく（shimmering）　スムーズな（smooth）　広々とした（spacious）　しんとした（still）　強い（strong）　元気のある（vital）　あたたかい（warm）

悲しみ　Sad

ブルーな（blue）　重荷を背負った（burdened）　打ちひしがれた（down）　空虚な（empty）　重い（heavy）　中が空っぽな（hollow）　よるべない（untethered）

嫌悪　Disgusted

胃酸が上がってきて気持ち悪い（acidic）　むかつく（bilious）　ギュッと握る（clenched）　ドン引きする（cringing）　吐き気を催す（gagging）　不快感を感じる（grossed out）　もつれた（knotted）　胸が悪くなるような（nauseated）　敵意に満ちた（poisoned）　ムカムカする（queasy）　気分が悪い（sick）　緊張した（tense）　張り詰めた（tight）

興奮　Excited

活性化した（activated）　固唾を呑む（breathless）　生き生きとした（bubbly）　はち切れそうな（bursting）　ザワザワする（buzzy）　電気が走るような（electric）　エネルギーのある（energized）　膨らむような（expanding）　開放的な（expansive）　浮き足立った（floating）　流れるような（fluid）　顔が赤くなる（flushed）　ムズムズする（itchy）　怖いものなしの（nervy）　心臓がドキドキする（pounding）　ドクドクと脈打つ（pulsing）　輝かせる（radiating）　きらめく（shimmery）　溢れ出す（streaming）　ゾクゾクする（tingling）　落ち着かない（twitchy）

開放的な気持ち　Expansive

大きくなる（growing）　膨らんだ（inflated）　明るい（luminous）　張りのある（puffed up）　輝かせる（radiating）　きらめきのある（shimmering）　強い（strong）　背筋が伸びる（tall）　振動する（tremulous）

恐怖　Fearful

固唾を呑む（breathless）　混乱する（chaotic）　べとべとして気持ちの悪い（clammy）　冷たい（cold）　暗い（dark）　取り乱す（frantic）　凍りつく（frozen）　ビクビクした（jittery）　神経が過敏になる（jumpy）　氷のような（icy）　グラグラする（shaky）　震える（shivery）　ぐるぐる回る（spinning）　汗が出る（sweaty）　震えおののく（trembling）

(heart-pounding) ビクビクした (jumpy) 締めつけられる (knotted) 落ち着かない (queasy) 頭がボーッとする (spacey) ピリピリした (tingly) 震える (trembly) 神経が過敏になる (twitchy) 振動する (vibrating) 緊張した (tense) 浅い呼吸 (shallow breath) グルグル回る (spinning) パニックになる (panicky) キュッと締まる (tight)

恥　Ashamed

ひとりぼっちの (alone) 縮こまる (contracted) 切り離す (cut off) 暗い (dark) 無感覚の (deadened) しぼんだ (deflated) 消えそうな (disappearing) つながりのない (disconnected) からっぽな (empty) 顔が赤くなる (flushed) 凍りつく (frozen) 隠れたくなる (hiding) 内側から蝕まれる (imploding) 目に見えない (invisible) 麻痺した (numb) 後ずさりする (receding) 小さくなる (small)

気持ちを抑える　Constricted

鎧を着た (armored) ブロックする (blocked) ギュッと握る (clenched) 閉ざす (closed) 冷たい (cold) 詰まった (congested) 縮められる (contracted) 冷めた (cool) 鈍感な (dense) 締めつけられる (knotted) 感覚のない (numb) 麻痺した (paralyzed) トゲトゲした (prickly) ドクドクと脈打つ (pulsing) 行き詰まる (stuck) 息の詰まるような (suffocating) 緊張した (tense) 緊迫した (thick) 心臓がバクバクする (throbbing) キュッと締まる (tight) ぎこちない (wooden)

ゆううつ　Depressed

ひとりぼっちの (alone) 縮こまる (contracted) 切り離す (cut off) 暗い (dark) 無感覚の (deadened) 鈍感な (dense) 消えそうな (disappearing) つながりのない (disconnected) 疲れ切った (drained) 頭の回転が鈍い (dull) 空虚な (empty) 重い (heavy) 麻痺した (numb) どろっとした (thick)

付録A——感覚の言葉のリスト

体験にぴったり合う言葉が見つかると、頭がすっきりします。たとえば、心の痛みを表現するのにぴったりな「傷ついた」という言葉を見つけられたら、「これだ！」とわかって気持ちが楽になり、それでいいと感じられるでしょう[1]。

あなたの体験にぴったり合う言葉を見つける助けとして、付録Ａ・Ｂに、感覚と感情の言葉のリストを挙げます。自分の経験に合った言葉や単語を見つけやすいように、言葉をカテゴリー別に整理していることに注目してください。異なるカテゴリーの中に、同じ言葉を2回見ることもあるかもしれません。別のカテゴリーの中に、自分の体験にぴったりの言葉を見つけることもあるでしょう。このリストにない言葉が、心の中に浮かんでくることもあるかもしれません。自分の体験を信じて、カテゴリーにとらわれることなく、あなたの内側の体験にぴったり合う言葉を使ってください。

怒り　Angry

煮えたぎる（burning）　食いしばる（clenched）　抑制された（constricted）　湧き起こる（energized）　爆発的な（explosive）　ヒリヒリする（fiery）　白熱した（heated）　熱い（hot）　衝動的な（impulsive）　もつれた（knotted）　チクチクと（prickly）　猛烈な（red-hot）

不安　Anxious

冷たい（clammy）　ギュッと握る（clenched）　抑制された（constricted）　心をくじく（damp）　当惑した（dizzy）　さらっとした（dry）　かすかな（faint）　ふわふわした（floating）　そわそわした（fluttery）　はっきりしない（fuzzy）　ガードのある（guarded）　頭がズキズキする（headachy）　心臓がドキドキする

1 「これだ！」とわかる（click）という表現は、ダイアナ・フォーシャから教わりました。これは、自分の体験にぴったりフィットする言葉に出会った体験を表します。「カチッとスイッチが入る」ような感じです。

[著者]

ヒラリー・ジェイコブス・ヘンデル

ウェズリアン大学で生化学の学士号を、フォーダム大学でMSW（医療ソーシャルワーカー）を取得。公認精神分析医、AEDP心理療法士・スーパーバイザー。ニューヨーク・タイムズ紙や専門誌に記事を発表。AMC（アメリカ合衆国の衛星テレビおよびケーブルテレビ向けのテレビチャンネル）のドラマ「マッドメン」の登場人物の心理的展開のコンサルタントも務めた。ニューヨーク在住。

hilaryjacobshendel.com
X（旧 Twitter）: @HilaryJHendel
Facebook.com/AuthorHilaryJacobsHendel
Instagram.com/changetriangle

[監訳者]

井出広幸

1965年生まれ。1990年群馬大学医学部卒。内科専門医、消化器病専門医として医療に従事しつつ、1995年より本格的に心療内科を始める。2003年に信愛クリニックを開業。身体を診る医師が心も診るための活動を始める。全国で内科医に心療内科を教える講演が200回以上、自院でも延べ100名を超える内科系勤務医に心の診かたを教えてきた。2022年に大船心療内科を開院。復職に特化したデイケアを併設し、薬に依存しない精神医療の探究を続けている。心療内科では年齢や症状を問わず幅広く対応しているが、精神医療における専門領域は、トラウマ治療である。

[訳者]

山内志保

九州大学大学院人間環境学府実践臨床心理学専攻修了。臨床心理士、公認心理師。Emotion-focused Therapy（EFT）Level 1 Therapist ／ AEDP™ Level 3 Therapist。精神科クリニックや大学での勤務を経て、2020年自由が丘カウンセリングオフィス開業。

「うつ」と決めつけないで
ほんとうの自分とつながる「変容の三角形」ワーク

2024年1月20日　初版第1刷発行

著　者　ヒラリー・ジェイコブス・ヘンデル
監訳者　井出広幸
訳　者　山内志保
発行者　宮下基幸
発行所　福村出版株式会社
〒113-0034　東京都文京区湯島2-14-11
電話　03-5812-9702　FAX　03-5812-9705
https://www.fukumura.co.jp
印　刷　株式会社文化カラー印刷
製　本　協栄製本株式会社

ISBN978-4-571-24110-9 C0011　Printed in Japan